# LES MÉDITATIONS

*La publication de cet ouvrage a été préparée avec le concours de l'Institut des Sources Chrétiennes (E.R.A. 645 du Centre National de la Recherche Scientifique).*

NIHIL OBSTAT
IMPRIMI POTEST :

Grande Chartreuse,
En la fête de saint Bruno,
Le 6 octobre 1981
Fr. ANDRÉ
Prieur de Chartreuse

IMPRIMATUR :

Lyon,
15 septembre 1983
J. ALBERTI, p.s.s.
cens. deleg.

# SOURCES CHRÉTIENNES

*Fondateurs : H. de Lubac, s.j., et J. Daniélou, s.j.* (†)

*Directeur : C. Mondésert, s.j.*

## Nº 308

SÉRIE DES TEXTES MONASTIQUES D'OCCIDENT, Nº LI

## GUIGUES Ier
### PRIEUR DE CHARTREUSE

# LES MÉDITATIONS

## (RECUEIL DE PENSÉES)

*INTRODUCTION, TEXTE CRITIQUE,*
*TRADUCTION ET NOTES*

PAR

## UN CHARTREUX

*Ouvrage publié avec le concours*
*du Centre National des Lettres*

LES ÉDITIONS DU CERF, 29, Bd DE LATOUR-MAUBOURG, PARIS

1983

# INTRODUCTION

## I

## LE RECUEIL DES *MEDITATIONES* DE GUIGUES LE CHARTREUX

« Voici peut-être l'ouvrage le plus original que nous ait laissé la période vraiment créatrice du Moyen Age, c'est-à-dire celle qui a vu surgir saint Bernard, assisté à l'essor de l'Institut cistercien, admiré la suprême splendeur de Cluny, produit, après le décès de saint Anselme, tant de grands hommes, dans les ordres les plus variés ... En cette première moitié du XIIe siècle, l'abbé de Clairvaux, à tout prendre, domine les mieux doués, ayant lui-même de plus grands et de plus nombreux dons, outre la sainteté. Et cependant Guigues, le législateur des Chartreux, a su, dans son désert du Dauphiné, seul en présence du Christ, tirer de sa propre expérience des enseignements qui dépassent son temps, noter des pensées, trouver des accents inoubliables, et qu'il n'est pas malséant de rapprocher de ceux d'un Marc-Aurèle ou d'un Pascal. Bref, ce solitaire de grande foi, et qui vivait du plus pur amour, a composé, sans le savoir ni le vouloir, un chef-d'œuvre d'humanité, qui marque aussi le triomphe de l'esprit chrétien. »

Ainsi s'exprimait l'érudit bénédictin Dom Wilmart, dans l'Introduction de l'ouvrage où il présentait, en 1936, la première édition complète de cette œuvre de Guigues le Chartreux.

Wilmart donna pour titre à son ouvrage : « Le Recueil des Pensées du Bienheureux Guigue [1]. » Ce titre convenait pour des lecteurs modernes, car il rend bien compte d'un caractère essentiel de cette œuvre, quant à sa forme, dont le genre littéraire appartient à celui des auteurs de « Pensées ».

Mais le Moyen Age avait intitulé ce recueil : « Les Méditations de Guigues, Prieur de Chartreuse », soulignant beaucoup mieux ainsi combien est toute orientée vers Dieu la réflexion profonde sous-jacente à chacune des centaines de sentences détachées de cette collection. Les deux titres sont également justifiés.

# II

# L'AUTEUR

Guigues naquit en 1083, au diocèse de Valence, au château de Saint-Romain-de-Mordane, dont quelques ruines subsistent encore aujourd'hui à cinq kilomètres à l'ouest de Tournon, dans la vallée du Doux [2]. Agé de 23 ans, en 1106, Guigues entra à l'ermitage de Chartreuse, qui avait été fondé par saint Bruno vingt-deux ans auparavant, en 1084. Trois ans seule-

---

1. Paris, Vrin, 1936. — Le texte que nous venons de citer ouvre l'Introduction. — Guigues n'a pas droit canoniquement au titre de « Bienheureux », sa cause n'ayant jamais été officiellement introduite.

2. Dans la présentation qui fut donnée de Guigues en 1962, à l'occasion de l'édition critique de ses lettres (*Lettres des premiers Chartreux*, I, *Sources Chrétiennes*, n° 88, p. 97-133), un autre Saint-Romain avait été proposé comme lieu de naissance de Guigues, mais des recherches plus poussées effectuées depuis lors ont montré que cette hypothèse était inexacte. Les diverses pistes de recherche convergent sur Saint-Romain-de-Mordane.

ment après le début de sa vie religieuse, en 1109, Guigues fut élu par ses confrères cinquième Prieur de Chartreuse, et il le demeura jusqu'à sa mort ; c'est dire à quel point sa valeur s'affirmait déjà pour que, si jeune, à 26 ans, on le jugeât digne de cette charge. Au priorat de la Maison de Chartreuse s'adjoignit pour lui, quelques années plus tard, le soin des rapports avec les nouvelles fondations cartusiennes, qui commencèrent en 1115. Son expérience et sa maturité, ainsi que son rayonnement spirituel parmi les siens, le désignèrent à ses confrères pour rédiger les *Coutumes de Chartreuse,* à la demande de quelques prieurs des Maisons déjà fondées et de l'évêque saint Hugues de Grenoble. Ce travail l'occupa de 1121 à 1127.

Guigues donnait ainsi à l'œuvre de saint Bruno son couronnement et le gage de sa durée. Bruno avait fondé la Chartreuse ; il lui avait donné son genre de vie et l'avait animée de son esprit, mais il n'avait pas laissé de règle écrite. Guigues, communiant au même idéal de vie contemplative en solitude que Bruno et doué de dons exceptionnels d'expression, sut donner aux Chartreux une loi dont tous les éléments essentiels se trouvent encore aujourd'hui inchangés dans les Statuts de l'Ordre cartusien. La sagesse, l'équilibre et la profondeur de cette œuvre ont assuré à l'Ordre sa stabilité dans sa vocation au cours des siècles.

Accablé de bonne heure par de graves infirmités, Guigues mourut à 53 ans, le 27 juillet 1136. Il avait été le guide et l'âme de la Chartreuse pendant près de trente années qui furent décisives pour l'Ordre cartusien. Législateur, il a légué pour toujours aux Chartreux quelque chose de son esprit.

Parmi les portraits que divers auteurs tracèrent de Guigues au XIIe siècle, un de ceux qui évoquent le mieux sa physionomie fut écrit peu avant 1200 par un moine de la Chartreuse de Portes dans la *Vie* de saint Antelme, Prieur de Chartreuse peu après Guigues, puis évêque de Belley (1107-1178) :

« Guigues, homme vénérable, digne d'un souvenir éternel, avait été Prieur de Chartreuse ; par la grâce que Dieu lui avait accordée d'une science douce comme le miel, il mérite le privilège d'être appelé *le bon prieur* par ceux qui parlent de lui. Il donna ses statuts au genre de vie de l'Ordre des Chartreux et établit des limites précises. Car il mit lui-même par écrit la règle qu'il appela *Coutumes*. Il forma ses sujets en les instruisant par la parole et par l'exemple. Il apporta un soin habile et vigilant à disposer ce qui le concernait avec sobriété, honnêteté et esprit religieux, donnant aussi d'utiles conseils à tous ceux qui le consultaient. Il était en outre un homme prudent et admirable par sa vivacité d'esprit [3]. »

L'ermitage de Chartreuse, en raison de son genre de vie particulier, de la ferveur de ses premiers habitants, et de la personnalité attachante du prieur Guigues, attira l'attention et suscita l'intérêt des contemporains, surtout dans le monde monastique, tout animé de renouveau à cette époque. Cela valut à Guigues de ferventes amitiés parmi les plus grands moines du XIIe siècle.

Il faut s'arrêter un instant sur les relations de Guigues avec Pierre le Vénérable, abbé de Cluny, et avec saint Bernard, abbé de Clairvaux, les deux plus grands animateurs de la vie monastique dans l'admirable mouvement qui remplit les cloîtres en cette première moitié du XIIe siècle. Un lien spirituel très intime a uni ces trois hommes, lien tissé d'un commun idéal, d'une mutuelle vénération et même d'une réciproque admiration [4].

Déjà, sur le plan humain, ils ont en commun la manifestation précoce de leurs qualités : Pierre le Vénérable est supérieur du prieuré de Domène à 26 ans et sera abbé de Cluny, à la tête du grand Ordre clunisien, avant d'avoir atteint ses 30 ans ; Bernard fonde Clairvaux dont il est le premier abbé à

3. Jean PICARD : *Saint Antelme de Chignin, Vie par son chapelain*, Belley 1978, p. 8.
4. Sur l'amitié de Guigues avec Pierre le Vénérable et S. Bernard, nous avons été aidés en partie par des travaux communiqués par M. le Chanoine Hocquard.

25 ans ; Guigues est prieur de Chartreuse à 26 ans. Tous trois ont des qualités d'organisateurs et s'imposent ainsi comme conducteurs d'hommes.

Tous trois avaient fait d'excellentes études, ils possédaient une vaste connaissance de l'Écriture et des Pères de l'Église, comme aussi des classiques, à un degré qui nous étonne.

Tous trois furent des contemplatifs, captivés par Dieu et doués en même temps pour toute tâche.

Pierre le Vénérable, avant de devenir abbé de Cluny, fut prieur (1120-1122) du prieuré clunisien de Domène, dans la vallée du Grésivaudan, non loin de Grenoble. Ces deux années dauphinoises lui donnèrent occasion de visiter la Chartreuse proche, de connaître ainsi Guigues et de contracter avec lui une amitié profonde ; le fervent souvenir en demeura dans l'âme de l'abbé de Cluny jusqu'à sa mort, près de trente ans après la mort de son ami. Pierre le Vénérable parle de la Chartreuse dans une douzaine de ses lettres, toujours avec une ferveur émouvante ; deux de ses lettres sont adressées à Guigues lui-même [5].

---

5. *Epist.* I, 24, *PL* 189, 106 ; ou Giles Constable, *The Letters of Peter the Venerable*, Harvard University Press, Cambridge, Mass., 2 vol. 1967 ; ep. 24 (Ad Cartusienses et ad Guigues, ann. 1136), à laquelle Guigues répondit par un billet, *Lettres des premiers Chartreux*, I, *SC* 88, p. 205-209. — *Epist.* II, 12, *PL* 189, 201 ; éd. G. Constable, ep. 48 (Ad Cartusienses consolatoria, super obitu fratrum), t. I, p. 146-148, où Pierre parle de l'avalanche de 1132 qui détruisit le monastère primitif de Chartreuse. Voir aussi la note que G. Constable consacre à cette lettre, t. II, p. 130. Il propose comme date : entre 1132 et 1137. Mais Guigues, est mort en 1136, et il est évident d'autre part que Pierre n'a pas attendu plusieurs années après la catastrophe pour envoyer cette lettre si émouvante. — Le biographe de Pierre le Vénérable, Radulphus de Cluny, nous rapporte dans sa *Vita*, § 17, que Pierre aimait beaucoup les Chartreux et les visitait « semel in anno », É. Martène et V. Durand, *Veterum scriptor. et monum... Amplissima Collectio,* t. VI, 1200, reproduit par Migne, *PL* 189, 28. Sur cette *Vita,* voir D.J. LECLERCQ, *Pierre le Vénérable,* Saint-Wandrille 1946, p. XIV-XV.

Autres lettres de Pierre le Vénérable au sujet de la Chartreuse : *Epist.* IV, 34, *PL* 189, 364 ; G. Constable, Ep. 128. — *Epist.* VI, 3 (à S. Bernard), *PL*

Pierre le Vénérable était remarquable par son égalité d'humeur, sa sérénité, sa gravité, l'agrément de ses relations, son équilibre parfait ; il fut un pacificateur [6]. Bien que cénobite de profession, il aima la vie solitaire et en encouragea plusieurs essais. Il favorisa la vie contemplative dans son Ordre.

Bernard de Clairvaux, bien qu'il ait souvent manifesté réticences et critiques à l'égard de la vie érémitique [7], fit une remarquable exception pour la Chartreuse ; la vie cartusienne exerça sur lui une sorte d'attrait. Il fut en relations de bonne heure avec l'ermitage de Chartreuse et Guigues, qui de son côté admirait fort les Cisterciens ; il visita la Chartreuse, sans doute en 1123. Il entretint aussi des liens d'amitié avec la Chartreuse de Portes dans le Bugey et eut sans doute quelques relations avec la Chartreuse du Mont-Dieu dans les Ardennes. La première ébauche de son *Traité de l'Amour de Dieu* se trouve dans une lettre adressée à Guigues [8], et il soumit à son ami Bernard de Portes le début de son *Commentaire sur le Cantique des Cantiques*. Il écrivait un jour à Guigues, dans la ferveur de son amitié pour celui-ci : « J'ai lu votre lettre et voici que les mots que je repassais sur mes lèvres se faisaient sentir en mon cœur comme des étincelles... ».

---

189, 401-404 ; G. Constable, Ep. 149 (sept. 1149), I, 364 et II, 198. — *Epist.* VI, 12 (à Eugène III), *PL* 189, 412 ; G. Constable, Ep. 158, (ann. 1149-1150), I, 377-378 et II, 204. — *Epist.* VI, 24 (au prieur de Meyriat), *PL* 189, 429 ; G. Constable, Ep. 170 (ann. 1150-1151), I, 402-404 et II, 211. — *Epist.* VI, 40 (au prieur de Chartreuse, Basile), *PL* 189, 457-458 ; G. Constable, Ep. 186 (nov.-déc. 1151), I, 434, et II, 221-222. — Sur la chronologie et les itinéraires de Pierre le Vénérable, voir : G. Constable, II, 257-269.

6. Voir sur ce point : Elmer de Cantorbéry, *Epist.* V, 19 (éditée par D.J. Leclercq, *Analecta monastica* 2 (Rome, 1953), p. 54 et 389. Également : Radulphus, dans sa *Vita* de Pierre le Vénérable, § 17, *PL* 189, 28.

7. D.J. LECLERCQ, *Témoins de la Spiritualité occidentale*, 2, Paris 1965, p. 316-321.

8. Lettre XI, *PL* 182, 108 ; ou dans J. LECLERCQ et H. ROCHAIS, *Sancti Bernardi Opera*, Rome, 7 (1974), p. 52-60. Cette lettre a été reproduite en grande partie par Bernard dans son *Traité de l'Amour de Dieu : Ibidem*, 3 (1963), p. 148-154.

Bernard avait une vie spirituelle profonde, animant des dons humains exceptionnels [9]. On voit coexister en lui la violence et la tendresse, un cœur ardent, généreux, une âme toute à Dieu et la fougue du chevalier. Dévoré de zèle, il fonce, provoque, impose les décisions ; il n'a de cesse tant que ses buts ne sont pas atteints. Aussi manque-t-il facilement de mesure : il réduit à merci ses adversaires. Mais en même temps, il porte sur les faits un regard de contemplatif ; son esprit s'élève jusqu'à la lumière de Dieu qui irradie les êtres. Il vit de la Bible d'une façon intense.

Guigues a une âme de feu comme Bernard, mais il partage avec Pierre le Vénérable une modération, un équilibre, un sens d'autant plus humain qu'il est lui-même plus totalement disponible à Dieu, tout uni au Seigneur dans sa vie contemplative en solitude. Quel que soit le sujet qu'il traite, il s'élève hors de l'arène des combats humains et temporels. Il a le don d'attirer ses interlocuteurs dans le domaine spirituel qui est le sien et où il se tient avec fermeté[10]. Dans tout événement, il ne considère que les données et surtout les conséquences spirituelles. Franc comme Bernard, il garde beaucoup mieux que ce dernier l'admirable maîtrise de soi qu'il a su acquérir. Il s'exprime avec clarté, précision, élégance, qualités que l'on trouve dans ses *Méditations* comme dans ses *Lettres*[11] ; il ne se laisse ni griser par les mots, ni emporter par quelque passion. Sa mesure et son équilibre sont la projection, dans sa vie et dans son action, de sa vie contemplative, de son union constamment recherchée avec Dieu.

Un trait rapproche Pierre, Bernard et Guigues : ils sont tous trois hommes d'Église, passionnés par les grands événements

---

9. D.J. LECLERCQ : *Saint Bernard et l'esprit cistercien,* Paris 1966, p. 15 à 41, *passim.*

10. Voir sa lettre au Grand Maître du Temple, § 2, dans *Lettres des premiers Chartreux,* I, *SC* 88, p. 154-155.

11. Les lettres de Guigues ont été éditées dans : *Lettres des premiers Chartreux,* I, *SC* 88, en 1962.

de cette Église, et embrasés du désir de la voir belle et pure
dans des heures graves de son histoire, qu'elle traverse en ces
temps de réforme.

Leur amitié et leur estime mutuelle ne s'arrêtent ni à leurs
fonctions, ni à leurs dons naturels fort divers. Elles pénètrent
plus avant, jusqu'au monde intérieur où leur personne intime
respire en présence de Dieu. Là s'est vraiment réalisée leur
rencontre. Sous des modalités de vie très diverses, leur idéal
contemplatif en son fond le plus essentiel leur était commun et
les unissait profondément [12].

# III

# DATE DE LA RÉDACTION DES *MEDITATIONES*

La naissance d'une œuvre de ce genre s'étend évidemment
sur plusieurs années. Peut-on situer cette période dans la vie de
Guigues ?

Dans les nombreuses pensées où Guigues s'interroge lui-même sur les devoirs inhérents à sa charge de prieur, il donne
l'impression d'être encore assez nouveau dans l'exercice de cet
office. Sur 80 pensées environ se rapportant à ce sujet, une
soixantaine appartiennent aux 300 premières du recueil. Cela
donne à croire que l'œuvre date presque tout entière des
premières années du priorat de Guigues, c'est-à-dire à partir de
1109. Plusieurs pensées qui se retrouveront dans un autre

---

12. Dom J.DUBOIS a souligné cet idéal commun dans : « Les moines dans
la société du Moyen Age », *Revue d'Histoire de l'Église de France* 60 (1974),
p. 8-9.

travail de Guigues, les *Consuetudines Cartusiae,* se trouvent
ici sous une forme moins achevée que dans cet autre écrit,
commencé en 1121.

D'autre part la pensée **455**, non loin de la fin du recueil,
évoque un point d'histoire, donné dans cette pensée comme
actuel : une querelle entre le comte d'Albon Guigues III et
l'évêque de Grenoble, saint Hugues. Or on sait que cette dispu-
te se termina en 1116.

D'ailleurs, au-delà de cette date, avec les nouvelles fondations commençantes, puis avec la rédaction des *Coutumes de
Chartreuse,* Guigues dut être absorbé de plus en plus par
divers travaux. On peut donc situer, semble-t-il, la période où
il a noté ses pensées de 1109 à 1120 environ, mais plutôt dans
les premières années de cet intervalle.

# IV

## LE GENRE LITTÉRAIRE,
## LA FORME DES *MEDITATIONES*

« Ce qui frappe d'abord à la lecture de ces pages, c'est leur
extraordinaire beauté. Dans un style simple et pur, avec une
maîtrise parfaite de l'art de ciseler et tourner une *pensée,*
Guigues nous a laissé l'émouvante image de sa vie intérieure... [13]. » Ainsi s'exprimait Gilson, qui venait de rencon-

---

13. *La Vie Spirituelle,* XL, 1934, p. 165. — Le style et l'art de Guïgues
ont déjà été présentés, en ce qui concerne ses lettres, dans l'Introduction à
l'édition critique de celles-ci : *SC* 88, p. 126-133.

trer les *Meditationes* de Guigues. Son appréciation est parfaitement juste.

Nous sommes en présence du bref journal spirituel d'une âme. Guigues a recueilli de temps à autre le fruit de ses méditations, en notant sur le moment les pensées qui lui sont venues, telles qu'elles naquirent sur un sujet qui s'offrait à lui. Il n'y a donc dans cette œuvre aucun plan préconçu, aucune composition proprement dite, mais le jaillissement spontané des réflexions que le prieur s'est faites à lui-même. Cette œuvre est littérairement très belle, bien qu'il s'agisse de notes intimes, écrites sans prétention. Tout est pour Guigues occasion de réflexion et il porte un regard pénétrant et profond dans son monde intérieur.

A celui qui lit les *Meditationes*, l'auteur apparaît comme doué d'une personnalité forte, attachante, avec une remarquable intelligence et des talents exceptionnels. Pourtant, malgré de tels dons humains, Guigues demeure toujours très humble devant Dieu. De sa personnalité rayonnent à la fois la force et la sincérité, et cela le rend parfaitement aimable.

Sans aucune exception, il s'adresse toujours à lui-même. Mais cette constatation pose une question pour nous : s'agit-il de notes strictement personnelles que l'auteur ne pensait communiquer à personne ? Ou Guigues avait-il en vue des lecteurs éventuels pour lesquels il écrivait ? A cette époque, tout écrit, fût-il une simple lettre, était diffusé au-delà du destinataire. Guigues n'a pas pu ignorer que ses notes seraient bien vite lues par d'autres. Mais malgré cette perspective possible, il ne s'est pas écarté d'une réflexion avec lui-même et pour lui-même, si évidemment sincère qu'elle n'est pas une simple façade derrière laquelle il se serait abrité pour s'adresser à un public. D'ailleurs, comme nous le verrons, l'absence de plan, de mise en ordre des diverses pensées, de suppression des répétitions, montre que l'écrit est demeuré à l'état brut, tel qu'il est sorti spontanément de l'esprit de son auteur, pour ses besoins personnels, sans mises au point ultérieures en vue de lecteurs à venir. Guigues n'a pas exclu ceux-ci, mais il n'a pas non plus modifié pour eux le premier jet de ses réflexions. Le ton de cette œuvre est tout différent à ce point de vue de celui de l'autre œuvre de Guigues, les *Coutumes de Chartreuse,* où l'on sent toujours derrière le texte la présence des destinataires auxquels il s'adresse, tout différent aussi des lettres où Guigues engage tout son talent et sa force de persuasion pour convaincre ses interlocuteurs. Ici, c'est lui-même qu'il veut persuader, et avec un tel désir de le faire qu'au moment où il note sa réflexion, il ne pense pas à d'autres lecteurs. Ceux-ci pourtant le liront, et avec d'autant plus d'intérêt que ses sentences auront gardé leur caractère primesautier.

Bien que Guigues n'écrive d'abord ses notes que pour lui seul, on ne relève pourtant dans cette œuvre nulle trace d'égoïsme qui le séparerait des hommes ses frères. Tout au contraire, les hommes l'intéressent passionnément, en particulier ses fils en religion, dont il a reçu la charge devant Dieu. Nous aurons à parler plus loin de sa bonté à leur égard. Très souvent, il s'interroge sur ses devoirs envers les autres et, quand il le faut, il se reprend sans rien se dissimuler sur ce chapitre de la charité fraternelle.

Il n'y a jamais chez lui de bavardage, car il demeure un spirituel qui dialogue avec soi-même, toujours animé du désir de devenir meilleur dans la ligne de sa vocation. Malgré son intelligence remarquable, dont la valeur perce à travers toutes les pensées, aucune de celles-ci n'est un exercice de virtuosité intellectuelle voulue pour elle-même. La visée est toujours « utile » au sens où il entend ce mot, c'est-à-dire utile à la vie spirituelle. Guigues a un tempérament ardent, mais il est sans défaillance parfaitement maître de lui-même ; son ardeur demeure contenue.

Pour ses réflexions, Guigues prend occasion, soit des petits événements de l'existence quotidienne, soit de versets de la sainte Écriture, soit de textes patristiques, et dans ce dernier cas, comme ses citations sont presque toujours implicites — parfois de simples allusions — ses sources sont très difficiles à repérer. Sur le thème de départ ainsi fourni, il réfléchit, et il note son petit commentaire, bref, précis, toujours très personnel, car sa pensée n'est jamais servile à l'égard de qui que ce soit ; tout ce qu'il note a été profondément repensé et se trouve devenu totalement sien.

Pour exprimer ses réflexions avec la clarté qu'il aime par - dessus tout, il use de paraboles, d'historiettes, propose de petits tableaux, des antithèses frappantes. Puis il reprend souvent ses esquisses par un autre biais, revenant sur un même sujet longtemps après. Très exigeant pour lui-même dans sa recherche, il ne craint pas les reprises, les doublets. Parfois aussi, de petites séries de pensées forment un tout.

Au service de ce qu'il veut noter, Guigues dispose de dons de style vraiment exceptionnels. L'expression de sa pensée, toujours profonde, demeure nette, précise, laconique, très dense. Il possède le don si rare de ne parler que s'il a quelque chose à dire et de ne dire que le nécessaire. Sa franchise est directe ; il ne perd en aucun cas sa lucidité à l'égard de lui-même.

La qualité maîtresse de son art est une étonnante concision dans la manière de s'exprimer, jointe à un certain imprévu des réflexions, qui tient l'esprit du lecteur en éveil. Les inattendus de son style ont la vivacité et la soudaineté de l'éclair. Les phrases sont brèves ; ses raccourcis surprenants donnent à sa parole une force d'impact, d'autant plus qu'il a volontiers à son propre égard du piquant dans le ton, voire même une ironie sans ménagement pour ses faiblesses. Ses maximes ont ainsi une rare saveur.

Son lexique est étendu, varié et souple. Il possède la magie des mots et il en use de façon spontanée. Il s'exprime comme d'instinct de manière sûre et parfaite, souvent étincelante, comme le remarquaient ses interlocuteurs. Car il est maître en l'art de bien dire et réussit toujours à dire vrai, tout en disant bien.

Il a quelques procédés grammaticaux qui lui servent à s'interpeller lui-même : par exemple, le mot *Vide* revient une quarantaine de fois ; ou encore *Attende, Cogita, Considera,*

*Pone, Ecce.* Comme nous l'avons dit, le *Tu* auquel il s'adresse est toujours lui-même.

Une autre caractéristique de son style, si fondamentale chez lui qu'elle permet de l'identifier avec certitude comme auteur d'après quelques lignes, est la manière dont il se sert de l'assonance et de la rime :

« Nil concessum cupiditati, nil vetitum caritati » (**276**). On pourrait multiplier les exemples les plus réussis : ce mode d'expression est un jeu pour son talent, et il a la sagesse de ne pas en user jusqu'à la préciosité, mais seulement pour la force des images qui s'impriment ainsi dans son esprit et frapperont plus tard le lecteur qu'il n'a pas recherché. Il y a là, pourrait-on dire, une sonorité verbale dans son style ; d'ailleurs, en ce temps-là, on pratiquait encore la lecture à haute voix, même dans une lecture solitaire. Beaucoup de phrases de Guigues prennent une puissance singulière quand on les prononce à voix haute.

Tous ces dons de notre prieur sont au service d'une vaste culture. Il avait eu certainement de très bons maîtres dans sa jeunesse. On est confondu de la connaissance des auteurs classiques ou des Pères que révèle son texte, et il ne s'agit pas d'une connaissance livresque purement quantitative ; il a repensé lui-même tout ce qu'il a lu. Mais il sait user avec discrétion de sa culture sans chercher le moins du monde à se mettre en avant ; il n'y a aucun pédantisme chez lui.

De même, s'il use de raisonnements serrés, d'une logique parfaite, voire implacable, dans ses réflexions, c'est cependant en toute simplicité. Pas plus qu'il ne s'arrête avec complaisance à sa propre puissance intellectuelle, il ne s'occupe de son style pour en rechercher les effets. Car il est attentif à la moelle du sens plutôt qu'à l'écume des mots, comme il l'écrivait lui-même à un ami à propos de la lecture [14].

Devant cet ouvrage, absolument unique en ce XIIᵉ siècle par sa facture et sa présentation, le lecteur moderne éprouve

---

14. *Lettres des premiers Chartreux*, I, *SC* 88, p. 145.

d'abord une extrême surprise. On ne peut le lire d'un trait, d'une façon continue, comme on peut suivre les méandres de la pensée d'un saint Bernard se développant harmonieusement autour d'un sujet et vers un but unique qui la finalise. On ouvre ce recueil, on en lit une phrase, mais cette pensée contraint le lecteur à de telles réflexions qu'il n'en peut accueillir beaucoup d'autres à l'instant. Guigues donne à réfléchir, car il a réfléchi tout le premier, et à quelle profondeur ! Les sujets se suivent, suggérés en quelques mots qui appellent une méditation personnelle, ou conclus de telle façon que leur plénitude s'impose à l'esprit de manière inéluctable. Guigues ne laisse pas son lecteur indifférent ; il n'est jamais banal dans l'expression de sa pensée. A tout instant l'intérêt est renouvelé par une vérité inattendue qui frappe l'esprit, en sa brièveté percutante, aussi bien par sa profondeur que par son expression. Guigues se fait à lui-même ses confidences, mais il s'agit de vérités si définitives, pourrait-on dire, que le lecteur se trouve directement concerné. Aussi l'esprit de celui-ci est-il souvent saisi, impressionné, entraîné, voire même parfois captivé ou ravi.

Mais on ne peut dissimuler que la rigueur du langage de Guigues et la densité de sa pensée font de lui un auteur difficile : on ne le comprend pas toujours à première lecture. Le livret est exigeant pour son lecteur. Maintes fois Guigues, dans son extrême concision, ne mène pas son raisonnement jusqu'à sa conclusion. Il y a des sous-entendus, tout à fait volontaires de la part de Guigues, mais tellement secrets que le sens en échappe. Qu'a donc voulu suggérer l'auteur au-delà de ce qu'il a dit ? Il s'entendait lui-même, mais le lecteur doit parfois chercher à deviner sa pensée.

On peut signaler quelques défauts de forme ; dans les morceaux un peu longs, Guigues est visiblement moins à l'aise et il lui arrive alors de surcharger sa phrase de particules de liaison.

Dom Wilmart, impressionné par les analyses minutieuses de Guigues, a cru qu'il était scrupuleux. Mais il ne faut pas oublier le genre littéraire des « pensées » : toute la valeur du

recueil réside dans la finesse de pénétrantes analyses psycholo-
giques, plus encore dans la manière dont il remonte jusqu'aux
racines secrètes, aux implications quasi métaphysiques, à ce
qui révèle la condition humaine. A la suite des premiers
moines, Guigues travaille à discerner en lui de quel esprit, bon
ou mauvais, procède tel ou tel sentiment : cela exige des
examens intérieurs attentifs. Wilmart n'a pas connu du tout les
autres œuvres de Guigues, et il a omis de s'informer sur la
Chartreuse qu'il ignorait totalement. Quand on regarde le
recueil des *Meditationes* dans l'ensemble des œuvres de
Guigues, on voit qu'il n'y a pas chez lui trace de scrupule,
mais simplement ce remarquable don d'analyse. De l'ensemble
se dégage l'impression d'un homme supérieurement équilibré,
et cela sera confirmé de manière éclatante par son œuvre
maîtresse, les *Coutumes de Chartreuse*.

Wilmart dit quelque part que Guigues a choisi ce genre littéraire des « pensées ». Il serait plus exact de dire qu'il l'a reçu de
son tempérament ; sinon, il n'en userait pas, comme il le fait,
sans nul apprêt conventionnel.

# V

# LA SOBRIÉTÉ SPIRITUELLE DE GUIGUES

Au-delà de la forme, au-delà des caractéristiques d'un genre
littéraire, il y a dans l'extrême concision de Guigues un
élément plus profond, qui révèle une attitude d'âme. Guigues
sait que l'ineffable ne peut se dire avec des mots humains. Évo-
quer avec sobriété ce qui regarde le Seigneur peut avoir une
résonance plus profonde pour l'accueil du mystère que chercher à expliquer.

« Pallade nous dit qu'Évagre eut raison des trois témoins qui étaient venus le tenter, sa sagesse les ayant dominés au moyen de paroles concises [15]. »

Même si la sobriété d'expression est naturelle à Guigues, il en connaît la valeur, il en sait tout le prix, car lui-même a parlé à plusieurs reprises de la *sobriété spirituelle,* et quand il l'a fait, ce fut avec une admiration visible, où l'on sent passer comme une affinité de son âme avec cette attitude intérieure. Il a pris la peine de nous expliquer pourquoi cette sobriété est désirable. Il l'a dit en peu de mots, car il n'était pas homme à trahir la beauté de cette notion au moment même où il cherchait à en dire la grandeur :

« L'homme doué de raison sera dévot envers Dieu, bon pour le prochain, sobre à l'égard du monde... sans sujétion au monde... » **(471)**. « Dans l'âme seule du Verbe de Dieu a existé parfaitement la dévotion envers Dieu, la bonté pour le prochain, la sobriété à l'égard du monde... A l'égard du monde, il a usé d'une telle sobriété... que le Fils de l'homme n'a pas eu où reposer la tête... » **(475)**.

Dans les *Coutumes de Chartreuse,* Guigues a inscrit la protection de la vie contemplative du désert cartusien au compte d'une « sobre discrétion » et il a dit à ses fils qu'ils garderaient leur vocation dans toute sa pureté seulement s'ils maintenaient leur application à la sobriété en tout, avec l'amour de Dieu [16], ce qui se lit encore aujourd'hui dans les Statuts de l'Ordre.

La sobriété spirituelle et la réserve à l'égard de tout sont aux yeux de Guigues une libération de tout ce qui n'est pas Dieu : « Sans sujétion au monde ». Mais toute libération ainsi conduite dans le Seigneur est la source d'une force puisée en lui. La sobriété nous libère pour être consacrés à Dieu de toutes nos

---

15. PALLADE, *Histoire lausiaque,* cap. 86, *PG* 73, 1184. — Cité par Henri BREMOND dans l'introduction à l'ouvrage de Jean BREMOND, *Les Pères du Désert,* Paris 1927, p. XXI.

16. *Consuetudines Cartusiae,* 19, 1 et 79, 3. — *Statuts* 28, 6.

forces, ainsi rendus disponibles à l'exemple du Christ et en lui.

Une des forces de Guigues est d'avoir mis en pratique la sobriété spirituelle dans la notation de ses pensées. Même lorsqu'il poursuit un raisonnement plus étoffé avec une puissance étincelante comme il le fit dans la grande méditation finale des Pensées (**464** à **476**), il demeure encore très sobre.

Il cultive la sobriété spirituelle avant tout pour la netteté et la profondeur de ses rapports avec Dieu, car cela seul compte pour lui. Cette sobriété est pour lui une libération sur le chemin d'une toujours plus grande pureté de cœur, au sens qu'avait cette expression pour les Pères du désert.

A tout instant on remarque chez Guigues cette extrême retenue, cette réserve devant le mystère, qui le fait chaque fois s'arrêter au bord du terrain où tout autre auteur se mettrait à bavarder pour imposer son point de vue. C'est pour cela que dans ses brefs commentaires scripturaires, il s'arrête soudain tout court, sans aller jusqu'au bout du raisonnement. Il y a dans cette sobriété une sorte de respect devant le mystère qui est le signe, le cachet d'une pure âme contemplative. Le lecteur éprouve ainsi l'impression que Guigues l'a lui-même respecté, en l'amenant devant cette ouverture sur le mystère sans chercher davantage à s'imposer à la liberté de son propre esprit.

La retenue, la réserve, la sobriété spirituelle de Guigues sont donc quelque chose de très profond. En notant si brièvement ses pensées, Guigues ne quitte pas sa solitude intérieure de contemplatif ; il s'efface humblement, en pure pauvreté spirituelle, pour laisser toute la place au Seigneur. Malgré le caractère très intime de ses confidences, il n'étale pas sa vie mystique ; il ne livre pas tout le secret du Roi qui habite son âme et la nourrit ; il le laisse seulement pressentir, et cela est bien ainsi. Seule l'occupe la pure recherche de l'éternel à partir de l'usage des choses présentes.

## VI

## LA SENSIBILITÉ DE GUIGUES

On pourrait croire que la concision, la continuelle retenue de Guigues appartiennent à une âme insensible. Il n'en est rien. Tout au contraire, notre prieur a une grande sensibilité, et ce n'est pas un des moindres attraits de sa personnalité. C'est là une question attachante qu'il importe d'élucider sous quelques aspects.

### 1. **Amour de la nature**

Dans la solitude des montagnes de Chartreuse, Guigues vit très proche de la nature. Les choses de la nature l'intéressent beaucoup, et même les secrets de la création : on voit paraître tour à tour dans ses méditations le froid, le chaud, le doux, l'acide, les vertus des herbes, les natures des racines, les couleurs, les odeurs, les saveurs. Très souvent quelques éléments de cette sorte sont utilisés pour colorer, renforcer la pensée. La glace et la neige, souveraines au désert de Chartreuse pendant des mois chaque année, retiennent évidemment l'attention de Guigues. Il y a aussi de fréquentes allusions aux faits quotidiens, aux petits événements de la vie.

Il est question des sources, des champs, des prés, des vignes. Bien des plantes défilent sous nos yeux, des ronces jusqu'aux roses, en passant par le blé, la vigne ou les orties. Les aliments usuels sont nommés à l'occasion : pain, vin, huile, lait, miel, olives, raisins, mûres, noisettes.

Les animaux méritent une mention toute spéciale pour l'intérêt que leur témoigne le prieur ; ils apparaissent 50 fois : les bêtes en général 7 fois, puis 21 animaux divers, depuis les puces jusqu'aux bœufs. Tout ce petit monde vient animer ainsi les *Meditationes,* de façon très vivante, pour illustrer les petits apologues dessinés par Guigues.

Il est donc très sensible au concert de la création, où tout l'intéresse. Il nous dit lui-même : « Comme une syllabe dans un poème, chaque chose occupe dans le train de ce monde sa part de lieu et de temps » **(181)**. Il admire, il aime cette harmonie disposée par Dieu.

## 2. Le culte de la beauté

« Tu ne vois aucun être qui n'ait, en son genre, une certaine beauté et perfection naturelle... » **(464)**. Guigues est très sensible aux « spectacles », que ceux-ci soient intérieurs ou extérieurs. Il a le sens de la beauté. Il s'intéresse à ce qui est peint, sculpté, aux couleurs ; il demeure néanmoins réservé devant la beauté sensible, fût-ce celle d'une rose ou d'un lis, quand il s'agit de « formes » qui risqueraient de l'attacher, aux dépens de l'amour du Seigneur.

Mais, ce qui est remarquable, il aime appréhender, sous l'aspect de la beauté, des êtres ou des notions qui ne tombent pas sous la perception des sens. Par exemple, il regarde quelle est la beauté naturelle de l'esprit humain **(464)**. Il dit que Dieu Créateur est lui-même l'éclat et la beauté de l'âme raisonnable et sainte **(353)**. Triompher du mal par le bien, c'est pour lui un art qui est « beau » **(53)**. De même, il n'y a rien de plus beau que l'amour, donc rien de plus désirable **(364)**. Dès le début du livret, Guigues nous dit : « La vérité doit être placée au milieu, comme un bel objet » **(3)**. Et, bientôt après, il va expliquer que la Vérité, c'est Dieu lui-même, c'est le Christ. Ainsi engage-t-il jusqu'au cœur de sa vie contemplative la notion de beauté dont il est épris, ce qui intéresse et entraîne en partie le sensible. Il rejoint d'ailleurs par là l'Écriture elle-même qui parle de la beauté des voies du Seigneur [17], de la beauté de la paix [18], et qui nous dit que Dieu lui-même est la beauté de la justice [19].

---

17. *Prov.* 3, 17.
18. *Is.* 32, 18.
19. *Jér.* 31, 23.

### 3. L'affection fraternelle, la bonté de Guigues

Si Guigues se soustrait avec vigilance à l'emprise des êtres et des choses périssables, c'est pour une disponibilité plus grande à Dieu et aux hommes. Sous le laconisme de son style et la rigueur de son langage, affleure à chaque instant un amour profond, généreux et pur, une grande délicatesse de sensibilité à l'égard des hommes. Apparemment perdu dans les montagnes de Chartreuse et leur solitude, loin des hommes, ce solitaire est en réalité très proche d'eux, d'une présence spirituelle intense, efficace.

On le sent toujours charitable, plein d'affection fraternelle. Il n'y a pas moins de 91 méditations qui touchent au thème de la charité fraternelle, et souvent avec beaucoup de profondeur. « Lorsque tu vois ou entends parler des maux d'autrui, examine ton esprit, afin de savoir combien s'y trouve de véritable amour pour les hommes » (**321**).

Maître de lui dans une attention vigilante à Dieu, Guigues est en même temps très ouvert aux autres ; dans cette conjonction se trouve la vraie profondeur de la personne. Toute la vie est ainsi sous le regard de Dieu, en relation avec lui. La maîtrise de soi chez Guigues n'est pas distance à l'égard des autres. Il a toujours une exquise charité pour son prochain, qu'il incite au contact avec Dieu sans le forcer jamais.

Sa sensibilité charitable l'aide à faire preuve d'une psychologie attentive, d'une connaissance profonde de l'âme humaine. Son attitude, ses paroles sont toutes empreintes de bonté humble, de modestie, de discrétion, du souci de s'effacer.

Nous touchons ici à la manière dont Guigues comprend et exerce sa charge de prieur. Mais c'est là une question si importante, si remarquable chez lui, que nous aurons à en parler plus loin quand nous étudierons en lui le spirituel.

### 4. La joie

Dix-huit des *Meditationes* mentionnent la joie. Guigues est sensible à l'amitié et à ses signes, et en particulier à l'allégresse

qui se manifeste sur un visage (**90**) ; sa vive sensibilité l'entraîne à la joie ou à la peine selon les cas (**256, 361**), notamment à
partager la joie des autres (**142, 235**).

Une des plus longues méditations est une profonde analyse
sur la précarité de la joie, quand celle-ci se fonde sur des satis-
factions d'ordre temporel (**454**). Aussi, contemplatif, préfè-
re-t-il rejoindre la joie à son niveau le plus profond. On ne doit
en définitive se réjouir qu'en Dieu (**32, 336, 445**). Les êtres
supérieurs doivent être notre joie (**471**) ; Guigues aime la joie
parfaite des Anges dans la béatitude (**363**). Pour lui, se réjouir
quand il faut être dans la joie, c'est un fruit de l'Esprit (**312**).
Et il se dit à lui-même : « Accueille avec joie la Vérité, comme
le Seigneur lui-même » (**29**).

# VII

# LA MÉDITATION

Le livret de Guigues a reçu, dès les premiers copistes du
XIIᵉ siècle, le titre de *Meditationes*. Il est intéressant de savoir
sur cet exemple ce qu'on pouvait entendre par *Meditatio* à
cette époque.

Mais il importe de suivre d'abord rapidement l'évolution du
sens du mot *meditatio* [20].

Dans le latin classique, *meditari* signifie d'une façon générale réfléchir, penser, mais avec une orientation marquée d'ordre
pratique et même d'ordre moral. Dès lors le terme s'applique

---

20. Sur ce point, nous avons été aidés en partie par un travail aimable-
ment prêté par M. le Chanoine Hocquard.

même à des exercices corporels ou encore du domaine scolaire.

Quand le mot *meditatio* passe dans l'usage chrétien, il garde ces nuances, mais devient plus précisément chez les moines une réflexion qui s'applique sur un texte. La *meditatio* est désormais liée à la *lectio*, c'est-à-dire plus spécialement à la lecture par excellence du moine : la *lectio divina*. Dans l'Écriture, *meditari* signifie : apprendre la Loi et les paroles des Sages, même en les prononçant avec les lèvres : « *Os justi meditabitur sapientiam* (*Ps*. 36, 30) : la bouche du juste murmure la sagesse. » La méditation est donc l'exercice de mémoire et de réflexion qui suit la lecture.

Dans les écoles séculières, à l'époque de Guigues, la méditation est devenue de plus en plus un exercice intellectuel et s'est orientée vers la *disputatio*, la *quaestio*. Abélard fut le plus célèbre artisan de cette tendance.

Mais chez les moines, la méditation est demeurée l'union d'une lecture savoureuse à la réflexion poursuivie dans une ambiance de prière ; on pèse les mots pour parvenir à la plénitude du sens. Il y a un exercice de l'intelligence, mais informé par une sagesse puisée dans la prière. Il importe de noter, suivant une juste remarque faite dans l'article *Méditation* du *Dictionnaire de Spiritualité*, qu'au Moyen Age la réflexion et son expression dans la méditation sont personnelles [21]. Plus tard, le genre aura tendance à devenir habituellement plus impersonnel.

Au XIIᵉ siècle, maints auteurs monastiques ont fait mention des quatre « exercices spirituels » du moine : *lectio, meditatio, oratio, contemplatio*. Dans les œuvres de notre Guigues, on ne rencontre pas moins de six fois cette liste ; mais, chose remarquable, rien n'est encore codifié, cela demeure très souple ; nous en avons pour preuve que l'ordre des éléments de la liste n'est pas toujours le même chez Guigues.

---

21. *D.S.*, Art. « Méditation », I, par E. von Severus et A. Solignac, t. X (1980), col. 911-914.

Dom Jean Leclercq a fait sur ce point de fort justes réflexions : « Les noms de la prière contemplative, dit-il, ont varié. Mais tous ne veulent exprimer que différents aspects d'une même réalité, différents gestes ou différentes phases d'une même activité. Aussi ces mots peuvent-ils être employés, en quelque sorte les uns pour les autres, et, apparemment, confondus, comme c'est le cas en d'innombrables textes. »

« Toutes ces pratiques constituent ce que l'on appelait, dans le monachisme du Moyen Age, ˝l'exercice spirituel ˝... : la lecture, la méditation, l'oraison, étaient inséparables des autres pratiques monacales, celles de l'ascèse et de la pénitence comme celles de la prière, celles de la componction comme celles de la contemplation... Il s'est toujours agi, pour ainsi dire, d'un seul exercice d'ensemble et d'une même vie contemplative, où la prière est entourée d'autres activités spirituelles qui la préparent et la prolongent [22]. »

C'est seulement avec Guigues II, neuvième Prieur de Chartreuse, entre 1175 et 1180 environ, que la liste des « exercices spirituels » va être fixée dans un ordre arrêté, dans son court et beau traité : « L'Échelle des moines ». Cet auteur y présente les éléments dans un ordre logique, pour lui définitif : lecture, méditation, prière, contemplation ; il étudie chaque échelon, ainsi que l'interconnexion de chacun des exercices avec les autres et il fournit des définitions précises. Pour lui : la méditation est une opération de l'intelligence, procédant à l'investigation studieuse d'une vérité cachée, à l'aide de la propre raison. Et encore : « La méditation recherche plus attentivement ce qu'il faut désirer ; en creusant, elle découvre le trésor et le montre [23]. » Ces définitions conviennent bien à la méditation

---

22. *Studia Anselmiana*, n° 48, Rome 1961, Excursus VIII, p. 128 et p. 138. — Le même auteur a traité encore ailleurs ce sujet : *Aux sources de la Spiritualité occidentale, Étapes et constantes,* Paris 1964, chap. IX (« Liturgie et prière intime »), p. 285-290, et aussi jusqu'à la p. 303.

23. *Lettre sur la vie contemplative (L'Échelle des moines), SC* 163, p. 85 et 107.

de Guigues I$^{er}$. Dans le traité de Guigues II, on voit poindre les premières démarches qui aboutiront beaucoup plus tard aux « méthodes » de méditation. Au temps de Guigues I$^{er}$, la méditation est encore bien antérieure à la naissance et au succès des méthodes.

Mais ce qui nous intéresse ici avant tout, c'est l'originalité de la méditation chez notre Guigues. Tout d'abord, si la méditation à cette époque a un aspect personnel, comme nous l'avons noté, cela est vrai à un degré tout à fait exceptionnel pour les méditations de Guigues. Ce fait tient à deux causes : la très forte personnalité de l'auteur, et le caractère strictement intime de ses notes.

Ensuite, Guigues, bien que doué d'un tempérament intellectuel, refuse absolument de faire de sa méditation une activité purement intellectuelle. Il n'écrit pas de traités, il ne compose pas d'« élévations priées ». Il consigne en toute simplicité une pensée longuement mûrie dans la prière, arrivant à des conclusions pratiques, concrètes et précises, qu'il retient pour lui-même, dans un continuel effort de lucidité. Il médite dans un sens profondément biblique et monastique. Comme l'a dit justement Gilson, nous assistons à l'intense effort d'une âme qui, cherchant à suivre la vie de la grâce et la suivant ainsi jusqu'à l'amour qui en est la source, en exprime si bien la pure douceur que tout le reste est vanité [24].

La principale originalité propre de Guigues en ce domaine réside en ce que sa méditation est si brève et si spontanée dans ses imprévus qu'il serait impossible de la faire entrer dans les cadres préétablis d'une méthode. Elle est, pourrait-on dire, la méditation réduite à son essence, avant toute surcharge de discours ou de raisonnements. Ainsi est-elle dépouillée comme l'esprit du désert, très proche de l'âme de la Chartreuse.

---

24. *Vie spirituelle*, XL, 1934, p. 166.

# VIII

# GUIGUES
# ET LES DIVERS AUTEURS DE « PENSÉES »

Pour nous, parmi les genres littéraires tels que nous avons coutume de les appeler aujourd'hui, le recueil des *Meditationes* de Guigues est une collection de *Pensées*. Dom Wilmart, après Gilson, l'a très bien vu et, dans un texte que nous avons cité plus haut, il a rapproché, comme spontanément, les accents de Guigues de ceux d'un Marc-Aurèle ou d'un Pascal. Il a osé ajouter qu'une telle comparaison, loin d'être écrasante pour l'humble Guigues, est parfaitement justifiée et permet de mieux saisir l'originalité du Prieur de Chartreuse. Cette réflexion est fort juste, et c'est précisément sur ce point — pour mieux dégager ce qui caractérise Guigues — que la comparaison de Guigues avec d'autres penseurs peut être intéressante.

## 1. Marc-Aurèle

De fait le lecteur assidu des Pensées de Guigues, en ouvrant le recueil des Pensées de Marc-Aurèle, est saisi par une ressemblance frappante de ton entre le Prieur de Chartreuse et l'empereur romain. Comment cela se fait-il ?

Jacques Chevalier a écrit dans son *Histoire de la Pensée* que la vertu essentielle de la noble et digne figure de Marc-Aurèle était la sincérité et la vérité ; il avait une aptitude particulière à la méditation et à la concentration intérieure ; il se faisait une solitude au-dedans de soi afin de voir clair en soi [25]. Mais cela, c'est le portrait même de notre Guigues. Comme l'empereur philosophe, le Prieur de Chartreuse se parle à lui-même, adres-

---

25. Paris 1955, I, 547.

se à lui-même ses propres confidences, cherche à s'enseigner soi-même pour se mieux connaître, se dominer et devenir plus sage. On le trouve ainsi proche de Marc-Aurèle par sa tournure d'esprit et par sa manière de réfléchir. Il y a une certaine atmosphère dans laquelle se déroule la réflexion du Prieur de Chartreuse comme celle de l'empereur païen. Mais dès que l'on approfondit l'enquête au-delà de cette ambiance commune, on s'aperçoit que chacun a ses préoccupations personnelles et son accent propre : ces deux accents sont irréductibles l'un à l'autre ; d'ailleurs les thèmes de leurs réflexions ne sont pas les mêmes.

Il y a cette différence fondamentale qui embrasse tout : la vérité de Marc-Aurèle est une idée impersonnelle, la Vérité de Guigues a un grand « V », elle est Dieu lui-même, elle est le Christ incarné lui-même, Dieu et homme : « Aime la Vérité et la paix, c'est-à-dire Dieu. — Sans éclat ni beauté, et clouée à la Croix, ainsi doit être adorée la Vérité. — Le Christ est la Vérité. — Accueille avec joie la Vérité, comme le Seigneur lui-même » (**221, 5, 311, 29**).

Ce bref parallèle entre Guigues et Marc-Aurèle débouche sur une question beaucoup plus vaste, qu'il est impossible de passer sous silence, si l'on veut comprendre tout un aspect du Guigues des « Pensées » : la question de l'influence du stoïcisme sur Guigues ; nous la traiterons un peu plus loin.

Dans la ligne des penseurs stoïciens, on pourrait mentionner aussi le « Manuel d'Épictète » d'Arrien. Mais Épictète s'adresse comme un docteur de sagesse à un lecteur qu'il enseigne continuellement : ce n'est pas le propos de Guigues.

## 2. Les « Sentences » de Sextus

Le premier auteur chrétien d'un recueil de Pensées est un certain Sextus qui écrivait au II$^e$ siècle. Origène citait déjà les Sentences de Sextus, en nommant leur auteur. Cette remarquable collection d'aphorismes fut de très bonne heure largement connue et appréciée, traduite en syriaque et arménien, puis en latin par Rufin au IVᵉ siècle. La traduction de Rufin eut un succès extraordinaire, sans cesse lue et étudiée au Moyen Age, surtout dans les cercles monastiques.

Pour Rufin, le mystérieux Sextus auteur de cette collection était le Pape saint Sixte. S. Jérôme, en réaction contre Rufin dans sa grande controverse avec ce dernier, voulut voir dans l'auteur un philosophe païen. Le Moyen Âge préféra l'opinion de Rufin, la Renaissance et les temps modernes revinrent en général à celle de S. Jérôme. H. Chadwick, professeur à Oxford, auteur de l'excellente édition critique des Sentences de Sextus en 1959 [26], n'a pas identifié l'auteur, mais il a montré combien celui-ci était profondément chrétien et avait en particulier christianisé des sentences connues d'auteurs païens. L'écrit de Sextus a vu le jour entre 180 et 210.

Les Chartreux du XIIᵉ siècle ont connu et recopié les Sentences de Sextus. Le manuscrit 274 de la Bibliothèque de Grenoble, du XIIᵉ siècle, qui a appartenu à la Chartreuse des Écouges, renferme aux folios 82-86 l'*Enchiridion Sexti Pythagorici*, avec le Prologue de Rufin et, comme explicit : *Explicit Enchiridion beati Sexti episcopi*. Ainsi se trouvent curieusement réconciliées de façon inattendue les deux opinions antagonistes relatives à l'auteur.

Ces sentences sont d'une étonnante brièveté, plus laconiques encore que le seront celles de Guigues. Celui-ci ne les cite pas littéralement, mais traite souvent des mêmes thèmes qui appartiennent au patrimoine de tout chrétien. Sextus ne fait pas des analyses d'états d'âme comme le fera Guigues et n'a pas le rythme de style de celui-ci.

## 3. Guigues et les Apophtegmes des Pères du Désert

Toutes les générations de moines ont lu et relu les Apophtegmes des Pères du Désert, ces sentences au relief puissant, qui se gardent dans l'esprit, et qu'on relit toujours sans

26. « *The Sentences of Sextus* ». *A contribution to the History of early christian ethics*, Cambridge 1959.

pourtant se lasser. Ce sont souvent des paraboles, des anecdotes très simples, pleines de naturel ; leur enseignement est l'expression spontanée de la vie profonde du cœur des spécialistes du désert.

L'apophtegme, très longuement mûri dans la réflexion, est pourtant comme spontané et primesautier dans l'expression, au hasard imprévu d'une conversation. On y décèle le rôle remarquable de l'observation psychologique, conjointe à la sagesse pratique, chez les Pères qui ont forgé ces apophtegmes ; en un mot : le plus solide bon sens.

Une des principales raisons de l'incomparable valeur des apophtegmes tient à ce que les Pères ont élaboré ces sentences en les vivant. Leur doctrine n'est pas le fruit d'un raisonnement spéculatif ; elle est tout entière dans leur vie vécue.

L'influence des apophtegmes a été immense, profonde. Car ils sont porteurs de la sûreté extraordinaire des intuitions religieuses de leurs auteurs. Ils sont pleins d'une humanité vraie, chefs-d'œuvre de finesse et marqués en même temps d'une bonhomie toute simple.

Guigues, dans ses « Pensées », aime aussi souvent présenter de petits tableaux ; il use de paraboles, d'images parlantes. Il aime par-dessus tout la brièveté des sentences. Ainsi, sous bien des aspects, les « Pensées » évoquent tout de suite à l'esprit du lecteur les apophtegmes des Pères. Guigues appartient à la famille d'esprit de ces derniers.

Guigues n'a pu connaître qu'une partie de la littérature consacrée aux Pères du Désert, celle qui était accessible à son époque : quelques *Vitae*, l'*Historia monachorum in Aegypto* traduite par Rufin et une des grandes collections de *Verba seniorum*, traduite par Pélage et Jean [27]. Le dépôt des manuscrits transférés de la Grande Chartreuse à Grenoble pendant la Révolution contient justement un manuscrit du XIIe siècle [28] où se trouve une collection de littérature des Pères

27. *PL* 73.
28. Ms. 1172.

du Désert contenant ces éléments. Il y a donc un lien assuré et vérifié entre Guigues et les apophtegmes.

Guigues a la finesse psychologique des Pères du Désert ; comme à eux, aucun mouvement de l'âme ne lui échappe dans ses causes et dans ses effets. Comme eux, il se livre à une méditation, au sens biblique de ruminer un texte, une idée ou une expérience. Comme eux encore, il a cette simplicité où le factice et le superflu sont bannis au profit du strict nécessaire et de l'essentiel, et qui sait entremêler expériences intérieures et événements extérieurs très concrets. Dans la même ligne, il faut signaler aussi la pudeur qui retient les Pères et Guigues de parler ouvertement de leur vie d'union à Dieu telle qu'elle est vécue au fond de leur âme. Tout cela nous montre à quel point les *Meditationes* de Guigues sont d'un moine authentique.

Mais quant à la forme : dans les apophtegmes, il y a le plus souvent des dialogues pris sur le vif, chez Guigues le monologue d'une réflexion personnelle. Quant au but visé : chez les Pères, livrer sous forme orale un enseignement monastique salutaire en réponse à la question d'un disciple : « Que faut-il faire, Abba, pour être sauvé ? » Chez Guigues une réflexion strictement personnelle visant à rejoindre son propre être tel qu'il est dans le dessein de Dieu.

D'autre part, Guigues est beaucoup plus cultivé que les Pères du Désert ; il jouit d'une très vaste culture, tandis que ceux-ci étaient des fellahs à peu près illettrés. Les pensées de Guigues, proches des sentences du Désert par leurs images concrètes, s'en éloignent sous d'autres aspects où se manifestent ses connaissances intellectuelles.

Sous ce dernier rapport des dons intellectuels chez des auteurs de sentences, un rapprochement semblerait intéressant à faire entre notre Guigues et Évagre le Pontique. Celui-ci vécut quinze à vingt ans en Égypte au désert de Nitrie, puis au désert des Cellules (vers 383-399). Presque toutes les œuvres d'Évagre sont rédigées sous la forme de collections de sentences brèves et bien frappées ; il avait une prédilection pour ce genre littéraire. Proche du milieu des Apophtegmes dont il s'était pénétré, mais différent de lui par sa grande culture, il se trouve avoir été un peu dans la situation d'un Guigues sur ce point.

Mais au Moyen Age, il n'y avait qu'une faible partie des œuvres d'Évagre qui fût traduite en latin et connue en Occident, par exemple les *Sententiae ad monachos* et les *Sententiae ad virgines* [29]. Fait curieux : plusieurs pensées de Guigues se trouvaient presque identiques parmi les sentences d'Évagre dans son *Traité sur l'oraison ;* or ce traité n'était pas connu au Moyen Age en Occident. Il doit donc s'agir d'une similitude dans le tour d'une réflexion s'exerçant à partir des mêmes thèmes. On trouve chez Évagre des sentences sur la prière perpétuelle, le dépouillement des passions, l'attention constante, la lutte contre la distraction, la réserve à l'égard de tout concept provoqué par l'imagination, le retour de l'intelligence sur elle-même comme condition de son union à Dieu : ce sont là maints sujets familiers à la réflexion de Guigues. Si Évagre n'est pas source pour Guigues, sa lecture est cependant utile pour situer Guigues dans la lignée des auteurs de pensées.

Évagre est à l'origine du genre des « Centuries », recueils de sentences groupées par cent dans lesquels un auteur livre ses réflexions ou sa doctrine. Mais il s'agit là d'ouvrages écrits en grec, dont aucun n'était traduit au Moyen Age ; nous pouvons donc les laisser de côté dans ces recherches.

#### 4.  Guigues, Pascal et quelques auteurs de « Pensées »

Les auteurs de « Pensées » postérieurs à Guigues nous intéressent aussi pour situer et caractériser sa manière propre. Guigues et Pascal sont disciples de Jésus. Pour ces deux esprits si pénétrants, la morale est au service d'une réalité plus profonde qui est de l'ordre de l'union à Dieu, de l'amour du Christ. Mais Pascal prépare un savant ouvrage apologétique,

29. *PG* 40, 1277-1280.

pour convaincre les incroyants ; ses pensées se pressent et s'or-
donnent en fonction de la démonstration à obtenir. Toute
inachevée que soit son œuvre, elle est un très grandiose monu-
ment d'ensemble. Guigues garde le charme des confidences
intimes qu'il s'adresse à lui-même, et avec un ton et un style
dont on peut bien dire qu'ils sont uniques. Si l'on voulait scruter de plus près la comparaison, on dirait à bon droit que la
grande méditation finale des « Pensées » de Guigues a un
accent tout pascalien. Réciproquement, telle ou telle pensée
brève de Pascal, prise isolément, rend un son tout « guiguien ».
Ces deux grandes âmes communient dans une même quête de
Dieu.

On pourrait considérer aussi l'un ou l'autre des grands
moralistes ou auteurs de « Pensées », pour mieux fixer par
rapprochements ou contrastes les traits marquants du prieur.
Wilmart a nommé Montaigne, Joubert... Un coup d'œil sur les
« Maximes » de La Rochefoucauld (1612-1680) [30] nous instruira sur un point qui sépare Guigues de tous ces auteurs. La
Rochefoucauld élabore ses maximes en discutant de leur texte
avec ses deux partenaires habituels, Madame de Sablé et
Monsieur Esprit ; les trois amis ont continuellement en vue
l'effet à produire sur les éventuels lecteurs, le souci d'une
forme réussie devant la galerie de leurs admirateurs.

Il n'y a rien de cela chez Guigues : l'accent de l'humilité la
plus vraie devant Dieu se dégage de toutes ses pensées, et ce
trait le sépare de beaucoup d'auteurs de pensées qui les ont
écrites avant tout pour un public. « Suivons le chemin de la si
grande humilité du Christ, afin de parvenir à la gloire du
Père », écrivait Guigues au Grand Maître des Templiers [31].
« Toi, se disait-il à lui-même, va jusqu'à l'humilité » **(262)**. En
cherchant de toutes ses forces la Vérité divine, il ne pouvait
pas ne pas devenir de plus en plus humble devant cette grandeur de Dieu qu'il scrutait sans cesse.

30. *Réflexions ou Sentences et Maximes morales*, Paris 1825.
31. *Lettres des premiers Chartreux* I, *SC* 88, p. 159.

Poursuivant notre enquête jusqu'à nos jours, nous rencontrons maintes sentences de Saint-Exupéry dans « Citadelle », frappées comme dans du métal, et qui contraignent le lecteur, à l'instar des sentences de Guigues, à les relire plusieurs fois pour arriver à en pénétrer la densité. Il y a aussi un caractère d'inattendu, de spontané dans ces sentences qui surviennent sans avis préalable : ici encore ces deux auteurs se ressemblent. Mais Saint-Exupéry écrit ses réflexions au milieu de développements étendus, et dans les perspectives d'un enseignement de valeur sociale qui nous éloigne de l'intimité de Guigues.

## 5. Guigues et les Livres Sapientiaux

Maintes pensées de Guigues évoquent dans l'esprit du lecteur des sentences des Livres Sapientiaux. Il s'agit du même genre littéraire : de courtes sentences, fruits de la réflexion à partir de faits d'expériences, et écrites en vue d'une meilleure connaissance de soi et des lois divines. Des deux côtés, on trouve la même visée transcendante par-delà des proverbes courants. Il serait malséant d'établir une comparaison trop poussée entre les Livres de l'Écriture, qui sont la parole de Dieu, et le très humble recueil de Guigues, qui ne contient qu'une parole humaine, entre les immenses richesses de ces milliers de sentences inspirées par l'Esprit divin et le mince livret des réflexions quotidiennes du Prieur de Chartreuse. Mais à lire Guigues, on sent qu'il a dû aimer tout particulièrement les Livres Sapientaux et se trouver en famille d'âme avec les auteurs de tous ces proverbes.

Il pourrait dire avec le Siracide : « Pour moi, dernier venu, j'ai veillé comme un grappilleur après les vendanges [32]. » Certes, il n'est pas de la taille des auteurs sacrés assumés par l'Esprit, mais à son humble place, il a contribué, lui aussi, à

---

32. *Sir.* 33, 16.

« remplir le pressoir [33] ». Et nous, nous pouvons ajouter qu'il n'a pas travaillé pour lui seul, mais sans le vouloir et sans le savoir, « pour tous ceux qui cherchent l'instruction [34] ».

## 6. Conclusion de l'enquête sur les auteurs de « Pensées »

Au terme de cette recherche, il apparaît que Guigues a pu subir quelques influences, surtout indirectes, de la part de quelques anciens auteurs de « Pensées ». Mais en fait, il n'est vraiment tributaire de personne et ne peut être classé avec personne. Il s'appartient à lui-même, ou plutôt il appartient à Dieu, à qui il s'est consacré sans réserve, avec ses dons exceptionnels. Plus que beaucoup d'autres auteurs de « Pensées », il se distingue par la finesse, la vigueur, la pénétration et un remarquable talent d'expression ; puis aussi et surtout, par la pureté, la fermeté et la plénitude de son sens chrétien.

Pour le lecteur familier des diverses collections de « Pensées », une conclusion assez remarquable se dégage de cette fréquentation : le singulier privilège de ce genre littéraire des « Pensées », de donner naissance à des textes dont l'impact est toujours actuel. Un apophtegme du Désert, une pensée de Marc-Aurèle ou de Pascal nous touchent au plus profond de nous-mêmes par leur pérennité, comme ils pouvaient toucher leur auditeur ou leur lecteur au premier jour. On ne peut les lire sans en ressentir personnellement le choc.

Cela est tout spécialement vrai des *Meditationes* de Guigues. Son œuvre nous apparaît moderne à un point qui nous étonne. C'est là un des éléments qui ont assuré la solidité et la permanence de la législation cartusienne. Dans les Statuts actuels de l'Ordre des Chartreux, les phrases qui proviennent de la plume de Guigues et ont la frappe de ses pensées rendent

33. Cf. *Sir.* 33, 17.
34. Cf. *Sir.* 33, 18.

un son aussi actuel que les textes les plus modernes. Elles sont porteuses d'un esprit, et cela dans la forme la moins sujette à l'érosion du temps : le style des « Pensées ».

## IX

## ESSAIS D'INTERPRÉTATION ET DE CLASSEMENT

On a voulu, surtout de nos jours, essayer des interprétations, des classements, dans cette œuvre de Guigues. On a cherché à y repérer les principales lignes de forces. Certaines de ces tentatives sont intéressantes, mais la variété des propositions faites est la meilleure preuve de la difficulté de la tâche, voire même de son impossibilité. Il sera utile de passer en revue certaines des suggestions proposées.

En 1936, Wilmart a fort bien exposé combien factice et trompeur fut le travail des premiers éditeurs du XVIᵉ siècle, qui choisirent à leur guise des « Pensées » pour les faire entrer selon un ordre arbitraire dans les cadres de vingt chapitres systématiques, aux titres imposés d'office, comme nous l'exposerons ci-après. De l'œuvre ainsi mutilée, on peut dire qu'elle était devenue méconnaissable.

Pour son compte, Wilmart a proposé trois interprétations.

Selon la première, deux grands thèmes, qu'il appelle les « thèmes généraux », dominent tout le recueil : la vérité avec son corrélatif la paix, et l'utilité. Quant à la grande méditation finale, il la sépare entièrement du reste du livret et elle consisterait à exposer un ordre divin, un ordre humain et un ordre chrétien.

Selon la seconde interprétation de Wilmart, on pourrait proposer une division en quatre titres :
— à l'égard des choses : le détachement
— à l'égard de soi-même : une vigilance impitoyable
— à l'égard du prochain : le dévouement
— à l'égard de Dieu : la piété.
Mais ces quatre titres ne se suivent pas ; chacun d'eux embrasse tout l'ouvrage...
Selon la troisième interprétation, l'idée d'examen domine :
— examen du monde : sa misère et sa vanité
— examen de soi : égoïsme secret, tendances, vanité
— examen de Dieu : ses droits et exigences ; la récompense qu'il donne à qui sacrifie tout : lui-même.
Mais Wilmart s'est vite aperçu qu'il était impossible de plier tant de morceaux divers à ces catégories, et il a finalement présenté les *Meditationes* selon un tout autre système.
Ayant reproduit le texte latin tel que le présentent les anciens manuscrits, il en a séparé entièrement sa traduction française, remaniant dans celle-ci l'ordre des méditations, pour les faire entrer sous près de 150 thèmes rangés alphabétiquement. C'était établir une sorte de fichier ; mais le résultat fut tout à fait décevant, surtout parce que chaque pensée se trouve rangée sous une seule rubrique, tandis que le contenu de chacune d'elles concerne souvent plusieurs sujets importants. L'œuvre de Guigues a été ainsi désarticulée sans aucun profit et les morceaux épars de cette construction artificielle gisent inutilisables. Quant à la double numérotation, une pour le latin, une autre pour le français, compliquée par la présence, en un troisième endroit, de la méditation finale, elle décourage le lecteur le plus intrépide.
En 1952, le traducteur allemand des *Meditationes,* Alfred Schlüter [35] a eu la sagesse de respecter pour sa traduction l'ordre du texte latin original. Il a suggéré deux classements :

---

35. *Guigo von Kastell. Tagebuch eines Mönches aus dem lateinischen übertragen und eingeführt.* Paderborn.

— l'un en quatre parties : détachement des créatures, connaissance de soi, amitié pour les hommes, louange de Dieu.

— l'autre en trois parties : connaissance du monde, de soi-même, de Dieu.

En 1954, Georg Misch a cherché dans l'œuvre de Guigues une autobiographie [36]. Mais elle ne contient pas d'éléments pour étoffer pareille interprétation.

En 1957, Georges Montpied, dans son *Essai sur la spiritualité cartusienne d'après les Méditations de Guigues l'Ancien*[37], a centré ses réflexions sur l'idée que notre prieur se fait de la liberté ou plutôt de la libération de l'homme. Cet essai est surtout sensible à certains problèmes actuels, mais n'envisage qu'une minime partie de la riche pensée de Guigues.

En 1965, Maria-Elena Cristofolini a cherché à donner une synthèse des grands thèmes de la pensée de Guigues, dans un article d'une quinzaine de pages [38] :

Nous nous attachons plus aux créatures qu'au Créateur ; nous sommes infidèles à l'égard de Dieu ; de là inquiétudes, craintes, servitude. Cependant Guigues n'a pas une vision radicalement mauvaise du monde : pour lui les adversités servent à nous situer dans la vérité. L'auteur étudie ensuite le rôle de la vérité dans l'univers de Guigues ; elle note bien, en passant, que la vérité, pour Guigues, c'est le Christ, mais elle n'approfondit pas cette voie si importante pour la compréhension de notre prieur. Elle parle ensuite de l'amour de Dieu, de l'amour du prochain, de leur importance essentielle chez Guigues. Ces remarques sont exactes et judicieuses.

---

36. *Studien zur Geschichte der Autobiographie*, « II. Die Meditationen Guigos von Castel, Prior der Grande Chartreuse », dans *Nachrichten der Akademie der Wissenschaft. in Göttingen, I. Philologisch-histor. Klasse*, Jahrg. 1954. Nr. 5. Göttingen, p. 171-209.

37. Diplôme d'Études supérieures d'Histoire, Grenoble 1957. Dactylographie de 110 pages.

38. Maria-Elena Cristofolini, « Le ˝Meditationes˝ del beato Guigo certosino († 1136) », dans *Aevum* XXXIX (1965), p. 201-217.

Mais dans tout son exposé, Mademoiselle Cristofolini donne trop l'impression que la spiritualité de Guigues ne serait qu'une ascèse ; surtout elle n'a pas vu à quel point la pensée du Christ est sans cesse présente à l'esprit de Guigues. D'ailleurs, faisant une omission très grave, elle n'a pas tenu compte de la grande méditation finale, décapitant ainsi les *Meditationes* de ce qui leur donne leur signification et leur vraie profondeur.

En 1972, Henri Voilin a présenté à l'Académie Delphinale de Grenoble une intéressante communication qui a mis assez bien en relief la cohésion des idées de Guigues [39]. Partant de la méditation **471** qui résume de façon concise en quoi consiste la perfection aux yeux de notre prieur, l'auteur montre comment, pour Guigues, le Christ-Vérité est le maître de la Paix et de la Joie. L'une et l'autre sont réalisées par l'Amour, et tout d'abord par un Amour totalement désintéressé de Dieu qui appelle et implique la réalisation de la charité d'un solitaire. Celle-ci comporte en particulier pour Guigues une de ses tâches essentielles, celle de médecin des âmes. H. Voilin a ainsi beaucoup mieux vu que M.-E. Cristofolini tout ce qu'il y a de remarquablement positif dans la spiritualité de Guigues au cœur de ses *Meditationes*. Enfin l'auteur explique comment le prieur conçoit la maîtrise du monde, en particulier le rôle du corps et l'attitude que le spirituel doit avoir à l'égard des biens passagers, de tout ce qui n'est pas Dieu. Toutes ces réflexions sont illustrées par d'abondantes citations où les traductions si défectueuses de Dom Wilmart apparaissent bien corrigées.

En 1973, Emilio Piovesan, dans l'Introduction de sa traduction italienne des *Meditationes* [40], a exposé les principaux thèmes de la pensée de Guigues : ce sont, à ses yeux, la solitude, le silence (celui de la cellule, celui du cœur), la paix du

---

39. « Un penseur méconnu : Guigues le Chartreux ». Séance du 25 mars 1972. Communication parue dans le *Bulletin de l'Académie Delphinale*, 8ᵉ Série, 11ᵉ année, nᵒ 4, avril 1972, p. 98-117.

40. *Guigo 1ᵒ, Priore della Grande Chartreuse. Le Meditazioni,* dans les *Analecta Cartusiana* du Dr James Hogg, Tome 17, Salzburg. L'auteur avait

cœur et enfin les deux idées essentielles de Vérité et de Bonté. On ne voit pas dans cette présentation de quels principes profonds proviennent les idées de Guigues que met en avant cet auteur.

Aucune des interprétations que nous venons de passer en revue n'est erronée, mais elles sont partielles ; chacune, en privilégiant tel ou tel élément, en éclipse d'autres tout aussi importants, qu'elle rejette dans l'ombre. Cela nuit à l'équilibre de l'ensemble.

De plus, chacune de ces explications suppose des plans dans la pensée de Guigues ; mais celui-ci, en écrivant ses notes, n'a jamais eu de plan. Enfin, pour mettre en évidence chaque thème proposé, il faudrait, pour chacun d'eux, remanier à nouveau l'ordre des « pensées », ce que Guigues n'a pas voulu non plus, en les laissant dans leur désordre original.

Toutes ces tentatives ont donc leur intérêt, mais elles demeurent en partie extérieures à l'être profond de l'auteur des *Meditationes,* à ce qui se passe dans son âme au moment où il médite et note ses pensées. C'est ce niveau profond qu'il faudrait saisir, au plan uniquement spirituel qui l'anime : atteindre à travers les *Pensées* l'âme de Guigues... Pour y parvenir, il nous faut reprendre de plus haut l'étude de la personnalité spirituelle de Guigues.

déjà publié une traduction italienne des Méditations **464-476** sous le titre de « Fedelta alla gerarchia degli esseri imitando il Verbo Incarnato », dans *Rivista di Ascetica e di Mistica,* n° 1 (1966).

## X

## GUIGUES : LE SPIRITUEL

### 1. Influence du stoïcisme sur Guigues

Le lecteur des *Meditationes* reconnaît bien vite une évidence : elles portent une frappe stoïcienne. Très fréquemment, une pensée ou l'autre se présente comme un cristal de stoïcisme dans le granit des *Meditationes* (v.g. **171**), où scintillent beaucoup d'autres cristaux analogues. Nous avons déjà noté plus haut, à ce point de vue, une similitude frappante entre les « Pensées » de Guigues et celles de Marc-Aurèle. Parlons brièvement de l'influence du stoïcisme sur Guigues.

Aux débuts de l'ère chrétienne, on remarque deux grands courants, parmi le fourmillement des écoles et des maîtres, dans le monde païen gréco-romain : d'une part le courant platonicien et néo-platonicien ; d'autre part le courant stoïcien. Il s'agit plutôt de courants de pensées, voire d'attitudes spirituelles, que de systèmes philosophiques proprement dits. A cet égard, l'aristotélisme ne semble pas avoir suscité, au même titre, une tradition que l'on puisse qualifier de spirituelle ; son influence sur le christianisme sera plus technique : il a tout d'abord enseigné aux Pères la logique.

Les deux courants que nous retenons, pour une schématisation commode, ont des traits communs, précisément parce qu'ils ont alimenté une recherche spirituelle, même en dehors du christianisme. En particulier, l'un et l'autre invitent l'homme à se tourner vers l'intérieur. Mais ce même point est aussi celui sur lequel ces deux orientations se différencient le plus nettement.

Le platonisme et le néoplatonisme vivent d'un idéal d'illumination intérieure, quelle que soit la nature de celle-ci. L'homme rentre en lui-même pour y trouver les reflets d'une lumière venue de plus haut.

Le stoïcisme est plus pragmatique. Il débute par un inventaire des choses sur lesquelles l'homme peut s'appuyer, et de celles sur lesquelles il ne peut s'appuyer, parce qu'elles sont caduques, périssables ou fallacieuses. Cet inventaire amène à la conclusion suivante : le sage trouve un appui ferme seulement en lui-même, et non dans les choses ou les hommes. Cet appui — on le comprend à partir de là — réside dans la volonté. D'où la célèbre distinction de « ce qui n'est pas en notre pouvoir » et de « ce qui est au pouvoir de notre volonté. » Il nous faut tabler seulement sur ce qui est au pouvoir de notre volonté : la maîtrise de soi, l'harmonie intérieure, la vertu.

Pour dire tout cela très schématiquement, le platonisme ou le néoplatonisme a toujours quelque saveur intellectualiste ; le stoïcisme a une saveur volontariste.

Cela dit, notre Guigues se situe nettement dans ce second courant. Il suit d'ailleurs ainsi une voie qui lui était frayée par les Pères de l'Église.

Une étude tant soit peu attentive de ceux-ci, latins ou grecs, montre qu'ils ont toujours gardé un contact avec la culture grecque et latine païenne, tout en en transposant les schèmes de pensée pour élaborer une doctrine authentiquement chrétienne. Cette empreinte de la culture païenne n'a jamais cessé, même au Moyen Age, malgré l'impression de redécouverte que donne à cet égard la Renaissance. Les maximes et les expressions de la sagesse stoïcienne ont passé fréquemment chez les Pères de l'Église et se sont amalgamées avec la doctrine évangélique. Ces emprunts sont souvent indirects, les éléments stoïciens se trouvant inégalement représentés et regroupés selon les affinités personnelles des moralistes chrétiens. M. Spanneut, dans son ouvrage *Permanence du stoïcisme de Zénon à Malraux* [41], a montré avec perspicacité l'influence constante de cette pensée complexe du stoïcisme dans le christianisme des Pères et dans celui des écrivains médiévaux.

41. Gembloux 1973.

Guigues s'inscrit dans cette tradition, comme nous l'avons vu en notant une certaine ressemblance entre ses « Pensées » et celles de Marc-Aurèle.

Il est intéressant de constater à la même époque, ou presque, la place considérable des réminiscences de Sénèque dans la *Lettre d'Or* de Guillaume de Saint-Thierry. Plus tard, les sentences de Sénèque ont enchanté Montaigne et La Fontaine. Elles ont ravi Descartes. En Espagne, où était né Sénèque, celui-ci connut toujours une grande vogue ; Ste Thérèse appelait S. Jean de la Croix son petit Sénèque.

Il est utile de noter ici un fait assez remarquable : ces derniers stoïciens du paganisme, Sénèque (4-65), mais davantage Épictète († vers 125) et Marc-Aurèle (121-181) essayaient de se réformer, se rapprochant sans en avoir conscience de la religion chrétienne qui les menaçait et qu'ils combattaient et persécutaient. De là parfois leur accent en apparence presque chrétien qui devait assurer leur influence persistante chez beaucoup d'auteurs chrétiens. Mais leur doctrine restait païenne, leur Dieu impersonnel ; il n'y avait chez eux ni sens du péché, ni appel à la grâce. Ils laissaient l'homme sans espoir.

Par là, en définitive, une incompatibilité profonde demeure entre le christianisme des Pères et les schèmes de la pensée stoïcienne. L'opposition irréductible entre la pensée chrétienne de saint Paul et le stoïcisme de Sénèque a été fort bien mise en lumière par J.N. Sevenster dans *Paul und Seneca* [42].

Comme on le sait, le *Manuel d'Épictète* connut une longue éclipse au Moyen Age, puis reparut en France au XVIIe siècle, et il eut alors un immense succès. Marc-Aurèle connut un sort analogue, mais il eut une grande audience au XIXe siècle et il est encore lu aujourd'hui [43]. Les penseurs stoïciens n'étant redevenus en vogue que vers le XVIIe siècle, Guigues n'a pu,

---

42. Leiden 1961.

43. Cf. MARC-AURÈLE, *Les Pensées,* coll. « Les Belles-Lettres », Paris 1953.

semble-t-il, s'imbiber du stoïcisme qu'à travers le filtre des Pères et par les souvenirs de classiques latins qui sont à la source de plusieurs de ses « Pensées ». Cela ne laisse pas d'étonner le lecteur qui étudie les Pensées de Guigues et celles de Marc-Aurèle ; il arrive difficilement à croire que Guigues, qui cite littéralement quelques auteurs voisins de cet empereur dans le temps, par exemple Horace, Lucain, Juvénal, Salluste, n'ait pas lu directement quelques-uns des stoïciens, et surtout Marc-Aurèle, dont le tour de pensée est si étonnamment semblable au sien. Il est vrai que Marc-Aurèle, à la différence de ceux que nous venons de nommer, écrivait en grec. Mieux vaut admettre que si certaines sentences de Guigues ont une saveur toute stoïcienne, c'est plutôt en vertu d'une influence générale et indirecte que par un souci voulu d'imitation. De plus cette ressemblance est due aussi en partie à l'extrême sobriété d'expression de Guigues.

Il ne faudrait pas conclure de tout ce qui vient d'être dit que l'inspiration de Guigues serait païenne. Cet exposé était nécessaire. Mais si telle pensée de Guigues, considérée isolément, paraît toute stoïcienne et ne semble pas dégager à première vue un sens chrétien, on s'aperçoit bientôt qu'en l'éclairant par d'autres pensées, elle rend un son tout différent. Si, en effet, elle vise une « libération » à la manière stoïcienne, on voit par beaucoup d'autres sentences que cette libération est toute ordonnée chez Guigues à une plus grande lucidité dans sa quête de Dieu, celle-ci demeurant toujours son seul but. Mais il y a plus, beaucoup plus.

## 2. **Le penseur chrétien**

En fait, de toutes parts, Guigues transcende le stoïcisme par son sens chrétien. Sa foi lui apporte des lumières et des pensées qui s'ouvrent sur l'éternel.

Si donc, comme S. Paul et bien d'autres, il utilise parfois le langage des stoïciens, comme S. Paul aussi, il le christianise totalement, ce qui le transforme du tout au tout. Guigues est un penseur chrétien, qui s'appuie sur des siècles de chrétienté et sur son intense prière contemplative.

Ce qui est vrai des Pères en général est vrai de Guigues : s'il vit dans ce qu'on pourrait appeler des schèmes mentaux stoïciens, il les a profondément repensés à la lumière de sa foi, et sa spiritualité est toute chrétienne.

Par exemple — et ceci est capital — l'accent stoïcien mis sur la volonté devient chez lui, en dernier ressort, un accent mis sur l'amour, la « charité ». Cela est mis en évidence par son usage du texte scripturaire qui joue chez lui le rôle de texte-clef : « Tu aimeras le Seigneur ton Dieu... et ton prochain comme toi-même. » Parmi les textes bibliques sur lesquels il appuie sa pensée, aucun ne joue le rôle central qui appartient chez lui à ce texte des deux commandements, cité six fois ; c'est le texte le plus souvent cité dans cette œuvre.

A tout moment, Guigues rectifie en chrétien l'inspiration stoïcienne. En voici quelques exemples variés :

Cette inspiration stoïcienne laisse sa marque, ici ou là, comme on le voit par l'importance de ce que l'on pourrait appeler la dialectique du « vouloir » et du « pouvoir ». Mais Guigues introduit sur ce point une innovation capitale : le vouloir authentique a pour objet le vrai Bien, qui est Dieu. Il s'ensuit une conséquence non moins capitale : le vouloir ainsi orienté n'a pas à chercher en dehors de lui-même son accomplissement : « vouloir le vrai Bien, c'est l'atteindre » (**234**). La raison de cela, ignorée du stoïcisme, est qu'un tel vouloir est déjà l'œuvre de Dieu présent en l'homme, de son Esprit (**209, 312, 395**). L'intériorité atteint de la sorte une profondeur tout à fait nouvelle ; mais elle reste de type plutôt volontaire.

En contraste, le thème de l'illumination intérieure, non moins chrétien, et caractéristique de l'augustinisme, est peu représenté. En **264** et **314**, il est question de « spectacles intérieurs », mais Guigues en parle pour avouer qu'il en manque ! Par contre le mot *illuminatio* se trouve en **77**, dans un sens très beau et élevé. Le plus souvent, les « pensées » donnent l'image d'un moine qui vit dans l'obscurité de la foi, que l'on dirait visité fréquemment par l'aridité et l'acédie, et qui lutte pour convaincre sa nature rebelle que Dieu est désirable plus que les créatures. Le stoïcisme a peut-être fourni ici un langage à une expérience chrétienne et à une voie spirituelle très personnelles.

Un autre trait du courant stoïcien est le recours à la contemplation de « l'ordre ». Pour atteindre la paix intérieure, le sage doit se conformer à la nature authentique des choses, par exemple accueillir volontiers l'inévitable, parce qu'il exprime un ordre cosmique. Mais Guigues ici encore assimile et transpose en de merveilleuses sentences chrétiennes. L'ordre, c'est de vouloir ce que l'homme doit vouloir, c'est-à-dire un bien qui mérite effectivement l'amour de l'homme. Et Guigues vise à fonder le choix du juste objet d'amour sur les choses considérées en elles-mêmes : « Aime ce que tu ne peux perdre en l'aimant » (**186**). La béatitude à aimer doit être douée de sentiment et d'intelligence (**132**) ; il convient d'aimer Celui qui n'a besoin de ne dépendre d'aucun autre pour être bon (**287**). Il faut que l'âme aime Dieu car, ce faisant, elle lui devient semblable (**360**). Guigues en vient par là à rejoindre le courant augustinien qui, lui, est platonicien, et non pas stoïcien. C'est peut-être ici le lieu de noter que plusieurs des plus belles « pensées » ont leur source chez S. Augustin et aussi que le style de celui-ci a fasciné Guigues dont les réussites d'expression sont souvent aussi étincelantes que celles d'Augustin. Mais, même dans les « pensées » comme celles que nous venons de citer, un trait demeure bien personnel à Guigues : les vérités sont exprimées avec une sorte de rigueur d'analyse qui frappe par le souci de parvenir à des conclusions convaincantes. Tout au long des *Meditationes,* Guigues est son propre pédagogue. Toutes les analyses critiques de notre auteur sont extrêmement pénétrantes, et supporteraient la comparaison avec les meilleures observations phénoménologiques (v.g. **456**).

Il n'est pas jusqu'au thème de la vérité, traité en quelques pensées parmi les plus belles, qui ne porte la marque du caractère de Guigues, volontaire et pratique. La vérité telle qu'il l'entend touche par l'un de ses extrêmes le réel le plus quotidien : il s'agit de l'authenticité dans les choix du vouloir, le souci de ne pas se laisser abuser par les *temporalia*. Par l'autre extrême, elle est divine, elle est Dieu ; mais même sous cet aspect, la préoccupation reste pratique, la Vérité pour Guigues est source de choix de vie ; elle est, dans le Christ, norme de vie.

Voici encore la notion d'« utile », si importante dans les *Meditationes*. Le συμφέρον, l'ὠφέλεια sont des thèmes fréquents chez Marc-Aurèle où ils signifient ce qui est conforme à la *nature* de l'homme. L'*utilitas* a le même sens chez Guigues, mais avec une profonde transposition chrétienne : ce qui est conforme à la nature de l'homme, c'est de sortir de soi pour aimer Dieu (**443**, etc.) et le louer (**288, 359**). La souche stoïcienne se manifeste chez Guigues par ce souci de fonder les grandes orientations de la vie chrétienne sur la nature profonde de l'homme et sur l'ordre vrai qui existe entre Dieu et les créatures (voir toute la méditation finale : **466** à **476**).

Un trait assez curieux de la vie intérieure de Guigues est celui qui résulte de sa méditation sur les Anges. Nous l'avons vu lui-même plongé dans l'obscurité de la foi, luttant laborieusement pour se déprendre des créatures. Il sait que le secret de la vie surnaturelle réside dans la présence de Dieu-Charité, ou de son Esprit, au cœur de la volonté du chrétien, même trébuchant en cette vie. Mais l'impression d'ensemble que donne son œuvre est assez austère ; il faut le reconnaître. Le climat de lutte l'emporte quantitativement, dans les *Meditationes,* sur les rayons de lumière. Par une sorte de contrepartie, il attribue ces derniers aux Anges. On dirait que Guigues leur décerne la plénitude de vie divine qu'il n'a pas encore, mais voudrait avoir (**291, 312, 363**). Les pensées **312, 363, 460**, voient dans les Anges l'*adhaerere Deo* dans lequel Guillaume de Saint - Thierry, en sa Lettre aux Chartreux du Mont-Dieu, voyait la vocation même de ses correspondants chartreux. On touche ici du doigt la différence d'orientation spirituelle entre le lutteur

austère qui vit en Guigues, et l'augustinien qu'est Guillaume.
A cet égard, S. Bruno se situe peut-être davantage dans le
courant augustinien.

Un point capital où Guigues se sépare du stoïcisme païen
est le sens aigu qu'il a du péché. Pour le sage stoïque, céder à
l'attrait des choses extérieures, c'est simplement de la sottise.
Pour le moine Guigues, c'est trahir le Dieu qui l'a aimé (**271**),
c'est de l'idolâtrie (**319**).

Cette enquête sur la vie spirituelle de Guigues nous laisse
avec un certain nombre de questions. La lecture de l'ensemble
des *Meditationes,* jusqu'à la pensée **463**, avant le grand texte
de conclusion dont nous aurons à parler plus loin, ne
donne-t-elle pas une impression trop sévère ? Le bilan de la
réflexion de Guigues sur l'homme ne serait-il pas trop négatif ?
Certaines pensées sont d'un pessimisme pascalien (**439**). Mais
quelques brèves notations font entrevoir heureusement d'autres perspectives. Par exemple, la bonté naturelle du monde
(**49**) et de l'homme (**430**), la rédemption du monde des corps
par sa fonction de signe à l'égard du spirituel (**308, 373**), et
nombre d'autres très belles perspectives. Ce serait se mépren-
dre tout à fait que de voir uniquement en Guigues l'ascète
absorbé par une lutte farouche contre les attaches humaines,
décidé à aller jusqu'au bout dans l'œuvre de sa libération intérieure, et qui aurait employé le meilleur des énergies de sa vie à
cet enfantement de l'homme spirituel en lui.

Il est un autre niveau de son âme, qui coexiste avec celui
dont nous venons de parler et qui révèle en lui une magnifique
profondeur d'union au Christ. Nous allons le voir sur un
exemple, choisi parmi d'autres dans la richesse inépuisable de
ses Méditations.

### 3. **Le bon Prieur**

Malgré l'austérité apparente du caractère de Guigues, que
dénote la grande masse des « pensées » d'ordre ascétique, ses
méditations nous donnent la preuve d'une merveilleuse qualité

de son âme : Guigues est un homme qui sait aimer, et c'est cela même qui le caractérise comme Prieur. Il nous en a livré le secret dans maintes pensées, dont voici quelques-unes :

« Revêts-toi d'abord de celui que tu veux juger et reprendre... Car le Christ lui aussi a d'abord revêtu l'humanité avant de la juger » **(416)**. Cet « Indue eum prius... Nam et Christus prius induit hominem... » est absolument magnifique : toute la bonté de Guigues-prieur est dans ces mots.

« Vois comment tu peux, à cause de leurs promesses, aimer le blé en herbe et l'arbre qui bourgeonne. Aime ainsi ceux qui ne sont pas encore bons » **(167)**. — « Qu'éprouve pour toi la Vérité ? De la bonté. Aie toi aussi de la bonté pour tous » **(95)**. — « Que l'amour soit pour toi le motif de dire la vérité, comme de donner un remède... » **(164)**. — « Si c'est seulement par amour, si tu n'es contraint que par l'amour même, réprimande, frappe. Si tu le fais pour un autre motif, tu te condamnes toi-même. Agis en tout à l'égard des autres selon l'esprit même que tu veux voir en Dieu à ton égard » **(140)**. — « Cela seul que tu désires pour toi, la bonté, témoigne-le à tous les hommes, soit par le châtiment, soit par la douceur » **(134)**.

Dans le cadre de cette introduction, il n'est malheureusement possible de ne donner qu'un trop bref résumé des méditations de Guigues au sujet de sa charge de Prieur.

Il envisage cette charge comme celle d'un médecin des âmes, et en cela il est fidèle à toute une tradition patristique dans laquelle on pourrait nommer, parmi bien d'autres, S. Basile [44], S. Augustin [45], S. Grégoire [46]. Guigues a repris à son compte cette donnée traditionnelle. Il l'a érigée dans ses *Meditationes* en une *doctrine de bonté,* dont on ne trouve nulle part un ensemble aussi complet. Les traits qui s'en dégagent sont si caractéristiques de la personnalité de Guigues qu'il convient

---

44. *Regulae fusius tractatae,* Interrog. 51, *PG* 31, 1039. — Voir aussi : CASSIEN, *De coenobiorum Institutis,* X, 7, *PL* 49, 370 ; *SC* 109, p. 392 s.
45. *De Pastoribus,* cap. 5 et 6, *PL* 38, 275.
46. v.g. *Regula Pastoralis,* I, 1.

de présenter brièvement ici le tableau de cette bonté. Les *Meditationes* ne contiennent pas moins de 26 fois le mot *medicus* ou ses dérivés, 26 fois le mot *aeger* et ses dérivés. Pour cet exposé, il suffit de laisser parler les textes, en regrettant de ne pas les citer tous.

La première œuvre de charité fraternelle est de ne pas imputer le péché (**390**). Le supérieur doit toujours avoir de la compassion et de la bonté : « Sois tel à l'égard de tous que la Vérité s'est montrée envers toi : comme elle t'a soutenu et aimé pour te rendre meilleur, soutiens et aime les autres afin de les rendre meilleurs » (**168,** et voir **49, 59, 66, 134, 95, 352, 195, 420, 200**). Le Prieur ne doit vouloir que le salut de son sujet (**330**). Il faut amener le délinquant à vouloir lui-même son vrai bien (**201**). Pour cela, il faut dire la vérité : elle seule est profitable (**225, 350**). La correction est parfois nécessaire (**447, 58**). Cependant le Prieur doit persuader, non par la contrainte, mais par l'exemple (**297**). Le bien est l'œuvre de Dieu (**232**). Il faut agir avec le Christ, qui est Sauveur : « Le nom du Christ est Jésus. Aussi, dès que, pour n'importe quelle raison, tu perds la volonté de sauver l'un d'entre les hommes, tu te retranches des membres du Christ, c'est-à-dire du Sauveur » (**236,** et voir **138**). Même un grand pécheur n'est qu'un malade (**237, 108, 167**). On ne doit donc repousser personne : « Ne repousse pas les hommes, mais chasse loin d'eux ce qui t'offense à bon droit : le vice. Et cela par amour pour eux, comme tu le veux pour toi... Car les mauvais et les bons sont la matière dont se sert le juste pour bien agir, se réjouissant avec ceux-ci, ayant compassion pour ceux-là » (**142**). Le jugement doit toujours être miséricordieux (**193**), prudent et modéré (**215, 248, 416, 441**), mais juste (**331, 332**). Avec de la bonté, on réussit toujours (**119**). Il faut tâcher de faire reconnaître la faute par le coupable (**129**), mais en demeurant humble (**341**), et avec compassion : « ... Ceux-là sont entre tous les plus grands, qui ont compassion des erreurs et des péchés » (**222,** et voir **160, 223**). Mieux que cela : avec charité (**164, 140, 210, 211, 213, 231, 247, 253, 293, 321, 381, 382,**

**390, 398, 430**). Agir toujours dans la paix : « La paix est le bien de l'esprit en qui elle réside. Elle doit donc être désirée pour elle-même comme une saveur délicieuse. Qu'elle soit si grande en toi que tu n'en exclues pas même les méchants » (**179**, et voir **136, 147, 165, 205**). Vouloir le vrai bien, c'est déjà l'atteindre (**233, 234**).

Celui qui, jeune Prieur, avait élaboré au sujet de la correction fraternelle une telle doctrine de douceur et de bonté et l'avait méditée pendant des années dans le secret de sa solitude n'était pas le chef intransigeant, autoritaire et sévère que certains auteurs ont imaginé à son sujet, sans avoir cherché à le connaître. Il fut appelé en toute vérité « le bon Prieur » par ceux qui vécurent auprès de lui. Il avait certes des qualités de chef, mais tempérées, informées par une sensibilité, une bonté qui le font tout proche sous ce rapport du S. Bruno de la lettre à la communauté de Chartreuse. Ne s'est-il pas interrogé dans 81 de ses Pensées sur ses devoirs de Prieur ?

## 4. Le cheminement spirituel de Guigues

Toute l'étude que nous venons de faire était nécessaire pour pénétrer un peu dans la personnalité spirituelle de Guigues. Nous en avons vu se dégager deux aspects : un ascète spirituel très austère à lui-même, et un chrétien maître de bonté.

Mais nous ne pourrions comprendre notre Guigues, si nous ne gardions présentes à l'esprit l'étape où il se trouve dans sa vie à l'époque des *Meditationes* et les circonstances extérieures qui ont conditionné son cheminement spirituel.

Encore tout jeune religieux, occupé à sa formation, il a été élu Prieur à 26 ans, et qui plus est, Prieur d'une fondation toute jeune elle aussi, en un genre de vie très difficile et peu répandu dans le monde monastique du temps. Le présent et l'avenir de cette fondation reposent tout à coup sur lui, à cet âge. C'est une grave responsabilité. Il en a profondément conscience.

La physionomie spirituelle qui se dégage de notre étude correspond très bien à ce stade de sa vie. Il s'est peut-être tendu un peu trop dans son combat contre lui-même. Mais déjà, grâce à la profondeur de sa vie intérieure et à son intelligence si pénétrante, il est vrai père des siens avec une étonnante maturité humaine et une pleine compréhension de la mission qu'il a reçue de Dieu.

C'est un précieux enseignement pour nous, grâce à ses *Meditationes,* d'avoir pu le saisir au secret le plus intime de sa quête de Dieu dans ces circonstances de sa vie. Nous avons pu voir en cet homme, que l'avenir montrera parfaitement équilibré, comment la bonté venait déjà peu à peu atténuer en lui les traits austères du lutteur.

Ce n'est peut-être pas sans une intention providentielle que la destinée de l'Ordre des Chartreux a été confiée par Dieu à deux personnalités aussi différentes que Bruno et Guigues. Le premier est une flamme ardente de joie, le second l'homme du combat. Le premier captivé par Dieu qu'il possède, le second captivé par le désir de Dieu qu'il cherche. Il ne faut évidemment pas durcir cette opposition, car une même ferveur d'amour pour la vie contemplative en solitude les unit l'un et l'autre. Puis il faut noter que nous connaissons Bruno par des lettres écrites au soir de sa vie, quand il est parvenu à la pleine sérénité du regard contemplatif vers Dieu, tandis que les *Meditationes* sont d'un homme jeune en pleine lutte pour acquérir la perfection. Il n'en demeure pas moins que leurs tempéraments sont très divers.

Il se peut que l'harmonie ou la plénitude de la vie cartusienne soit faite de l'alliage de ces deux orientations spirituelles.

XI

# IDÉES MAÎTRESSES DES MÉDITATIONS

## 1. Idées maîtresses ?

Mieux informés maintenant sur les traits de la physionomie spirituelle et de la personnalité de Guigues, il nous est possible de tenter, non plus des sondages de détails, mais une vue d'ensemble de l'œuvre des *Meditationes,* pour en dégager les grandes lignes.

De ce recueil, si rempli d'idées profondes et pénétrantes, se dégage-t-il une doctrine spirituelle édifiée comme telle ? Y a-t-il une idée maîtresse qui captive l'âme de Guigues ? Une idée autour de laquelle, si on le désirait, on pourrait ordonner toutes les autres ? Ou quelques tendances qui dominent ?

Une telle recherche n'est pas nécessaire. Il serait vain de faire entrer dans un plan préconçu cette œuvre, écrite au jour le jour pendant des années, et dont un des caractères les plus séduisants est l'admirable liberté de pensée de son auteur.

Guigues n'a certainement jamais eu l'intention d'exposer des idées maîtresses, d'offrir un ensemble doctrinal ou un corps de spiritualité. Chercher cela, c'est une préoccupation qui nous caractérise, nous modernes, avec notre passion de raisonner, mais qui ne pouvait nullement être la sienne dans une œuvre de ce genre.

Les *Meditationes* sont un recueil, en grande partie, de prime abord, moral et ascétique, mais en fait beaucoup plus profond. De grandes questions philosophiques et théologiques y sont abordées ; quantité de problèmes concernant la conduite de la vie y sont touchés ; souvent aussi se présente une ouverture sur la vie mystique.

Le vrai mérite des *Meditationes,* au-delà et au-dessus de leur forme, c'est leur profondeur à chacune. Là est bien la difficulté

de leur superposer un plan ou des idées directrices : chacune se
suffit à elle-même, serait-elle séparée du tout.

Enfin, s'il y a une clef d'intelligence des *Meditationes,* c'est
une clef silencieuse, qui ouvre sur les espaces de silence du
désert cartusien. Il est très difficile d'analyser cette démarche
ou de l'exposer en paroles.

## 2. La visée de Guigues

Guigues n'a pas eu d'autre visée que de voir clair en
lui-même, afin de mieux chercher Dieu, de le trouver plus vite,
et de le posséder plus parfaitement pour le louer sans fin.

Il s'étudie lui-même pour atteindre la pleine vérité de son
être en face de Dieu et des hommes, car il a le culte incessant
de la Vérité qui lui donne la vie. Il cherche à atteindre en
lui-même la vérité, et par cette voie la paix du cœur ; puis,
avec la vérité et la paix, l'utilité spirituelle. Dans cette
recherche pure et par elle, il est en quête dès ici-bas de son
centre éternel. Il veut aussi arriver à la vérité sur les objets
dont il s'occupe.

Ses images ne servent pas seulement à exprimer une pensée,
elles visent toujours en même temps à l'approfondir. De là
viennent de très profondes leçons spirituelles, qui dépassent
l'image et la première leçon présentée.

Grâce à la qualité de sa méditation et de ses dons naturels,
Guigues donne souvent une lumière éblouissante sur les
profondeurs de l'être et de la vie, en des éclairs inattendus.

Chemin faisant, de nombreux textes dénoncent la vanité du
monde qui passe, le danger des « formes » qui accaparent, la
vanité des biens sensibles et périssables.

En tout cela n'affleure jamais l'intention de livrer une doctrine. Le but final de Guigues est un but pratique : son progrès
spirituel à lui. Il s'ouvre à Dieu pour tout recevoir de lui. Il ne
s'astreint à aucun plan systématique.

Nous nous efforcerons maintenant de saisir quelques grandes lignes de sa pensée.

### 3. La recherche inlassable de la pureté du cœur

Tout au long du recueil des *Meditationes,* un thème fondamental se dégage, qui en oriente plusieurs autres sans les asservir, qui revient sans cesse sous différentes formes et par divers exemples : c'est l'idée de la pureté des rapports de l'âme avec Dieu. Pour la garder, l'accroître, la présenter devant Dieu dans toute sa beauté, il faut veiller, lutter sans cesse, car l'âme du contemplatif laisse trop facilement troubler son recueillement par les événements changeants (les *mutabilia*), les « formes ». « Tu te comportes en ce monde comme si tu y étais venu pour contempler et admirer les formes des corps » **(260)**. — « Sèvre-toi dès maintenant de ces formes sensibles... apprends à te passer de tout cela, apprends à vivre et à te réjouir du Seigneur » **(336)**.

Guigues se sent donc placé dans une situation de combat, de lutte, dont nous avons longuement parlé plus haut. Par là, il est proche de l'atmosphère spirituelle dans laquelle vivaient les Pères du désert, avec toutefois ce trait plus accentué chez lui d'une plus humble conscience chrétienne de sa *miseria ;* et ce trait le rend souvent plus humain à nos yeux que certains des athlètes orientaux. Il semble que nous puissions noter, à côté du stoïcisme dont il a été fait mention plus haut, une autre source du climat de lutte de beaucoup des *Meditationes,* dans ce rapprochement avec les Pères du Désert.

Ce désir de la pureté du cœur est lui-même fondé sur une réalité qui ravit l'âme de Guigues, ce grand contemplatif : à savoir cette vérité que Dieu est le seul bien de l'âme, son Bien suprême, sa totale utilité dans sa merveilleuse transcendance. L'approche de Dieu exige donc un cœur toujours en quête d'une plus grande pureté.

Nous rejoignons ainsi chez Guigues ce thème essentiel de la spiritualité des Pères du Désert : l'inlassable recherche de la pureté du cœur, thème si bien évoqué par Cassien dans ses Conférences, et sans cesse présent dans de très nombreux apophtegmes des Pères.

Mais ici, une question se pose : comment se fait-il que Guigues ayant constamment présent à sa pensée ce désir de la pureté du cœur et l'exprimant sans cesse de toutes manières, n'emploie pas une seule fois dans tout son recueil l'expression elle-même, si chère aux Pères du Désert : « pureté du cœur » ? C'est au point qu'un lecteur, qui ne serait pas familier de Guigues par une longue fréquentation de ses « Pensées », pourrait ne pas voir l'exceptionnelle importance de ce thème chez lui. Les auteurs mêmes qui l'ont étudié n'ont guère entrevu la place et l'importance de ce thème dans son œuvre.

La solution de ce petit mystère s'impose à qui connaît bien la sainte Écriture. Guigues est un moine tellement pénétré de la lecture et de la méditation des saints Livres que son vocabulaire en est imprégné : il est plus biblique que patristique. Non certes que Guigues soit ignorant des Pères : l'étude de ses sources montre à l'évidence l'étendue de sa culture en ce domaine. Mais les images dont il use sont profondément bibliques. Quand il nous dit que toute pensée hors de Dieu est un adultère spirituel, que toute attache à la créature est une idolâtrie, quand il nous dit que la fermeté de notre amour pour Dieu mesure notre chasteté à son égard, nous entendons vraiment là, à propos de la pureté du cœur, le langage des prophètes bibliques. Il poursuit donc les mêmes fins que les Pères du Désert, mais avec un langage différent.

L'imprégnation de la pensée de Guigues par l'âme des prophètes est le trait qui confère à beaucoup de ses sentences cet aspect si fort, si viril, parfois rude, pourrait-on même dire, dont nous sommes à tout instant frappés en le lisant.

Guigues est un grand moine. Les auteurs qui se sont intéressés à ses *Meditationes* ne l'ont pas assez dit et souligné. C'est en premier lieu la recherche attentive et fervente de la pureté du cœur, comme les moines d'Orient, qui fait de son œuvre des *Meditationes* un écrit si profondément monastique, dans la ligne spirituelle des Apophtegmes. Dans chaque *meditatio,* le cœur est libéré plus pur, afin de s'ouvrir sur un silence qui, pour Guigues, doit s'approfondir et être savouré pour Dieu dans la solitude.

### 4. **L'ardent désir de Dieu**

La pureté du cœur n'est pas du tout envisagée par Guigues comme un exercice d'ascèse qui serait recherché pour lui-même, mais comme une disponibilité qui ouvre l'âme devant Dieu.

Partout dans les *Meditationes,* Guigues exprime un ardent désir de Dieu. Son cœur est tout orienté vers la transcendance divine. S'il se détache de tout et purifie sans cesse son cœur, c'est vraiment pour n'être attaché qu'à Dieu : « Ou ne rien désirer du tout, ou aspirer ardemment aux seuls biens éternels » (**445**). Car il ne peut plus y avoir que Dieu pour celui qui est fidèle à la vocation divine de l'homme : « La cause de tous nos biens est cet amour dont nous avons été aimés avant d'exister... » (**271**). — « Seul veut et aime son utilité celui qui aime Dieu. Car Dieu lui-même est la seule et totale utilité de la nature humaine... » (**370**). — « Tu as vu, un jour où l'on détruisait une fourmilière, avec quelle sollicitude chaque fourmi s'emparait de ce qu'elle aimait, son œuf, au mépris de sa propre vie. Aime ainsi la vérité et la paix, c'est-à-dire Dieu » (**221**).

Ce désir de Dieu a, nous le savons, chez Guigues des caractères très spécifiques. Guigues veut désirer ; il s'y exhorte, il emploie toutes les ressources de sa réflexion pour s'en convaincre. Tout se passe pour lui dans un contexte volontariste qui correspond sans doute à un climat intérieur de foi obscure.

Cependant la mention de la louange est fréquente ; plus encore celle de l'amour de Dieu. De nombreux termes expriment le désir ardent d'amour de son âme.

Dieu est nommé environ 150 fois, et sous l'appellation de Bien suprême 60 fois, sans compter les dénominations de Dieu-Créateur, Dieu-Esprit, Bien éternel...

En toute vérité, c'est la vocation essentielle du moine qui s'exprime sans cesse dans la recherche de la pureté du cœur et dans l'ardent désir de Dieu dont vibre toute l'âme de Guigues.

S. Jean de la Croix devait un jour expliquer : « Les cavernes des puissances de l'âme, quand elles ne sont point vides, ni purifiées et nettes de toute affection des créatures, ne sentent point l'immense vide de leur propre capacité... Une fois que ces cavernes sont devenues absolument vides et nettes, la faim et la soif du sens spirituel s'y manifestent de façon intolérable... [47]. »

Mais à l'occasion du rapprochement que nous venons de noter, il importe surtout de préciser avec grand soin que chez Guigues il n'y a pas deux étapes successives. La purification du cœur n'est pas nécessairement achevée quand se déclenche la soif ardente de Dieu. Déjà l'effort d'ascèse de Guigues est entièrement envahi, commandé, pénétré par le désir de Dieu. L'un et l'autre se poursuivent dans une profonde unité, mais dominée à tout instant par le désir.

Guigues met en contraste les « spectacles extérieurs » qui accaparent l'âme et la dispersent loin de Dieu, et les « spectacles intérieurs » qui sont l'aspiration incessante de son âme : « Si tu ne manquais pas de spectacles intérieurs, jamais tu ne sortirais ou tu n'aurais de la place en toi pour accueillir les spectacles extérieurs » (264). — « Étant privé du spectacle intérieur, Dieu, non qu'il soit absent, mais parce que ton regard intérieur est obscurci et ne le voit pas, tu sors volontiers hors de toi-même... accuse ton aveuglement et ton état de vide à

---

47. *La Vive Flamme d'amour,* Strophe III, verset 3.

l'égard du Bien suprême » (**314**). Sans doute se plaint-il de manquer des spectacles intérieurs ou de n'y être pas assez attentif, mais il le fait de telle manière qu'on voit bien qu'il ne les ignore pas. Cette forme de quête de Dieu si humblement consciente de la faiblesse humaine le laisse très proche des faiblesses de chacun de nous dans la même voie, et cela nous touche au plus intime de notre âme.

Sans cesse affleure dans les *Meditationes* ce désir intense d'intériorité qui est pour Guigues le fondement et la condition de sa rencontre avec Dieu. C'est un aspect profond de l'âme de la Chartreuse que nous entendons dans les élans qui parsèment toutes les Méditations de Guigues.

Deux versets d'Isaïe caractériseraient parfaitement le désir de Dieu dans l'âme de Guigues : « A ton nom et à ta mémoire va le désir de l'âme. Mon âme t'a désiré pendant la nuit, oui, au plus profond de moi, mon esprit te cherche [48]. »

Nous citerons encore sur ce sujet quelques pensées de notre Guigues : « Tu as été créé pour voir, connaître, aimer, admirer et louer le Seigneur. Aussi cela seul t'est utile et rien d'autre » (**288**). – « Être uni à Dieu est pour toi le seul bien total... » (**268**). – « Rien ne peut être préféré à Dieu, rien ne peut lui être égalé, rien... Aussi le Seigneur lui-même dit-il : ″Aime le Seigneur ton Dieu de tout ton cœur, et de toute ton âme, et de tout ton esprit et de toutes tes forces. ″ Ce qui veut dire : tu n'aimeras rien d'autre pour en jouir et t'y reposer... » (**468**). – « Aime ce que tu ne peux perdre en l'aimant : Dieu » (**186**). Ces très belles pensées résument pour nous toute l'inspiration de l'œuvre entière des *Meditationes :* Guigues est fasciné et attiré par Dieu comme le fer par l'aimant. Notons encore une fois que dans les réflexions citées à l'instant, il se raisonne lui-même, selon la pente ordinaire de son tempérament. S'il est moins apaisé que S. Bruno, sa recherche est cependant, au niveau où elle se joue, pleine de mérite et de grandeur.

48. *Is.* 26, 8-9.

Peut-être fallait-il qu'il donne aux siens, pour les moments d'épreuves de leur solitude de vie en cellule, cet exemple admirable de ce que nous pourrions appeler dans une certaine mesure la vie du moine des « temps difficiles ».

### 5. Le mystère du Christ au cœur du plan divin

Mais sous quel aspect Guigues accueille-t-il en lui l'effusion de la source débordante de vie intérieure issue de Dieu qu'il désire ? Y a-t-il pour lui un mystère de la foi qui l'attire à un titre plus spécial ?

Par bonheur, Guigues a répondu lui-même à cette question que nous nous posons à son sujet, et il y a répondu magnifiquement dans la méditation finale qui forme la conclusion de ses *Meditationes*.

Avant de parler du contenu de cette méditation, nous devons nous interroger sur sa présence même à cet endroit.

En effet, ce texte qui inclut les pensées finales, **464** à **476,** a un caractère particulier : il forme un tout. Il est en contraste total avec la multitude des pensées éparses qui le précèdent, aussi bien par sa structure soigneusement édifiée avec une parfaite cohérence, que par le ton qui l'anime, celui d'une sérénité acquise à un très haut niveau de vie intérieure.

Au lieu de « pensées » brèves, nous avons ici plusieurs pages écrites sans nul doute d'un seul jet. On pourrait penser que ce texte est le résultat d'une journée où notre penseur solitaire s'est trouvé spécialement inspiré. On peut faire plusieurs hypothèses.

Notons d'abord que ce texte figure à cette place dans tous les manuscrits. Il est donc antérieur aux premières copies qui ont été prises de cette œuvre, et par conséquent de peu postérieur aux dernières pensées qui le précèdent ; toutefois, il semble bien qu'un certain intervalle de temps le sépare de ces dernières.

Dans une première hypothèse, Guigues, de plus en plus occupé par sa charge à cause des premières fondations cartusiennes, aurait cessé de noter ses pensées. Puis, relisant un jour l'ensemble et se rendant compte que tôt ou tard ce recueil finirait par être communiqué à autrui, il aurait senti la nécessité de lui donner une conclusion par cette méditation finale. Il aurait alors écrit celle-ci ou recopié à cet endroit ce texte déjà écrit et conservé dans ses notes personnelles pour une autre circonstance.

Dans une autre hypothèse, c'est l'entourage de Guigues qui, découvrant le recueil de ses pensées après sa mort, aurait placé en conclusion ce texte de lui, trouvé ailleurs dans ses notes.

Un détail peut sans doute nous permettre de choisir entre ces deux hypothèses. Nous aurons à traiter plus loin, dans l'étude des manuscrits, le curieux problème posé par la présence des majuscules irrégulièrement réparties en divers points du recueil des *Meditationes*. Il nous suffit pour l'instant de noter qu'entre la dernière pensée qui fait une brève mention de la tyrannie des poux et des petites souris, et la magnifique méditation finale, il n'y a aucune coupure. Cette dernière commence ex abrupto, sans majuscule initiale, dans tous les manuscrits. Si l'adjonction de ce texte avait été due à l'entourage de Guigues préparant une édition pour la diffusion, on aurait certainement mis là une majuscule.

Cela étant, nous devons plutôt croire que Guigues lui-même, reprenant le manuscrit de ses pensées, et voyant la place blanche sur la dernière feuille de parchemin, se sera mis à écrire cette conclusion.

Ce texte, d'une sérénité plus grande que tout l'ensemble disparate qui précède, rétablit les proportions. Il donne à toutes les *Meditationes* leur âme profonde.

Dans cette très belle fin de ses *Meditationes*, Guigues nous a dit lui-même où allait le mouvement de son âme tout au long des réflexions qui constituent cet ouvrage. Le Christ, qui dans tout le reste du recueil était toujours présent, mais pas très souvent nommé, y retrouve sa place centrale, dans une perspective qui rappelle les Livres IV et VII du *De Trinitate* de S. Augustin, voire aussi Origène, c'est-à-dire une perspective proprement contemplative : dans le Christ, nous voyons et connaissons Dieu, qui autrement nous resterait étranger (**473**). Guigues est parvenu, dans la paix, à la contemplation de l'harmonie du plan divin. Voilà, enfin, la clef de toutes les *Meditationes*. Une phrase résume la pensée profonde de Guigues : « Le Verbe de Dieu s'est fait chair et il habite avec nous, dans notre monde extérieur, afin de nous introduire, au moins ainsi, un jour, dans son domaine intérieur » (**474**).

Vivre en Dieu, dans le domaine intérieur du Christ : toute la vocation de Guigues est là, sous nos yeux.

Avant tout, pour Guigues, les « spectacles intérieurs » auxquels il aspire, c'est le mystère du Christ. Non pas tel ou tel des mystères du Christ, qui serait privilégié dans sa méditation et aurait un attrait plus fort pour lui, mais « le Mystère du Christ », dans sa plénitude, sa simplicité, sa profondeur, son ampleur infinies.

La grande méditation finale nous fait voir en effet la place totale que tenait le Christ dans l'âme de Guigues, derrière la multitude de ses pensées éparses. Elle récapitule en un raccourci saisissant tout le dessein divin sur la destinée de l'homme, et la place du Christ dans le merveilleux équilibre et la beauté de ce plan.

Cette méditation est le couronnement de l'œuvre des *Meditationes* et lui donne tout son sens. Nous ne la résumerons pas, nous ne la commenterons pas ici : le lecteur doit la lire lui-même tout entière et prendre contact avec elle sans l'écran d'un commentaire ou d'une présentation, de la pensée **464** à la pensée **476**. Voici seulement les phrases qui en sont la conclusion :

« Par son âme humaine, le Verbe même et la sagesse de Dieu nous a montré sous une triple forme, par des sacrements, des paroles et des exemples, ce qu'il faut faire, ce qu'il faut supporter, et la fin pour laquelle il le faut.

« Car l'homme ne devait suivre que Dieu, mais ne pouvait suivre qu'un homme. L'humanité a donc été assumée, afin que l'homme en suivant Celui qu'il peut suivre, suive Celui qu'il doit suivre.

« De même, il n'était utile à l'homme que de se modeler sur Dieu, à l'image de qui il a été fait, mais il ne pouvait devenir conforme qu'à un homme. Aussi Dieu s'est-il fait Homme, afin que les hommes, en se modelant sur cet Homme, comme cela leur est possible, deviennent conformes à Dieu, comme cela leur est utile. »

La pensée **390** nous livrait à l'intérieur du mystère du Christ et de son amour un trait essentiel de l'âme de Guigues :

« Toute âme raisonnable doit être toute entière dévote envers Dieu, car il est écrit : ˝Tu aimeras le Seigneur ton Dieu de tout ton cœur, etc. ˝ Et bonne envers le prochain, car il est dit ensuite : ˝ et ton prochain comme toi-même ˝. Telle est sa seule et entière perfection, son salut. Et nul autre sentiment ne devrait mouvoir le cœur de l'homme, hormis cet amour, double en quelque sorte. Il devrait être en effet la cause totale et unique de toutes les actions et de tous les mouvements humains, spirituels ou corporels, jusqu'au moindre clin d'œil ou à un mouvement du doigt. Mais qui en est à ce point capable ? Il faut pourtant s'y efforcer... » Et Guigues continuait cette méditation par l'énoncé de tout un programme de réalisation des œuvres du double amour.

Or les *Meditationes* nous montrent que Guigues a vécu ce programme de manière exemplaire. Elles nous le font voir rempli de l'amour de Dieu, non pas dans l'effusion d'un jaillissement sensible et d'une flamme flamboyante à la manière de saint Bruno, mais comme une braise ardente dans l'exercice d'une foi infrangible et vraiment admirable. Elles nous le découvrent aussi débordant de l'amour du prochain, en particulier médecin spirituel des siens, tout rempli de bonté, comme nous l'avons vu.

Parce qu'il était établi au cœur du mystère du Christ, dans son amour et son incessante méditation, Guigues a échappé entièrement au danger de recherche égoïste d'une perfection pour soi seul, danger qui aurait pu le menacer dans sa vie de cellule, au milieu de ses pénétrantes analyses d'états d'âme. Cela est très notable et nous montre combien Wilmart s'est trompé du tout au tout en faisant de Guigues un scrupuleux. S'il avait été scrupuleux, disons sans ambages qu'il eût sombré en cellule, avec les dispositions de son tempérament à l'intro-version. Or, loin de là, il a toujours gardé une parfaite maîtrise de soi et une fermeté de la volonté sans faille. Il a été celui en qui se préparait lentement l'homme au parfait équilibre, le moine de valeur exceptionnelle qui allait bientôt écrire l'œuvre pleine de sagesse des *Coutumes de Chartreuse,* où l'Ordre cartusien trouverait pour les siècles à venir la règle et l'appui de sa vocation.

Guigues a trouvé, dans le port secret de sa cellule, dans le mystère du Christ et de son amour, la paix profonde du repos en Dieu : « Dieu t'a prescrit la béatitude, c'est-à-dire un parfait amour de lui, grâce auquel disparaissent trouble et crainte : de là paix et sécurité » **(75)**.

Plus tard, écrivant à un ami très cher pour l'exhorter à embrasser la vie solitaire, il résumera en deux mots l'attitude d'âme du moine dans sa vie quotidienne : « Christo quietus [49] », le service du Christ dans la paix.

Voici donc l'âme de Guigues, telle que nous la laissent entrevoir les *Meditationes*.

Elle est rendue libre et disponible par l'application attentive à la pureté du cœur. Le Christ qu'elle désire la comble de sa plénitude, et cela se manifeste, non pas dans l'abondance des raisonnements, mais dans l'incessante orientation vers Dieu, dans les éclairs contemplatifs qui surgissent de moment en moment.

## 6. **Conclusion**

Au-delà des essais de classements, des hypothèses de plans, décevants et inapplicables à l'ensemble de ces pensées variées

---

49. *Lettre sur la vie solitaire,* § **5,** dans *Lettres des premiers Chartreux,* I, *SC* 88, p. 144.

qui nous ont été livrées dans leur jaillissement originel, nous avons préféré chercher la racine de l'œuvre des *Meditationes* dans l'âme de Guigues.

Cette œuvre est d'un grand contemplatif, que Dieu seul occupe, et l'amour des hommes par débordement de l'amour de Dieu. La saisie de son âme par la Vérité divine qu'est le Christ est si belle, si pure, si totale, qu'elle transparaît sans cesse entre les lignes.

Contemplatif dans la solitude, il a gardé pour lui ses élans les plus intimes ; il a maintenu avec pudeur une réserve à cet égard et il a eu la souveraine maîtrise de garder le silence au seuil de la grandeur du mystère. Comme nous l'avons déjà dit, il ne nous a pas écrit pour nous révéler avec complaisance ses états d'âme et faire étalage de son moi pour un public. Par exemple, il ne nous a pas laissé de prière où il s'adresse directement à Dieu. Et pourtant dans ses *Meditationes,* tout est relation entre Dieu et lui.

Dom Wilmart a écrit à son sujet : « Un homme capable, vers la trentaine, de composer le recueil de pensées que nous pouvons lire, avait non pas seulement de la maturité d'esprit, beaucoup plus qu'il n'est coutume à cet âge, mais un rare génie, ce dont les contemporains et la génération suivante ne doutèrent pas [50]. » Il convenait de souligner ces remarquables qualités humaines, qui furent vraiment exceptionnelles, mais la vraie grandeur de Guigues est d'un autre ordre.

Il est tout animé d'une intense vie surnaturelle. Il a laissé simplement derrière lui ces notes personnelles où il se parlait à lui-même de ce qui faisait la vie de son âme, et au travers desquelles nous apercevons ainsi des aspects très beaux de son attitude devant le Seigneur. Il a touché à ce qu'il y a de plus profond dans le cœur de l'homme. Il est au-delà des écoles de spiritualité, dans la plus pure tradition monastique.

---

50. WILMART, *op. cit.*, p. 40.

Ce grand moine contemplatif est un grand chartreux. Sa méditation est toute accordée à l'atmosphère de la vie solitaire, en harmonie avec sa vie quotidienne au Désert de Chartreuse. Poursuivie dans la solitude, elle en reçoit un cachet de valeur, d'authenticité et de profondeur.

Pour achever le portrait de Guigues, nous citerons encore ce jugement de Wilmart : « Ses discours procèdent d'une parfaite humilité, comme les propos que les vrais saints tiennent d'ordinaire sur eux-mêmes en toute sincérité. Aussi ce Chartreux admirable, détaché de tout au fond de son âme, quoiqu'il s'accuse du contraire, viendra-t-il nous dire, non moins sincèrement : ″Tel te loue pour ta sainteté... Au-delà de toi se trouve ce qui lui plaît : la sainteté ″ (**202**). Mais ces mêmes phrases nous prouvent précisément que ceux qui vivaient avec lui et l'aimaient, le connaissant bien, croyaient à sa sainteté, tout de même que S. Bernard n'en doutera pas [51]. »

Avec la sobriété et la retenue qui le caractérisent, coupant court à tout développement, mais aussi avec l'ardente ferveur de son âme, Guigues a laissé dans ses *Meditationes* l'image et comme l'écho d'une certaine forme de pureté dans la vie contemplative, celle-là même qu'il a proposée un peu plus tard aux siens, comme législateur de Chartreuse, dans son œuvre principale : les *Coutumes de Chartreuse*.

Par une coïncidence qui n'a pas été recherchée, cette édition des Méditations paraît en l'année du neuvième centenaire de la naissance de Guigues. Qu'elle soit un hommage de la vénération filiale de l'Ordre cartusien pour celui dont les œuvres le maintiennent et le guident au long des siècles dans sa fidélité à la solitude contemplative.

---

51. WILMART, *op. cit.*, p. 26.

## XII

## LES VICISSITUDES DE L'HISTOIRE

### 1. Une édition aberrante

Les *Meditationes* de Guigues semblent n'avoir été guère recopiées au début. Il n'en subsiste qu'un très petit nombre de manuscrits, et elles furent si peu diffusées qu'on ne les voit citées par aucun auteur du temps. Un oubli presque complet les retenait dans l'ombre. Écrites au fond de la solitude de Chartreuse, elles furent probablement très peu communiquées au dehors.

Après cette très longue éclipse, les *Meditationes* de Guigues reparurent soudain dans six manuscrits du XVe siècle et un du XVIe [52], mais sous une forme toute différente de celle des premiers manuscrits. Une grande partie des *Meditationes* — près de la moitié : 230 sur 476 — avaient été laissées de côté, notamment les plus riches en allusions personnelles. Quant aux pensées que l'auteur de ce travail avait bien voulu garder, elles se trouvaient regroupées en une vingtaine de chapitres selon un certain ordre logique, tout différent de la rédaction primitive, imposé par des titres qui les coiffaient ainsi d'office avec plus ou moins d'à-propos. Cette étrange rédaction mutilée est un travail factice et trompeur ; il a altéré l'œuvre qu'il prétendait servir et ne l'a nullement mise en valeur. Il a enseveli dans l'obscurité les quelques manuscrits de

---

52. Wolfenbüttel, *Helmst 509* (du Mont-Saint-Jérôme), ann. 1424, fol. 46v-71v. — Paris, *BN 3591*, XVe s., fol. 41v-66. — *Douai 398* (de Zevenborren près Bruxelles), XVe s., fol. 111-122v. — Göttingen, *Theol. 94*, XVe s., fol. 22. — Bruxelles, *2285-2301* (de Coesendonck), XVe s., fol. 221-240. — Cologne, Stadt-archiv., *W.8° 535* (Chartreuse de Cologne), XVe s. — Bruxelles, *4385-86* (Jésuites de Hal), XVIe s., fol. 8-40v.

la version authentique, jusqu'à leur redécouverte au XXᵉ siècle.

Cette singulière rédaction fut l'objet des premières éditions
imprimées où les *Meditationes devotissimae* de Guigues se
trouvent rapprochées assez bizarrement des *Meditativae
orationes* de Guillaume de Saint-Thierry, si dissemblables. Les
éditions furent nombreuses : Louvain 1546, Anvers 1548,
1550, 1554, 1589, 1590, à Paris 1600, à Luxembourg 1621, à
Paris 1680 [53]. Puis édition à la suite de l'*Enchiridion* du chartreux Jean-Juste Lansperge à Cologne en 1666. Édition des
*Meditationes* de Guigues, seules cette fois et en flamand à
Bruges, 1668 ; seules et en latin à Munich, 1685.

Entre temps l'édition était passée dans les grandes Collections patristiques, la *Magna Bibliotheca veterum Patrum*,
Cologne 1618, et la *Maxima Bibliotheca veterum Patrum et
antiquorum scriptorum ecclesiasticorum* [54]. Elle fut finalement
recueillie par la *Patrologie* de Migne [55].

L'origine de cette étrange composition n'est pas connue. Où
et par qui fut-elle ainsi arrangée et rédigée ? Dom Wilmart a
fait sur ce point plusieurs hypothèses : le travail aurait été fait
dans une Chartreuse d'Allemagne, ou encore à la Grande
Chartreuse. Mais les manuscrits de cette version ayant été
presque tous écrits dans la région des Flandres, il est raisonnable de penser que la composition en a été effectuée dans
les mêmes contrées. Quant aux éditions imprimées, elles
contiennent les Méditations de Guillaume de Saint-Thierry
jointes à celles de Guigues, ce qui invite à en chercher l'origine
du côté de l'abbaye de Signy dans les Ardennes. Cette abbaye
où avait vécu Guillaume possédait des manuscrits cartusiens

---

53. Voir : CLÉMENT : *Histoire Littéraire de la France*, T. 12, p. 317.
Aucune de ces éditions n'est signalée par Jean DAGENS, dans *Bibliographie
chronologique de la littérature de spiritualité et de ses sources (1501-1610)*,
Paris 1962.

54. Lyon 1677, t. 22, 1164 s.

55. *PL* 153 (paru en 1854), 601-632.

que Guillaume avait reçus de ses amis voisins, les Chartreux du Mont-Dieu ; on s'intéressait donc aux Chartreux à Signy ; la conjonction des deux groupes de méditations a donc fort bien pu se produire à Signy.

Quoi qu'il en soit, tandis que cette médiocre édition connaissait un réel succès, il ne fut plus question pendant des siècles de la tradition authentique. Du XVe au XXe siècle, un seul auteur en fit mention : l'annaliste de l'Ordre des Chartreux, Dom Charles Le Couteulx, connaisseur incomparable des manuscrits cartusiens, consacra trois lignes de ses *Annales* à cette œuvre de Guigues, vers 1680 :

« Guigues a écrit des *Méditations* variées et de valeur, qui ont été très souvent imprimées à diverses époques et en plusieurs lieux. Mais un exemplaire très ancien en est conservé à la Grande Chartreuse, beaucoup plus complet que dans les éditions [56]. » Ce fut tout : ni Le Couteulx, ni personne n'utilisa ce trésor.

Après la flambée des éditions défectueuses du XVIe et du XVIIe siècles, le silence retomba, très rarement percé. Les quelques auteurs qui parlèrent des *Meditationes* de Guigues n'ont connu que l'édition tronquée ; on compterait ces auteurs sur les doigts d'une seule main.

En 1812, la congrégation mariale d'Augsbourg offrait en étrennes des *Magni Patris Wigonis Considerationes de tranquillitate animi :* c'était un choix des *Meditationes.*

Au XIXe siècle, l'abbé Gorini, dans ses *Mélanges littéraires extraits des Pères latins* [57], a reproduit et traduit en français 26 courtes « Maximes » de Guigues le Chartreux, choisies parmi celles de l'édition courante.

---

56. *Annales Ordinis Cartusiensis,* éd. de Montreuil 1887, I, 416. Dans les premières années du XVIIe siècle, l'annaliste chartreux Dom Clément Bohic n'avait connu que l'édition défigurée, *Chronica Ordinis Cartusiensis,* éd. de Montreuil 1911, I, 263.

57. Ouvrage posthume, édité sous la direction de Mgr J.B. Martin par F. Monier et A. de Boudard, Avignon 1869, tomes 3 et 4, p. 483-487.

Le premier qui, à une époque récente, a eu le mérite d'attirer l'attention sur les Méditations ou Pensées de notre Prieur est Étienne Gilson. Il avait rencontré Guigues par hasard au cours de ses recherches médiévales, et il avait été fasciné par la densité et la beauté de ses Pensées. Il en fit le sujet d'un de ses cours au Collège de France et publia, en 1934, une excellente *Présentation de Guigues le Chartreux* dans la *Vie Spirituelle,* avec la traduction française d'un choix de 62 pensées [58]. Il utilisait lui aussi le texte publié par Migne et n'en connaissait pas d'autre.

Ainsi reparaissait au jour, avec un certain éclat, le chef-d'œuvre oublié du Prieur de Chartreuse. Or on se trouvait à la veille de la découverte des manuscrits primitifs contenant l'ouvrage en entier.

## 2. Les découvertes de Dom Wilmart

Il y a un peu plus d'un demi-siècle, l'érudit bénédictin Dom André Wilmart, ayant remarqué au cours de ses visites de bibliothèques plusieurs manuscrits des œuvres cartusiennes du premier siècle de l'Ordre des Chartreux, se prit d'intérêt pour ces écrits et leurs auteurs et poursuivit ses recherches sur ce sujet pendant quelques années. De temps à autre, il fit connaître les résultats de ses investigations dans des articles de revues, à partir de 1924 [59]. Au cours de son enquête, Dom Wilmart retrouva plusieurs manuscrits de la rédaction primitive des *Meditationes* de Guigues et il fut captivé par la valeur de cette œuvre.

---

58. *Vie Spirituelle,* XL (1934), p. 162-178.

59. En 1924 : « Les écrits spirituels des deux Guigues », dans *Revue d'Ascétique et de Mystique,* 1924, p. 59-79 et 127-158. — En 1926 : « La Chronique des premiers Chartreux », dans *Revue Mabillon,* tome XVI, 1926, p. 77-142. — En 1930 : « *Magister Adam Cartusiensis* », dans *Mélanges Mandonnet,* t. II, p. 145-161. — En 1931 : (une lettre de Guigues) dans *Revue Bénédictine,* XLIII, 1931, p. 55-58. — En 1932 : « Les écrits spirituels des deux

Il décida de l'éditer sous sa forme authentique, pratiquement inconnue. Étienne Gilson accueillit volontiers ce texte dans sa collection *Études de philosophie médiévale,* en 1936 [60]. Cette édition était un peu hâtivement faite, mais bonne cependant pour l'ensemble. Wilmart ajouta au texte établi par ses soins une traduction française, sous le titre « Table des Pensées [61] ». Au lieu de mettre sa traduction en face du latin, il l'a donnée ailleurs dans son livre et a cru bon de changer dans sa traduction l'ordre des *Meditationes ;* d'où la nécessité d'une table de concordance entre le texte latin et la « Table des Pensées », ce qui rend très malaisée l'utilisation de sa traduction. Celle-ci est médiocre et offre même parfois des contresens ; elle est écrite en un style souvent compliqué qui trahit la concision, la fermeté et la beauté littéraire de l'original latin.

Néanmoins l'œuvre de Guigues était enfin mise en valeur et bien en vue, ce qui ne pouvait manquer d'attirer l'attention.

En 1951, les *Meditationes* furent traduites en anglais par John J. Jolin, s.j. : *Meditationes of Guigo, Prior of the Charterhouse* [62]. Cette traduction a été faite trop rapidement ; elle n'est pas assez méditée ; la profondeur de plusieurs pensées aurait demandé davantage de réflexion.

En 1952, Alfred Schlüter a publié une traduction en allemand [63]. Malheureusement, cette traduction a reproduit plusieurs des contresens de la traduction française de Wilmart,

---

Guigues », dans *Auteurs spirituels et textes dévots du Moyen Âge latin,* Paris 1932, p. 217-260. — En 1933 : « L'appel à la vie cartusienne suivant Guigues l'Ancien », dans *R.A.M.* 1933, p. 337-348. — En 1939 : « Deux lettres concernant Raoul le Verd », dans *Revue Bénédictine,* LI, 1939, p. 257-274.

60. *Meditationes Guigonis Prioris Cartusiae. Le recueil des Pensées du B. Guigue.* Édition complète accompagnée de tables et d'une traduction, par Dom André Wilmart, O.S.B. (*Études de Philosophie médiévale,* XXII), Paris 1936.

61 WILMART, *op. cit.,* p. 173-255.

62. Marquette University Press, Milwaukee, Wisconsin, U.S.A.

63. Voir *supra,* p. 41, n. 35.

ce qui donne à penser que le traducteur s'est davantage servi de la traduction française que du texte latin.

En 1973, Emilio Piovesan a donné une traduction italienne qui tourne très souvent à la paraphrase [64].

Il existe aussi quelques études partielles concernant les *Meditationes* de Guigues ; plusieurs sont intéressantes à divers points de vue ; nous en avons parlé plus haut.

# XIII

# LES MANUSCRITS

**G** = Bibliothèque Municipale de Grenoble, ms. 219 (Catal. 264), XIIᵉ siècle [65].

Dom Wilmart a trouvé cet exemplaire excellent des *Meditationes* dans la belle collection des manuscrits qui fut transportée pendant la Révolution de la Grande Chartreuse à Grenoble et constitue aujourd'hui le joyau de la Bibliothèque Municipale de cette ville. Bien des générations de Chartreux, pendant six siècles et demi, avaient laissé dans un total oubli ce trésor incomparable qu'elles avaient à portée de la main dans leur bibliothèque. Seul Dom Le Couteulx l'avait remarqué, mais

64. Voir *supra*, p. 43, n. 40.

65. *Catalogue général des Manuscrits des Bibliothèques publiques de France Départements*, t. VII (1889) : *Grenoble*, par P. FOURNIER, E. MAIGNIEN et A.PRUDHOMME, p. 100 et 256. — Détails dans U.CHEVALIER, *Œuvres complètes de saint Avit*, Lyon 1890, p. XLVIII-XLIX ; le précédent éditeur, R. Peiper, *Alcimi Ecdicii Aviti Opera (M.G.H., Auct. Antiquiss.*, VI, 2), Berlin 1883, p. LXVIII, n'a connu que le ms. 219 et a cru le ms. 195 perdu.

sans l'utiliser. Cet écrit était pourtant doublement intéressant pour des Chartreux, et par la valeur de son contenu, et par la personne de son auteur, le législateur même de l'Ordre cartusien.

Ce manuscrit 219 a été anciennement démembré du manuscrit 195 de la même bibliothèque (859 du Catalogue), et ses quatre cahiers, numérotés de XX à XXIII, font suite à ceux de cet autre manuscrit, numérotés de I à XIX. Le tout formait primitivement un vaste recueil groupant des œuvres d'anciens auteurs chrétiens, surtout des poètes : Juvencus, Sedulius, Arator, Prudence, Avit... La coupure s'est opérée au milieu d'un poème de saint Avit de Vienne, précisément entre les vers 105 et 106 du *De laude castitatis*. Les vers 106 et suivants de ce poème se lisent au début du folio 1ʳ. Les *Meditationes* de Guigues qui viennent ensuite commencent au folio 5ʳ, c'est-à - dire au milieu du premier cahier (numéroté XX). Suivent les cinq opuscules de Boèce, qui commencent au folio 24ᵛ.

Ce beau manuscrit, à 2 colonnes, est d'une grosse écriture, soignée, que l'on retrouve dans d'autres volumes transcrits à la Grande Chartreuse au milieu du XIIᵉ siècle. Les *Meditationes* ont été copiées d'une seule venue, parmi d'autres œuvres ; leur texte présente donc un aspect bien différent de celui que dut avoir le recueil original de Guigues, écrit au fil des ans par pensées détachées. Les quelques fautes que l'on relève sont de simples fautes de copiste.

**M** = Munich : Clm 11352, fol. 1 à 69, du XIIᵉ siècle [66].

Ce manuscrit de petit format est la première partie, primitivement indépendante, d'un volume provenant des Augustins de Polling en Bavière. La seconde, du folio 70 au folio 118, est du XIᵉ siècle et renferme des *Psalmorum flores* et autres prières de dévotion.

_____

66. *Catalogus codicum manu scriptorum Bibliothecae Regiae Monacensis,* t. IV, pars II (Munich 1876 ; reprod. 1968), p. 16-17.

Rien ne révèle la destinée antérieure de cet exemplaire des *Meditationes*. Où a-t-il été copié ? Quand et comment est-il parvenu chez les chanoines de Polling ? Autant d'interrogations sans réponse. Notons seulement que son écriture, très belle et lisible, est proche de celle des manuscrits exécutés à la Grande Chartreuse au XIIe siècle.

**T** = Troyes, Bibliothèque Municipale, ms. 854, XIIe siècle [67].

Ce manuscrit provient de l'abbaye de Clairvaux. Il s'agit d'un ample recueil rassemblant des textes très divers (les mêmes que dans le manuscrit B décrit ci-dessous). Les *Meditationes* de Guigues en constituent le dernier article, du folio 137[r] au folio 170[r]. A ce dernier folio, à la deuxième colonne, se trouve l'ex-libris de Clairvaux : « Liber sanctae Mariae Clarevall », et la mention : « Meditationes Guigonis prioris Cartusiensis ». L'écriture de ce recueil est fort belle.

Cette copie exécutée à Clairvaux implique la présence dans l'abbaye, à pareille date, d'un exemplaire des *Meditationes* qui a servi de modèle. Cet exemplaire, aujourd'hui disparu, avait dû être envoyé de Chartreuse à Clairvaux.

En 1934, Étienne Gilson, qui venait de rencontrer les « Pensées » de Guigues et s'était pris d'admiration pour leur auteur, émit l'hypothèse que S. Bernard devait avoir entre les mains les *Meditationes* de Guigues quand il écrivit sa première lettre à celui-ci, lettre qui porte le n° XI dans le registre de la correspondance du saint, et peut dater de 1120-1122. Le seul argument apporté par Gilson à l'appui de cette hypothèse est une phrase de la lettre de saint Bernard :

---

67. *Catalogue général des Manuscrits des Bibliothèques publiques des Départements*, II (Paris 1885), p. 352-354. — Décrit dans le Catalogue de 1472, sous la cote D 15 : « Item ung autre beau petit volume ... et a la fin sont les Meditacions Guigonis prioris Cartusie » (cf. A. Vernet, *La Bibliothèque de l'Abbaye de Clairvaux du XIIe au XVIIIe siècle*, I, Paris 1979, p. 98, 383, 642).

« Sanctitatis vestrae litteras... accepi... Legi eas... et conca-
luit cor meum intra me tamquam ex illo igne quem Dominus
misit in terram. O quantus in illis meditationibus exardescit
ignis... [68]. »

Tenant sans vérification cette hypothèse pour un résultat
acquis, Gilson l'a mentionnée de nouveau à plusieurs
reprises [69]. Le Cistercien J. Canivez a admis sans examen cette
opinion sur la foi de Gilson [70]. Puis, à son tour, Wilmart a
repris à son compte l'affirmation de Gilson, toujours sans
l'examiner, dans son édition des Pensées, en 1936 [71].

Cependant A. De Meyer et J.M. De Smet ont montré dans
une note très pertinente sur ce point que la conclusion de
Gilson ne saurait être tirée de la phrase citée, car elle est tout
simplement chez S. Bernard une de ces réminiscences scripturaires qui lui sont si coutumières, en l'occurrence un verset de
psaume [72]. A cette remarque s'ajoute que la lettre de S. Bernard
ne contient aucune allusion à l'envoi d'un livret de méditations, mais seulement à l'envoi d'une lettre de Guigues ; de
plus S. Bernard ne reprend aucune des « Pensées » de Guigues
dans sa lettre, ce qu'il n'eût pas manqué de faire avec son
à-propos habituel, s'il les avait lues.

---

68. *Ep.* XI, *Ad Cartusienses et Guigoni priori,* dans *Opera,* Éd. Cisterc.,
VII (Rome 1974), p. 52 ; *PL* 182, 108. – É GILSON, dans *Vie spirituelle,* XL
(1934), p. 163-165.

69. *L'Esprit de la Philosophie médiévale,* Paris 1944, p. 269, n. 1, et
p. 404, n. 4. – *La Théologie mystique de saint Bernard,* Paris 1947, p. 58,
note, et p. 117, n. 1.

70. Art. « Bernard de Clairvaux » dans *Dict. d'Hist. et de Géogr. ecclés.,*
VIII (1935), col. 618.

71. WILMART, *op. cit.,* p. 41.

72. A. DE MEYER (†) et J.M. DE SMET, « Notes sur quelques sources
littéraires relatives à Guigues I$^{er}$, cinquième prieur de la Grande Chartreuse », dans *Revue d'Hist. Ecclés.,* XLVIII (1953), p. 168-195 : « Appendice :
S. Bernard et les *Méditations* de Guigues » (p. 193-195). – Il s'agit du
*Ps.* 38, 4.

Mais surtout, à ces arguments, on peut ajouter que les « Pensées » de Guigues sont des réflexions strictement personnelles, notées d'abord pour lui seul. Il est hautement invraisemblable qu'un tel recueil, qui n'existait sans doute même pas encore à cette date autrement qu'en notes éparses et sans titre, ait été communiqué par Guigues à S. Bernard qu'il ne connaissait pas encore, dès la première lettre de leur correspondance, et plusieurs années avant que le saint visitât la Chartreuse. L'hypothèse de Gilson n'est pas soutenable. S. Bernard avait été tout simplement séduit, comme tant d'autres, par le style étincelant de Guigues dans sa lettre.

De leur remarque, A. De Meyer et J.M. De Smet ont cru pouvoir tirer une autre conclusion : « On peut regretter pour S. Bernard qu'il n'ait jamais eu l'occasion de lire l'ouvrage le plus original que nous ait laissé la période vraiment créatrice du Moyen Âge [73]. » Rien n'oblige à souscrire à cette affirmation, que rien ne vient étayer.

En effet, il est très possible qu'après la mort de Guigues en 1136, ses confrères, ayant trouvé ses notes intimes et reconnu leur valeur, aient eu l'idée d'en communiquer une copie à S. Bernard dont ils connaissaient l'admiration, disons même la vénération qu'il avait vouée à Guigues. Cet envoi ne paraît-il pas plus plausible du vivant de S. Bernard qu'après ? On ne l'aurait pas fait s'il n'y avait eu quelqu'un à Clairvaux pour s'y intéresser particulièrement. Et qui pouvait s'y intéresser à Clairvaux, sinon l'ami et l'admirateur de Guigues ? N'a-t-on pas adressé à Clairvaux d'autres œuvres de Guigues, comme l'atteste encore aujourd'hui à Troyes la présence de l'une d'entre elles, un exemplaire de la *Vita* de S. Hugues de Grenoble, écrite par Guigues peu avant sa mort ? L'envoi d'un exemplaire des *Meditationes* de Guigues se situerait donc très bien entre la mort de celui-ci, en 1136, et celle de S. Bernard, en 1153.

---

73. *Ibid.*, p. 195.

Or nous avons constaté plus haut que notre manuscrit T implique nécessairement l'existence à Clairvaux d'un exemplaire des *Meditationes* qui lui a servi de modèle. Notre hypothèse se trouve ainsi confirmée. Il est très probable que S. Bernard a eu effectivement l'occasion de lire les *Meditationes,* mais plus tard que ne l'ont cru Gilson et Wilmart. Ainsi est reconstituée la filiation de notre actuel manuscrit T à partir de Chartreuse, sans doute dans les années qui suivirent la mort de Guigues.

**B** = Berlin, Deutsche Staatsbibliothek, ms. Hamilton 89 [74].

Ce manuscrit français du XII$^e$ siècle (31 × 22,5 cm ; 2 colonnes ; 34/36 lignes) groupe une quinzaine de textes très variés pouvant servir à l'instruction des clercs. Ce sont exactement, et dans le même ordre, ceux que donne le manuscrit T décrit ci-dessus. Ici comme là, les *Meditationes* de Guigues viennent en dernier lieu (du folio 106$^v$ au folio 128$^v$). Le manuscrit s'achève sur le colophon suivant : *Qui seruare libris preciosis nescit honorem/Illius a manibus sit procul iste liber. Amen. Amen.*

Au bas du folio 1$^r$ se lit la notice suivante : *Istum librum quem dedit Rex Francie pro libraria communi istius conuentus Trecensis ordinis predicatorum quicumque alienauerit sententiam excommunicationis incurret ipso facto sicut apparet per litteras papales quarum tenor est in fine huius libri scriptus.*

La reliure actuelle de maroquin vert exécutée au XVIII$^e$ siècle par Derôme a fait disparaître, hélas ! les « lettres papales » annoncées comme transcrites à la fin du volume. Mais d'autres manuscrits où elles avaient été pareillement transcrites les font connaître (ainsi Troyes 267, du XIV$^e$ siècle ; Paris, B.N., *lat.* 7475, du XIV$^e$, et 10623, du XII$^e$). Il s'agit d'une bulle de

---

74. Manuscrit décrit avec grande précision par Helmut BOESE, *Die lateinischen Handschriften der Sammlung Hamilton zu Berlin,* Wiessbaden 1966, p. 48-50. Le n° « 482 » donné par Wilmart, p. 42, n. 6, se référait à un classement provisoire.

Grégoire XI, datée d'Avignon, 26 février 1371, interdisant à quiconque de vendre, aliéner ou mettre en gage aucun des livres òu autres dons offerts par le roi Charles V au couvent des Frères Prêcheurs de Troyes par les mains de Pierre de Villiers, son confesseur, un dominicain champenois devenu évêque de Nevers en 1372, puis de Troyes en 1376. On ne connaît pas la date précise du don de ce manuscrit Hamilton 89 aux Dominicains. Le manuscrit *lat.* 10623, également du XII<sup>e</sup> siècle, — il s'agit de la *Candela* de Gerland de Besançon — leur fut donné seulement en 1375 [75].

En dépit de l'excommunication fulminée par Grégoire XI, « les livres offerts par Charles V aux Dominicains de Troyes furent dispersés au XVI<sup>e</sup> siècle, sous l'administration d'un prieur ignorant [76] ». Vers la fin du XVIII<sup>e</sup>, notre manuscrit, comme aussi celui de la *Candela,* passa dans la bibliothèque d'Étienne-Charles de Loménie de Brienne, archevêque de Toulouse, puis de Sens, ministre et cardinal (connu surtout par le rôle qu'il joua dans la « Commission des Réguliers »). En 1791, Loménie, qui s'était rallié à l'Église constitutionnelle, dut, pour payer des dettes considérables, se résoudre à vendre sa précieuse bibliothèque, composée surtout de rares incunables. Son bibliothécaire, l'ex-Minime franc-comtois F.-X. Laire, eut le chagrin de dresser le catalogue de cette vente, qui eut lieu en 1792. Le Catalogue, imprimé, ne donne pas le nom du vendeur, mais seulement ceux des intermédiaires, Laire à Sens et de Bure à Paris [77]. Les quelques manuscrits qui y

75. De nombreuses précisions sur les livres donnés par Charles V aux Dominicains de Troyes sont fournies par Léopold DELISLE dans *Le Cabinet des Manuscrits de la Bibliothèque Impériale,* I, Paris 1868, p. 44-46, et surtout dans *Recherches sur la Librairie de Charles V,* I, Paris 1907, p. 123-124, 374-375. La bulle de Grégoire XI, du 26 février 1371, ainsi que les notes rappelant l'inaliénabilité de ces livres, sont éditées par Delisle, d'après les divers exemplaires, dans *Le Cabinet des Manuscrits,* p. 44-45, et dans *Recherches,* p. 374-375.

76. DELISLE, *Le Cabinet des Manuscrits,* I, p. 45 ; *Recherches,* I, p. 123.

77. *Index librorum ab inventa typographia ad annum 1500, chronologice dispositus cum notis historiam typographico-litterariam illustrantibus. Hunc*

figurent sont décrits en appendice au t. II ; le nôtre y porte le nº 13, p. 276-278 (le manuscrit *lat.* 10623, de même provenance, le suit sous le nº 14).

On ne peut dire de quels intermédiaires lord Alexander Douglas, duc d'Hamilton (1767-1852) acquit un peu plus tard notre manuscrit, décrit dans le Catalogue rédigé en 1882 en vue de la dispersion de sa fameuse bibliothèque [78]. La vente devait se prolonger jusqu'aux dernières années du siècle : la Bibliothèque Royale de Prusse réussit à acquérir finalement la majeure partie de la « Collection Hamilton », aujourd'hui répartie entre la Deutsche Staatsbibliothek (Berlin-Est) et la Stiftung Preuss. Kulturbesitz (Dahlem, Berlin-Ouest). Le manuscrit Hamilton 89 fait partie du premier de ces fonds [79].

**P** = Paris, B.N., manuscrit *latin* 458, XVe siècle [80].

Cet élégant manuscrit (335 folios ; 230 × 155 mm) a appartenu à Charles d'Orléans, prince bibliophile qui vécut de 1391 à 1465 et qui, fait prisonnier à la bataille d'Azincourt en 1415, demeura vingt-cinq ans en captivité en Angleterre.

Il s'agit d'une collection d'ouvrages de piété, spécialement de S. Anselme, d'Hugues et Richard de Saint-Victor, de Jean

---

*disposuit Franc.-Xav. Laire, Sequano-Dolanus, variarum per Europam Academiarum socius. Ia Pars ..., IIa Pars. Senonis. Apud viduam et filium P. Harduini Tarbé, regis Typographos. M.DCC.XCI.*

78. *Catalogue of the Hamilton Collection of Manuscripts. Privately Printed. London 1882.* Rarissime catalogue, dont un exemplaire, provenant de Seymour de Ricci, est conservé à la Bibliothèque Nationale de Paris.

79. L'historique de la Collection Hamilton, y compris celui de sa dispersion et de son actuelle répartition est donnée par H. Boese dans l'introduction à son Catalogue. — Divers renseignements sur l'histoire du ms. 89 m'ont été transmis par Mlle Marie-Louise Guillaumin, de l'Institut des Sources Chrétiennes, que je tiens à remercier ici.

80 Le manuscrit, déjà signalé à la Bibliothèque Royale au début du XVIIe siècle (cf. LABBE, *Nova Bibliotheca Manuscriptorum Librorum,* Paris 1653, p. 327), y a porté plusieurs cotes. Il est décrit dans le *Catalogus codicum manuscriptorum Bibliothecae Regiae,* III, Paris 1744, p. 37, et dans : *Bibliothèque Nationale. Catalogue général des Manuscrits latins,* I, Paris 1939, p. 157-159.

Gerson. Les pages de titre des opuscules sont pour la plupart richement ornées, et plusieurs portent les armoiries de Charles d'Orléans pour qui ils ont été transcrits.

Les *Meditationes* de Guigues occupent les folios 155$^r$-198$^v$.

## XIV

# RÉSULTATS DE L'ÉTUDE DES MANUSCRITS

## 1. Généalogie des manuscrits

Le manuscrit G comprend 28 fautes d'inattention du copiste, qui ne se trouvent pas dans les quatre autres manuscrits. La plupart de ces fautes sont des distractions évidentes, comme il en arrive à tout le monde. Cela constitue en somme un très petit nombre de fautes pour un écrit de cette longueur et il est visible que nous avons affaire ici à un bon copiste et à un excellent texte.

Les quatre manuscrits M, T, B, P, ont en commun 110 leçons qui ne se trouvent pas dans G, ce qui implique nécessairement qu'ils descendent d'une souche commune distincte de G. En outre, cette souche commune devait déjà être une copie, et non l'original, car, parmi ces 110 leçons, il y a des fautes certaines et importantes, par exemple des membres de phrase omis, voire même quelquefois des phrases entières. Dans un très grand nombre de cas, les leçons données par les quatre manuscrits M, T, B, P, sont de toute évidence moins bonnes que la leçon de G, bien qu'il y ait alors quatre manuscrits contre un ; en fait ces quatre manuscrits descendent d'un ancêtre commun qui est donc seul à témoigner en face de G. Nous appellerons cet ancêtre commun (X).

Par un raisonnement tout semblable, on constate que M et P, outre les 110 leçons communes avec T et B et distinctes de G, ont en commun 85 autres leçons, qui ne se trouvent ni dans T, ni dans B. Comme en outre M a 46 fautes très personnelles qui ne se trouvent pas dans P, il est impossible que P descende de M ; dès lors il est certain que P et M descendent d'une souche commune, située entre leur ancêtre (X) et eux, souche qui devait contenir les 85 fautes communes à M et P. Nous appellerons cette souche (Y). Donc (X) a engendré (Y), et (Y) a engendré M et P indépendamment l'un de l'autre.

Pour achever l'examen de cette branche, nous constatons que P contient, outre les 110 fautes qui lui sont communes avec M, T et B, et les 85 fautes qui lui sont communes avec M, 280 fautes distinctes de celles de M. Le copiste de P était très médiocre : parmi ce très grand nombre de fautes, beaucoup, changeant des mots, dénaturent le sens des pensées et le rendent parfois même inintelligible ; des phrases sont omises ; des libertés sont prises, comme d'ajouter de temps à autre des sous-titres inattendus, ou de faire des additions ou des omissions de mots tout à fait fantaisistes. Charles d'Orléans, qui aimait les livres, fut bien mal servi ce jour-là, sans le savoir, et ce volume a plus de valeur pour ses jolies enluminures que pour son fonds si dégradé.

Il resterait à savoir quand, comment et à quels endroits les deux manuscrits M et P sont descendus de (Y) et, par là, se rattachaient à (X). Nous n'avons sur ce point aucun indice.

De nouveau, par le même raisonnement qui nous a déjà servi, nous constatons que T et B, outre les 110 leçons qui leur sont communes avec M et P, ont en commun 59 leçons qui ne se trouvent ni dans M, ni dans P ; comme en outre T a 19 fautes étrangères à B, et B 19 autres fautes étrangères à T, cela implique nécessairement que B ne peut descendre de T, et que B et T descendent tous deux d'une souche commune intermédiaire entre (X) et eux, souche qui devait déjà contenir les

59 particularités communes à T et B et que nous appellerons (Z) [81].

Il est certain que dans (Z) les *Meditationes* constituaient la dernière pièce d'un vaste recueil d'œuvres diverses, dont le plan et le contenu se retrouvent identiquement dans nos deux témoins, T et B.

D'autre part, nous avons établi plus haut que T descendait d'un exemplaire qui devait se trouver à Clairvaux vers le milieu du XIIe siècle. Il est permis de penser que cet exemplaire a été la souche commune de T et de B, que nous avons appelée (Z). En ce cas, l'origine du manuscrit B, plus tard donné aux Dominicains de Troyes, se situerait déjà dans cette région, puisqu'elle serait à chercher à Clairvaux.

Notons enfin que les deux copistes de T et de B étaient de fort bons copistes, puisque chacun d'eux n'a commis que 19 fautes d'inattention (différentes chez l'un et chez l'autre) par rapport à leur modèle commun.

## 2. Examen de deux hypothèses de Dom Wilmart

### a) *Généalogie de l'édition E :*

Il convient d'examiner aussi l'intérêt éventuel de l'édition aberrante E, apparue au XVe siècle. Dom Wilmart a écrit à son sujet :

« Quant au texte du XVe siècle, accrédité par Migne, (E), sans l'examiner à fond et en m'en tenant à la forme banale, il m'a paru que les éditeurs dépendaient directement de G, mais ont consulté en même temps un exemplaire du type MT [82]. »

---

81. H. BOESE (*Die Lateinischen Handschriften der Sammlung Hamilton*, p. 49-50) s'est déjà posé la question de la parenté entre T et B : modèle et copie ? copies parallèles ? Il avoue n'avoir pas tous les éléments pour répondre à cette question.

82. WILMART, *op. cit.*, p. 45.

Comme Wilmart déclarait lui-même ne pas avoir examiné à fond son affirmation, nous avons cru opportun de vérifier son hypothèse en faisant une collation minutieuse de l'édition E de la Patrologie avec les cinq manuscrits que nous venons d'étudier. Nous savons que 230 des Pensées n'y figurent pas. Et pourtant, dans la partie de l'ouvrage qui subsiste dans cette version E, c'est-à-dire un peu moins de la moitié, on ne compte pas moins de 472 leçons propres à cette édition et ne se trouvant dans aucun de nos manuscrits ; un très grand nombre sont des altérations évidentes du texte ; le rédacteur de E était un copiste des plus médiocres. D'autre part, il n'y a qu'une vingtaine de leçons fautives communes avec les fautes de l'un ou l'autre de nos manuscrits (aucune avec G, une dizaine avec MTBP, une avec M et T, 2 avec M et P, une avec B et P, une avec T, 6 avec P, une avec B) ; il s'agit le plus souvent de coïncidences de pur hasard où deux copistes commettent une même faute sans dépendre l'un de l'autre.

A la suite de cet examen attentif, aucune raison décisive ne s'est dessinée contre le schéma proposé par Dom Wilmart pour la généalogie de E, mais aucune raison non plus en sa faveur ; ce schéma reste donc possible. Cependant, si on le suppose exact, comment expliquer que E ne contienne aucune des fautes de G et n'ait recopié qu'un si petit nombre des fautes de la souche de MTBP ? On croirait plutôt que E descend de l'archétype indépendamment des deux souches repérées G et (X), mais à travers bien des vicissitudes dans sa propre lignée.

En fin de compte, et après avoir repris bien des fois ce problème, il nous semble que trois raisons interdisent d'arriver à une conclusion certaine ou suffisamment prudente concernant la généalogie de E :

Tout d'abord, nous ignorons le nombre de copies intermédiaires entre l'archétype et la version E, au cours des trois siècles qui se sont écoulés depuis l'auteur des Pensées jusqu'à l'apparition de cette version E.

Ensuite, cette version ne contenant même pas la moitié du recueil complet, on ne dispose pas d'une base suffisante pour une comparaison décisive avec les manuscrits les plus anciens.

Enfin le rédacteur de E était un esprit très indépendant, ce dont témoignent les choix arbitraires de textes effectués par lui au hasard dans tout l'ouvrage, les changements de place de ces textes, dispersés de tous côtés dans sa rédaction et les centaines de fautes introduites dans les textes copiés par lui.

Mais depuis la découverte des manuscrits du texte complet, dont quatre appartiennent au XII$^e$ siècle, la très grande médiocrité de l'édition tronquée n'a plus désormais aucune importance. Le texte de E se trouve aujourd'hui sans intérêt et il est inutile pour l'établissement du texte critique.

### b) *G serait-il une relecture ?*

Il nous faut maintenant étudier une hypothèse formulée par Dom Wilmart dans son Introduction et présentée par lui comme se dégageant du travail d'établissement de son édition :

« L'étude que j'ai faite du manuscrit G, dit-il, m'a forcé de conclure que Guigues lui-même a repris sa première rédaction — à nous livrée sous la forme de MT — pour la retoucher sur divers points, et que G nous offre, à part ses fautes, l'image de cette recension authentique. Autrement dit, nous sommes en présence d'une double tradition authentique, G correspondant au second état du recueil [83]. »

Que penser de cette affirmation de Dom Wilmart ?

Pour en décider, nous avons à considérer les 110 variantes textuelles entre G et le groupe MTBP (c'est-à-dire entre G et la souche (X) de MTBP). Ces variantes comprennent quelques fautes certaines de G, quelques fautes certaines de (X), quelques interversions de mots sans conséquence, v.g. « laudatori tuo » en face de « tuo laudatori » ; tout cela est habituel dans les copies de manuscrits.

---

83. WILMART, *op. cit.*, p. 44.

La pensée **292** donne lieu à un petit problème, car elle offre un sens différent entre G et (X) :

G : « in eo quod concentum caeli dormire facit. »

(X) : « in eo qui concentum caeli dormire facit. »

Si l'on se reporte au texte du livre de Job (38, 37) dont cette phrase est inspirée (il faut le lire dans la Vulgate : « concentum caeli quis dormire faciet ? ») *qui* est préférable à *quod*. S'agit-il donc, comme nous le supposons, d'une erreur du copiste de G, à qui pourtant nous faisons habituellement confiance ? Ou faut-il supposer que Guigues avait tenu à écrire *quod* et que le copiste de (X) a rétabli instinctivement *qui,* plus proche du texte scripturaire (qu'il devait savoir par cœur) ? Qui pourrait le dire en toute certitude ?

Voici maintenant entre G et (X) un autre problème plus vaste. On rencontre de nombreux cas de leçons différentes, dont nous indiquons le type caractéristique par les exemples suivants :

G : Nil tibi laboriosius est quam non laborare (**50**).

MTBP : Nil tibi laboriosius quam non laborare.

G : Aliud est optare aliquid tanquam bonum, id est ad fruendum et ad innitendum... (**51**).

MTBP : N'a pas le second « ad ».

Or des cas semblables se présentent environ 70 fois, toujours dans le même sens. Dès lors, il est clair que nous ne sommes plus ici devant des fautes inconscientes provenant de l'inattention d'un copiste, mais devant un choix délibéré, visiblement motivé par une préférence d'ordre littéraire. Mais ajoutons tout de suite que le résultat de ces choix n'a jamais d'influence sur le sens des phrases en cause, comme le montrent bien les exemples ci-dessus : pure différence de style. Cela n'a donc pas d'importance en ce qui concerne la valeur de notre édition.

Est-ce une tendance du copiste de (X) qui a voulu abréger ainsi le texte de l'archétype en supprimant des mots non nécessaires ?

Est-ce au contraire une tendance du copiste de G qui a cru perfectionner le texte de l'archétype en ajoutant ces mots ?

Qui pourrait le dire ?...

Enfin, parmi les variantes entre G et (X), il faut noter quelques phrases ou membres de phrases omis par (X), et ici l'erreur est certainement du copiste de (X), car il s'agit de la faute classique des copistes, l'« homoioteleuton », bien visible chaque fois au lecteur attentif : un même mot se retrouve dans le modèle à une ou deux lignes de distance ; le copiste, en reportant les yeux sur le texte repart du second au lieu du premier, sautant tout ce qui se trouve dans l'intervalle des deux. Nous avons ici un renseignement certain : les phrases sautées par (X) étaient dans le texte original ; G a été fidèle, (X) s'est trompé.

Au terme de ce minutieux examen, nous voyons qu'il n'y a pas eu relecture d'auteur, comme l'a cru Wilmart, mais seulement tendance ou préférence de la part d'un des copistes à rectifier le style de l'original en quelques occasions. Il nous semble que c'est plutôt le copiste de (X) que celui de G qui a fait les minimes modifications signalées. Les conséquences en sont sans importance pour l'intelligence du texte.

Il y a quelques autres faiblesses dans l'édition de Wilmart, tel le fait d'avoir préféré à plusieurs reprises la leçon des manuscrits MT contre G, en brisant ainsi le rythme si caractéristique du style de Guigues, qui suffisait à faire voir avec certitude que la bonne lecture était du côté de G (v.g. entre autres, aux pensées **166, 334, 374**).

En définitive, le travail d'établissement de l'édition de Dom Wilmart dénote un peu trop de hâte dans l'interprétation des diverses données. D'autre part, en se limitant délibérément à la lecture de trois manuscrits, alors qu'il en connaissait cinq, il s'est placé dans une situation qui ne lui permettait pas de voir se dégager assez nettement les courants distincts et la valeur respective de chaque manuscrit. Enfin un certain manque de cohésion dans le système adopté pour son apparat critique ne lui permettait pas non plus de tirer de la confrontation des textes tous les renseignements utiles.

Mais en tout cela, il ne s'agit en fin de compte que de détails. Dans l'établissement de son édition, Wilmart a surtout montré une fois de plus ses remarquables talents de chercheur pour la découverte des manuscrits, et il a donné un texte satisfaisant d'une œuvre trop oubliée jusqu'à lui, et même mutilée et trahie par les précédents éditeurs. Sans les découvertes de Wilmart, la présente édition n'aurait sans doute pas vu le jour.

### 3. Les grandes initiales. — La structure de l'archétype

Comme nous le savons, les manuscrits nous ont livré un texte où les Pensées se présentent en désordre, ayant été notées au jour le jour, sans lien entre elles. Cependant, dès le manuscrit G, un certain nombre de grandes lettres initiales divisaient le texte, en tête des méditations **376, 454, 456, 457, 460, 462, 466, 473**. Or ces mêmes distinctions se retrouvent dans nos cinq manuscrits, ce qui autorise à en faire remonter l'origine ou la raison d'être jusqu'à l'archétype.

Les manuscrits du groupe (X), entrant davantage dans la voie ainsi esquissée, ont ajouté d'autres divisions signalées, soit par des initiales ornées, dans M et P, soit par de simples divisions du texte sans ornementation, dans T et B. Outre les divisions qui leur sont communes avec G, les quatre manuscrits du groupe (X) ont en commun des divisions au début des pensées **39** et **426**. T et B n'en ont pas d'autres. Mais M et P ont ajouté des majuscules ornées en tête des pensées **407, 411, 420, 440, 445, 451, 465, 475** ; cela nous confirme l'existence d'une souche commune (Y) pour M et P comme nous l'avions établi d'après l'étude des textes. A son tour, M est seul aussi à avoir des majuscules ornées pour les pensées **413** et **455**. Enfin, on est surpris de voir dans M, T et B une initiale ornée (sans signe de division) au milieu d'un développement qui constitue la pensée **35**, alors que M est indépendant de T et B, mais il s'agit d'un « O » d'exclamation — *O imago Dei* — qui peut inspirer de lui-même à tout copiste l'idée de lui affecter une belle majuscule.

Ces divisions du texte ont pour premier intérêt, en ce qui concerne la plupart d'entre elles, d'apporter pour nous un confirmatur à la généalogie des manuscrits, établie déjà par l'étude de leurs textes.

Mais on est étonné de voir qu'elles ne correspondent habituellement à aucune division logique dans le cours des pensées qui se succèdent. Cela est vrai même des divisions les plus anciennes, communes à tous les manuscrits. Une seule distinction, parmi ces dernières, peut être justifiée logiquement, en tête de la pensée **473** ; les autres paraissent n'avoir aucune raison d'être ; il en est même une, en tête de la pensée **466**, qui semble couper un développement homogène consacré pour une fois par Guigues à un sujet donné. Ces constatations posent un point d'interrogation sur lequel il convient de s'arrêter un instant.

Que valent ces indications auxquelles on ne trouve pas de raison d'être et qui semblent bien remonter au-delà des premières copies ? Peut-être peuvent-elles nous aider à pénétrer jusqu'à la structure même de l'archétype original. La teneur de ces notes personnelles où il arrive souvent à Guigues de revenir sur des thèmes déjà traités pour les approfondir ou les traiter sous de nouveaux aspects, implique une rédaction tout à fait discontinue, s'étendant probablement sur bien des années. Ce n'est pas un ouvrage composé ; ce sont des notes prises au moment où elles viennent à l'esprit et écrites sur un cahier à portée de la main ou sur une feuille de parchemin disponible au hasard. Dans ces conditions, il se pourrait que les majuscules qui nous intriguent reflètent en quelque manière l'état même des notes personnelles de Guigues telles qu'on les a trouvées : ses confrères frappés par leur valeur, auront désiré les copier, et ils auront une fois ou l'autre doté d'une majuscule spéciale l'ensemble des pensées recueillies appartenant à un même cahier ou à une même feuille séparée.

Quoi qu'il en soit de cette hypothèse, il est bien plus important de constater un fait en tout cas certain : le manuscrit G et la souche (X) des quatre autres manuscrits ont eu un extrême respect pour l'archétype original. Celui-ci se présentait à l'état brut et était informe dans une large mesure. Or ce recueil qui nous donne à maintes reprises plusieurs pensées de Guigues sur un même sujet, et non pas seulement un dernier état plus achevé que les autres, nous a été conservé tel quel ; on n'a même pas cherché à rapprocher des pensées se rapportant à un même sujet ; on les a laissées pêle-mêle parmi les autres telles qu'on les a trouvées. Elles nous sont parvenues dans l'ordre même où elles se sont offertes à l'esprit de Guigues au fil des jours, au milieu des occupations de sa charge de prieur, et au milieu de son application à l'observance quotidienne. Il est visible qu'aucun copiste n'a rien voulu laisser ni transformer ; tout fut recueilli tel que le livraient les parchemins originaux, en fragments épars, échelonnés dans le temps.

Cela confère un prix inestimable au recueil, dans son fruste désordre : il suit l'ordre de la vie, qui n'est pas celui de la logique. Une révision ou relecture de l'auteur lui-même eût certainement fait disparaître diverses reprises et bien des anomalies ; il eût conservé de préférence le dernier état de l'évolution d'une pensée. D'intervalle en intervalle, d'une façon souvent inattendue, le lecteur peut assister au mûrissement d'une réflexion, au progrès d'un thème dans l'esprit de Guigues, à la manière dont il envisage l'exercice de sa charge dans les occasions fortuites, au moment où celles-ci se présentent, à sa réaction devant les événements petits ou grands.

Ces initiales mystérieuses et la présentation des *Meditationes* ont donc un témoignage à nous livrer : il y a là un vrai signe d'authenticité, en même temps qu'une remarquable preuve de la fidélité et du respect des copistes à l'égard de l'auteur et de son œuvre.

## 4. Schéma de la généalogie des manuscrits

Finalement, G est de toute évidence le meilleur manuscrit et le plus proche de l'original, sur lequel il a dû être copié directement en Chartreuse. Il présente néanmoins quelques fautes, mais ces fautes sont faciles à déceler et à corriger, soit qu'il s'agisse de petites erreurs révélées par l'accord des manuscrits de la souche (X) contre G, soit qu'il s'agisse de lapsus d'inattention où la vérité est aisée à rétablir à simple lecture du texte. En un petit nombre de cas, on peut se demander s'il faut préférer G ou (X), mais le choix à faire ne met pas en question le sens du texte en cause. Ainsi pouvons-nous parvenir à une édition critique vraiment sûre.

Nous pouvons maintenant figurer comme suit la généalogie de nos divers manuscrits à partir de l'archétype, en laissant délibérément dans l'incertitude la lignée de E :

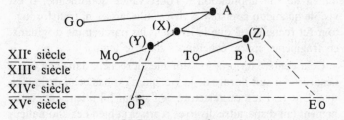

## 5. La ponctuation

Wilmart a fort justement remarqué que les trois manuscrits G, M, T, offrent le même système de ponctuation, très précis. Cette ponctuation est bonne, en effet, et, dans l'ensemble, s'est maintenue très stable. Il y a cependant quelques divergences entre les manuscrits et, dans ce cas, il est clair que la préférence doit encore être donnée à G, où la ponctuation se trouve toujours mieux au service des articulations de la pensée que dans les autres manuscrits.

Il est bien dommage que Wilmart, après avoir constaté cette valeur de la ponctuation, ait été si peu fidèle à la conserver. Notre édition la suivra le plus souvent, avec grand avantage.

## XV

## LA PRÉSENTE ÉDITION

Nous suivons le texte du manuscrit G de Grenoble, qui est certainement le meilleur, en corrigeant les quelques fautes qu'il présente par le témoignage des autres manuscrits.

### 1. La traduction

Traduire les *Meditationes* de Guigues est une entreprise d'une extrême difficulté. Deux obstacles se présentent : le premier vient du genre littéraire, le second de la profondeur de pensée de l'auteur.

Le latin se prête admirablement à la possibilité de ciseler des pensées en un style lapidaire, et Guigues en a usé avec un art consommé. Mais comment rendre en français la concision extrême d'un tel latin ? La langue française ne le permet pas. Comment aussi reproduire à la fois la plénitude et les nuances de la pensée de l'auteur, le mouvement si pénétrant et parfois si subtil de son esprit ? Et cela en peu de mots ? Comment ne pas perdre les réussites si fortes et primesautières que l'intelligence et la culture de Guigues lui permettaient d'écrire en se jouant, avec les ressources de la syntaxe latine ? C'est en latin que les pensées de Guigues doivent être lues, comprises et goûtées.

Il faut bien cependant tenter une traduction, aujourd'hui où la plupart des lecteurs ne sont plus familiers avec le latin. Mais les essais paraissent souvent d'une complication laborieuse en français ; si juste que s'efforce d'être la traduction, les pensées y ont perdu quelque chose de leur naturel et de leur spontanéité, et, ce qui est plus grave, de la profondeur de résonance de leur message spirituel. Un admirateur de Guigues nous écrivait ainsi sa déception devant la traduction de l'édition américaine de 1951 et ajoutait : « faite trop vite et non méditée, ...

alors que c'est un livre qu'il faudrait lire à genoux... » Il faut bien dire la vérité : les pensées de Guigues ne supportent pas sans dommage l'épreuve d'une traduction.

Mais il faut les traduire... On doit savoir tout d'abord que cela ne peut être l'œuvre d'un seul traducteur. Donnez à traduire une de ces pensées à quatre traducteurs : vous aurez quatre traductions si différentes que l'accord entre elles est parfois difficile. Il faut plusieurs traducteurs se corrigeant les uns les autres, si l'on veut aboutir à un résultat à peu près satisfaisant et si l'on désire éviter de se tromper complètement une fois ou l'autre. Un traducteur isolé fera parfois jusqu'à de vrais contresens : la traduction de Dom Wilmart en contient de très notables, et des obscurités.

En 1936, mal impressionnés par la traduction de Dom Wilmart, qui venait de paraître, en un groupe de trois ou quatre confrères nous avons commencé à établir une nouvelle traduction. Cet ouvrage est resté pendant quarante-cinq ans sur le métier, bénéficiant de temps à autre d'améliorations dues à d'autres traducteurs, sur tel ou tel point difficile, quand l'occasion s'en présentait.

Une de ces occasions mérite une mention particulière. En toute indépendance et ignorance de nos travaux personnels, Monsieur le Chanoine G. Hocquard, professeur aux Facultés Catholiques de Lyon, s'était pris d'un grand intérêt pour les *Meditationes* de Guigues, qu'il avait rencontrées en 1946. Il en avait réalisé une traduction qu'il avait retouchée et perfectionnée à plusieurs reprises avec des concours éclairés et de valeur, parmi ses collègues. Il a été très intéressant de confronter ensemble un jour, en 1978, ces deux traductions qui avaient pris naissance et s'étaient développées pendant des dizaines d'années en toute indépendance l'une de l'autre, et de retenir ce qu'il y avait de meilleur dans chacune.

Par la suite, d'autres occasions se sont encore présentées, au cours desquelles, grâce à de fort bons latinistes, nous avons pu glaner encore de notables améliorations et des précisions

suivant de plus près encore le sens des pensées, et perfection-
nant en particulier la concision.

Quant aux citations scripturaires, nous les traduisons
d'après le texte de la Vulgate : Guigues a lu, compris, médité et
utilisé les Écritures, comme tout le monde à son époque, selon
le sens obvie du latin. Les traductions modernes, faites sur le
grec ou l'hébreu, offrent des sens qui ne correspondent pas au
cheminement de la réflexion des auteurs médiévaux sur tel ou
tel texte scripturaire.

## 2.  La numérotation des « Pensées »

Dans les manuscrits, aucune division, sauf de rares
exceptions, ne sépare les pensées les unes des autres. A tout
moment, le lecteur déconcerté se voit en présence d'une phrase
dont le sujet n'a aucun rapport avec la phrase précédente.
Entre la mise par écrit d'une pensée et la suivante, des jours ou
peut-être des semaines ont passé, et rien ne le signale. Cette
masse sans divisions, traitant de nombreux sujets si disparates,
était inutilisable telle quelle.

Wilmart a eu l'excellente idée de numéroter les « pensées ».
Il a pris là un parti très judicieux et a rendu l'emploi du livret
commode et fructueux. Il y a ainsi introduit de la clarté, la
possibilité d'établir des tables pratiques, de consulter facilement. On ne saurait trop se réjouir de cette mise en valeur :
elle était nécessaire, et elle a transformé l'œuvre sans l'altérer,
au bénéfice du lecteur.

Cette numérotation est presque toujours fort judicieuse.
Dans de rares cas, une pensée s'est trouvée maladroitement
coupée. Mais refaire une nouvelle numérotation pour faire
disparaître ces petites bavures serait une erreur, car les pensées
ont été déjà largement citées selon la numérotation de
Wilmart. Changer celle-ci entraînerait de perpétuelles confu-
sions. Il vaut beaucoup mieux garder la numérotation fixée
depuis 1936.

En outre, dans le cas où plusieurs pensées se suivent sur un même sujet, nous le mettrons en évidence, comme l'avait fait Wilmart, par de petits signes de division entre les groupes.

### 3. La présentation des sources

Derrière un grand nombre de « pensées » de Guigues, on aperçoit des sources : allusion à des textes scripturaires ou patristiques, citations le plus souvent implicites. Ces sources sont très diverses et difficiles à repérer, car généralement les citations ont été faites de mémoire et il arrive souvent qu'elles ne soient pas littérales.

Parmi les Pères, S. Augustin tient la première place dans les sources de Guigues. Le génie de celui-ci devait se délecter dans certains des raccourcis étincelants où S. Augustin aimait à condenser sa pensée : Guigues retrouvait là ses propres tendances.

Mais quand on parle de sources de Guigues, il faut s'entendre sur ce que cela veut dire. Rien de commun avec notre manière livresque moderne qui nous fait aller chercher à droite et à gauche, quand nous avons à traiter un sujet, pour voir si un auteur a déjà parlé sur tel thème et pour en citer quelques phrases entre guillemets.

Avec Guigues, ce n'est pas du tout cela.

Il n'a presque jamais copié ses sources, mais il avait assimilé, et très profondément, ses lectures. Ses pensées sont bien à lui et de lui. Un texte lu jadis a pu lui fournir une idée ; son intelligence exceptionnelle et sa réflexion pénétrante lui ont donné de repenser longuement cette idée et de la faire sienne dans son univers propre. Un jour, tout à coup, cette idée apparaît sous sa plume dans l'une de ses « pensées ». Un simple regard sur sa source lointaine nous montre souvent à quel point celle-ci a été dominée, assimilée, le plus souvent approfondie. A ce moment, il arrive que Guigues, servi par une mémoire incomparable, retrouve quelques-uns des termes mêmes qu'avait utilisés l'auteur du texte lu jadis. Mais il est évident pour le lecteur que Guigues donne un texte devenu totalement sien, renouvelé jusqu'en ses profondeurs, placé dans un nouveau cadre. Le plus souvent, la source n'a fait que fournir à l'esprit de Guigues une suggestion. Davantage : il arrive que les mots employés, fussent-ils les mêmes que ceux de l'auteur-source, ont pris un autre sens quand on les éclaire et les comprend — comme il se doit — dans l'ensemble des méditations qui ont occupé l'esprit de Guigues, selon les dispositions habituelles de son âme devant Dieu. Tant de pensées, en effet, nous révèlent si bien la personnalité de son âme qu'à l'évidence on ne le voit asservi à aucun autre esprit, si supérieur que soit celui-ci, fût-ce même un S. Augustin.

Cette attitude pleinement autonome à l'égard des sources qui sans doute lui ont fourni des idées en servant de tremplin à sa propre réflexion, est absolument caractéristique chez Guigues. En effet, tel nous le voyons sur ce point dans le recueil de ses *Meditationes,* tel il fut aussi quand il eut à mettre en forme la législation de la vie cartusienne : mille sources lui ont servi alors, mais il les a toutes repensées pour les mettre au service du propos spécifique de la Chartreuse.

C'est pourquoi, citant la source de telle ou telle pensée, ce pourrait être une erreur de chercher dans le sens qu'avait cette phrase pour son auteur une clef sûre pour comprendre toute la signification de la pensée que Guigues paraît à première vue en avoir tiré. Chacune des pensées de Guigues doit être lue dans la lumière de l'ensemble de toutes ses réflexions personnelles, si profondes.

Il faut signaler qu'un certain nombre de pensées ont pour source des textes patristiques qui faisaient partie, tel ou tel jour de l'année, des lectures de l'office de Matines. C'est dire combien la méditation de Guigues est enracinée dans la prière liturgique.

Ordinairement les sources seront indiquées en note au bas des pages où se trouvent les pensées qu'elles concernent. Mais il est arrivé que Guigues revienne maintes fois sur une même idée ; dans ce cas, il sera utile et intéressant de suivre le développement du thème chez les auteurs-sources et chez Guigues ; les notes de bas de pages renverront alors à une note plus développée concernant le thème envisagé et placée après l'édition des *Meditationes,* v.g. les syllabes qui passent dans le poème du monde, la question de la liberté, etc.

## 4. **Les Tables d'utilisation**

Comment rendre pratique la consultation de cet ouvrage ? Quels instruments convient-il de fournir au lecteur pour lui permettre d'utiliser facilement les richesses qu'il contient ? Comment en faire apparaître les lignes de force sans trahir la pensée profonde de son auteur ? Comment proposer quelques continuités valables dans cette discontinuité ? Des tables d'utilisations sont nécessaires. Mais lesquelles ?

Wilmart s'est bien rendu compte de la difficulté suscitée par ces interrogations. Il a cherché des solutions [84].

Il a montré quelle tentative condamnée serait de vouloir faire une table analytique très détaillée des matières : l'ouvrage ne se prête pas à un tel « morcellement de son morcellement », et l'enchevêtrement des idées rend souvent l'analyse impossible.

Il a tenté aussi, en vain, de donner un titre à chaque pensée ; il y a très heureusement renoncé, car c'eût été un désastre ; chaque pensée pourrait recevoir plusieurs titres.

Dans la même ligne, il a rangé sa traduction en fichier sous 150 rubriques, et nous avons vu plus haut que ce fut un échec : on ne peut pratiquement pas l'utiliser.

Enfin il a pris un parti excellent, celui de dresser un lexique complet des mots contenus dans les *Meditationes,* à l'exception, évidemment, de quelques mots usuels trop fréquents,

---

84. Wilmart, *op. cit.,* p. 174.

pronoms, adverbes, conjonctions. Pour les usagers de l'ouvrage, ce lexique s'est révélé très utile dans la pratique ; c'est le meilleur instrument d'utilisation que nous ait donné Wilmart. Nous le reproduisons en corrigeant les fautes qu'il contenait et en l'améliorant sur certains points.

Wilmart a aussi réalisé une table, très sommaire, des principaux sujets, échappant au morcellement qu'eût été une table analytique des matières trop détaillée. L'idée était bonne, mais elle implique nécessairement un choix parmi tant de thèmes touchés par Guigues. Cette table de Wilmart n'a pas rendu de grands services à l'usage. Nous l'avons entièrement refaite en essayant de mieux mettre en évidence les grands thèmes qui occupaient la réflexion de Guigues, avec toutes les pensées se rapportant à chaque grand thème. Le résultat est parfois saisissant, parfois décevant... Du moins cette table permettra-t-elle de travailler sur un sujet donné.

Le chercheur qui se donnera la peine de transcrire les pensées concernant tel thème intéressant aura à maintes reprises la joie de voir se révéler sous ses yeux un ensemble d'une richesse incomparable, marqué d'une sagesse exceptionnelle. Nous aurions aimé illustrer ce que nous disons ici par quelques exemples remarquables, comme nous l'avons fait pour « la bonté du prieur », mais c'eût été trop allonger cet ouvrage par des répétitions.

Le lecteur trouvera donc :

1. Un index des citations scripturaires (selon la Vulgate) [85].

2. Une table des noms propres, utile surtout pour l'étude des sources.

3. Un lexique de tous les mots.

4. Une table des principaux thèmes.

---

85. Nous n'avons pas utilisé le relevé des citations explicites ou implicites de la Bible fourni récemment par L. GIORDANO RUSSO : « Guigo e la Bibbia nelle ″Meditationes ″» (*Orpheus* 24-25, 1977-1978, p. 187-197).

# TEXTE ET TRADUCTION

# MEDITATIONES
## GUIGONIS PRIORIS CARTUSIAE

**1.** Vide quam vehementes affectus excitent in te nec nominanda, ultra quam Dominus, et quam plures habeant occupatos ad se immundae concupiscentiae, quam Dominus.

**2.** Erubesce illud agere, quod nec te videre, nec aliis ostendere deceat.

*

**3.** Veritas ponenda in medio est, tanquam pulchrum aliquid. Nec iudices si quis eam abhorret, sed compatere. Tu vero cum ad eam pervenire desideres, cur respuis eam, cum de tuis vitiis increparis ?

**4.** Vide quanta patiatur veritas.

Dicitur ebrioso, ebriosus es, luxurioso, linguosoque similiter. Hoc autem verum est. Insaniunt tamen illi protinus, et veritatem in suo praedicatore persequuntur : occidunt.

5      Vide vero quantum honoratur mendacium. Dicitur pessimis et vitiorum omnium servis : « Boni domini ». Placantur, gaudent, et mendacium ipsum in ita loquente venerantur.

**5.** Sine aspectu et decore crucique affixa, adoranda est veritas.

*

*Tit.* : Meditationes : Incipiunt meditationes TBP
**1**,1 vehementes : vehementer TB ‖ excitent : evenerit B
**4**,2 ebriosus : ebrius P ‖ 7 ipsum *om.* MP

# LES MÉDITATIONS
## DE GUIGUES PRIEUR DE CHARTREUSE

**1.** Vois quelles violentes émotions éveillent en toi des choses innommables [1], bien plus que ne le fait le Seigneur, et combien de gens se laissent posséder par des convoitises immondes plutôt que par le Seigneur.

**2.** Rougis de faire ce qu'il ne te sied ni de voir ni de faire voir à d'autres.

\*

**3.** La Vérité doit être placée au milieu, comme un bel objet. Si quelqu'un l'a en horreur, ne le juge pas, mais aie pitié de lui. Pourtant toi, tu désires l'atteindre ? Pourquoi la repousses-tu quand on te reproche tes vices ?

**4.** Vois tout ce que la Vérité doit supporter :

On dit à l'ivrogne : « Tu es un ivrogne. » De même au débauché et au bavard. Et c'est vrai. Pourtant, ils se fâchent aussitôt et persécutent la Vérité dans son porte-parole : ils le tuent [1].

Mais vois combien le mensonge est honoré. Aux pires des individus, esclaves de tous les vices, on dit : « Mes bons seigneurs. » Les voilà apaisés, réjouis, et ils vénèrent le mensonge lui-même en celui qui parle ainsi.

**5.** Sans éclat ni beauté [1], et clouée à la Croix [2], ainsi doit être adorée la Vérité [3].

\*

**1** [1] *Éphés.* 5, 3.
**4** [1] *Matth.* 23, 34 ; 23, 37 ; *Lc* 11, 49 ; 13, 34.
**5** [1] *Is.* 53, 2.      [2] *Col.* 2, 14.      [3] *Jn* 14, 6.

**6.** Ad cuius voluntatem uteris te ipso, ab eo mercedem expostula. Vivendum ergo est ita, ut nihil tibi debeas : quia nihil tibi reddere vales. Opus autem mercenarii tui non maneat apud te, ait Dominus, usque mane. Faciet ergo de te tibi 5 Dominus ultionem.

**7.** Qui omnia ad suam voluntatem agit, omnem a se ipso exigat retributionem, quam cum a se ipso extorquere non poterit, interpellet adversum se ipsum iudicem iustum Deum. Si ergo te ipsum amares, nunquam eius tibi servitium dulce 5 esset, id est tui, de cuius mercede desperares.

**8.** Cur te magis proprium vendicas, quam quemlibet hominum aut agrorum, cum in te nil amplius quam in illis creaveris ? Quo iure tibi vendicas quicquam eorum quae non creasti, sicut nec te ?

\*

**9.** Vide quam facilius sit iter ad vitam per insuavia quam suavia. Facilius est enim frenare luxuriam et caeteras concupiscentias, ubi nil pulchrum aut blandum occurrerit.

**10.** Carni tuae non delectatione et amore, id est peccato, sed vegetatione sola iungi debes.

**11.** A quot rerum amoribus quae tibi vel quibus tu periturus eras te Dominus veritas liberavit, a totidem te tristitiae timoribus et doloribus absolvit. Sic de odiis.

**12.** Vide quale est bonum, cuius ultima vestigiorum vestigia, id est temporalia, tot ac tantis laborum cruorumque discriminibus a tot rationalibus et irrationalibus appetuntur.

---

**6**,1 *ante* Ad, *add.* De voluntate propria reicienda P ‖ *litt. init. picta* P ‖ 2 est ergo MP
**7**,5 id est tui *om.* P
**8**,3 quae : tu *add.* P
**12**,3 a : et MTBP ‖ irrationalibus : irrationabilibus T

---

**6** [1] *Lév.* 19, 13 ; *Tob.* 4, 15.     [2] *Act.* 7, 24.
**7** [1] *Ps.* 7, 12.

**6.** A celui dont tu t'emploies à servir la volonté, réclame ton salaire. Il faut donc vivre de manière à ne rien te devoir, car tu ne peux rien te revaloir. « Que le salaire de ton mercenaire ne demeure pas à toi jusqu'au lendemain matin [1] », dit le Seigneur. Le Seigneur te vengera donc contre toi-même [2].

**7.** Que celui qui fait tout selon sa volonté propre exige de soi-même toute rémunération. Comme il ne pourra se l'extorquer à soi-même, qu'il fasse appel contre soi-même au juste juge, Dieu [1].

Si tu t'aimais vraiment toi-même, jamais tu ne te plairais au service de celui-là — c'est-à-dire de toi — dont tu ne peux espérer de salaire.

**8.** Pourquoi revendiques-tu la propriété de toi-même, plutôt que celle de n'importe quel homme ou de n'importe quel champ, puisqu'en toi rien n'est davantage ton œuvre qu'en eux ? De quel droit réclamer pour toi ce que tu n'as pas créé, pas plus que tu ne t'es créé toi-même ?

*

**9.** Vois combien plus facile est le chemin de la vie par les austérités que par les douceurs. Car il est plus facile de réfréner la luxure et les autres convoitises, quand on ne rencontre rien de beau ni de caressant.

**10.** Ne sois attaché à ton propre corps ni par la jouissance, ni par l'amour, c'est-à-dire par le péché, mais seulement par le lien de la vie.

**11.** Autant d'amours des choses qui devaient périr pour toi ou par lesquelles tu devais mourir, et dont le Seigneur-Vérité t'a libéré [1], autant de craintes et de peines, causes de tristesses, dont il t'a délié [2]. De même pour les haines.

**12.** Vois de quelle qualité est ce bien, dont les derniers vestiges de vestiges, c'est-à-dire les biens temporels, sont convoités par tant d'êtres doués ou privés de raison, au prix de tant de risques, si grands, laborieux et sanglants.

---

**11** [1] *Jn* 8, 32 ; 14, 6.    [2] Voir note « Liberté », p. 312 s.

**13.** Egestas ipsa vel asperitas temporalis cogit nos tortoris vice, bona atque his diversa desiderare. Sed quia nos tantum temporalibus assueti sumus, nihilque aliud novimus, non multum diversa ab his quae patimur desideramus, et vel iras
5   eorum, id est asperitates, temperamento quasi quadam reconciliatione ad momentum interrumpere, vel non multum diversa ab his subire optamus.

**14.** O homo qui dolorem pateris, vis eum lenire ? « Volo. » Temporaliter an aeternaliter ? « Aeternaliter. » — Aeternum ergo lenimentum, id est veritatem Deum, desidera. Nam ideo te percussit, ut eum desideres, non herbas, non ligaturas.

**15.** Longam tentationem petit, qui longam vitam petit. Tentatio enim est vita hominis super terram.

*

**16.** Hoc solo iustus es, si ob peccata tua, damnandum te agnoscas et dicas. Si iustum te dicis, mendax es, et a Domino veritate damnaris, sicut contrarius ei. Dic te peccatorem, ut verax Domino veritati convenias, liberandus.

**17.** Ideo tu tibi places, quia nihil te boni a te habere non intelligis. A te tibi nil nisi malum. Nullas ergo tibi gratias debes. Malum omne a te tibi est. Poenas itaque magnas tibi pro vindicta debes.

**18.** Esto talis, qui lauderis. Non enim vere laudatur, nisi bonus. Quod non est quisquis vult laudari. Non ergo laudatur.

**15,**2 enim *om.* MP
**17,**3 a te *om.* TB

---

**14** [1] Voir note « Souffrances », p. 324.

**15** [1] *Job* 7, 1. — « Ista vita quae tota tentatio nominatur », S. AUGUSTIN, *Confessiones,* Lib. X, cap. 32, *PL* 32, 799.

**16** [1] *I Jn* 2, 4.

[2] *Jn* 8, 32. — Voir Note « Liberté », p. 312 s. — « Omnium mala opera invenit (Christus) ... multi confessi sunt peccata sua, quia qui confitetur peccata sua, et accusat peccata sua, iam cum Deo facit. Accusat Deus peccata tua : sic et

**13.** La misère et la rigueur du temps nous contraignent, tel un bourreau, à désirer des biens différents. Mais accoutumés aux seules réalités temporelles et ne connaissant rien d'autre, ce que nous désirons n'est pas si différent de ce dont nous souffrons. Et nous souhaitons interrompre un moment leurs colères, c'est-à-dire leurs rigueurs, en les tempérant par une sorte de réconciliation, ou nous souhaitons subir des choses peu différentes d'elles.

**14.** Homme, tu souffres ; veux-tu adoucir ta douleur ? « Oui. » Pour un temps ou pour l'éternité ? « Pour l'éternité. » Désire donc l'adoucissement éternel : Dieu-Vérité. Car il t'a frappé précisément pour que tu le désires, lui [1], et non pas des herbes médicinales ni des pansements.

**15.** Qui demande une longue vie demande une longue épreuve. Car la vie de l'homme sur terre est une épreuve [1].

*

**16.** Tu es juste seulement quand pour tes péchés tu te reconnais et te déclares digne de damnation. Si tu te prétends juste, tu mens [1] et le Seigneur-Vérité te condamne, lui à qui tu t'opposes. Dis-toi pécheur : ainsi, sincère envers le Seigneur-Vérité, tu t'accorderas avec lui et tu pourras être délivré [2].

**17.** Tu es satisfait de toi parce que tu ne comprends pas que tu n'as rien de bon de toi-même. De toi, tu n'as rien que de mauvais. Tu ne te dois donc aucun merci. Tout ton mal vient de toi. Aussi tu te dois de grands châtiments comme vengeance.

**18.** Sois tel que tu puisses être loué. Or seul qui est bon [1] peut être vraiment loué. Mais qui veut être loué n'est pas bon. Aussi n'est-il pas loué.

tu accusas, coniungeris Deo... Oportet ut oderis in te opus tuum, et ames in te opus Dei... Initium bonorum operum, confessio est operum malorum. Facis veritatem et venis ad lucem... Non dicis iustus sum, cum sis iniquus, et incipis facere veritatem... Qui autem facit veritatem accusat in se mala sua... », S. AUGUSTIN, *In Ioannem,* Tractatus XII, 13, *PL* 35, 1491.

**18** [1] *Matth.* 19, 17.

**19.** Cum laudatori blandus es, non iam tuo laudatori blandus es. Non enim iam tu laudaris. Quippe, tu vanus. Cum dicitur : « Quam bonus, quam iustus », qui hoc est laudatur, non tu, qui non es. Imo etiam vituperaris non parum. Quippe 5 tam malus tamque iniustus. Laus enim iusti, iniusti est vituperatio. Ergo tua, ut iniusti. Cum ergo laudatori iusti applaudis, tuo verissimo vituperatori applaudis, quia iniustus es. Non est enim iustus, qui se putat iustum. Nec unius diei infans.

**20.** Qui gaudet laudibus, perdit laudes. Si amas laudes, noli laudes sancti ; id est, si vis laudari, ne velis laudari. Non enim potest vere laudari, qui vult laudari.

Ille laudatur, cuius bona iactantur. Qui autem vult lau-5 dari, non solum vacuus est omni bono, sed insuper plenus est magno et diabolico malo, id est arrogantia. Non ergo laudatur. Iustus autem e contrario semper laudatur, cuius vituperatio nulla esse potest. Vituperatio quippe est malorum improperatio. Quae vero iustus non habet, non possunt ei impro-10 perari. Quare non potest vituperari. Universaliter autem omnis iustorum laudatio, iniustorum est vituperatio, et omnis iniustorum vituperatio, iustorum est vera laudatio.

**21.** Cum quis de bono laudatur, non laudato sed laudanti prodest.

*

**22.** Para te ad cohabitandum malis, mente incorrupta : quod est angelicum. Quae autem gloria est, hoc facere cum sanctis ?

**19,**1 laudatori tuo MTBP ǁ 2 tu : tam MTBP ǁ 5 tamque : tam MP ǁ 5-6 vituperatio est iniusti MTBP

**20,**11 et omnis *om.* P ǁ 11-12 et omnis iniustorum vituperatio *om.* M

---

**19** [1] *Job* 25, 4 ; cf. aussi *Job* 15, 14 et 14, 5 (*Vetus Latina*). — « Quoniam nemo mundus a peccato coram te, nec infans cuius est unius diei vita super terram », S. AUGUSTIN , *Confessiones,* Lib. I, cap. 7, *PL* 32, 665. Et aussi :

**19.** Quand tu flattes celui qui te loue, en réalité tu ne flattes pas quelqu'un qui fait ton éloge, car ce n'est pas toi qui es loué, toi, si vain. Quand on dit : « Comme il est bon, comme il est juste », la louange va à celui qui l'est vraiment, non pas à toi qui ne l'es point. Bien plus, tu es alors blâmé, et grandement, toi qui es si méchant, si injuste. La louange du juste est reproche pour l'injuste, donc reproche pour toi qui n'es pas juste. Quand tu applaudis celui qui loue le juste, tu applaudis donc celui qui te blâme en toute vérité, parce que tu es injuste. N'est pas juste, en effet, celui qui s'estime tel, pas même l'enfant d'un jour [1].

**20.** Qui se réjouit des louanges les perd. Si tu aimes les louanges, ne veuille pas les louanges dues à un saint. Autrement dit : si tu veux être loué, ne veuille pas l'être. En effet, qui désire la louange ne peut être vraiment loué.

Est loué celui dont on vante les biens. Or celui qui désire l'éloge, non seulement est vide de tout bien, mais en outre il est plein d'un mal considérable et diabolique, un prétentieux orgueil. Il n'est donc pas loué. Le juste, au contraire, est toujours loué, lui à qui aucun reproche ne peut être adressé. Le blâme, c'est la réprobation des choses mauvaises. Or celles-ci, le juste ne les a pas ; on ne peut donc les réprouver chez lui. Aussi ne peut-il être blâmé. D'une manière générale, tout éloge des justes est blâme pour les injustes, et tout reproche adressé aux injustes est un éloge vrai des justes [1].

**21.** Si quelqu'un est loué pour le bien, ce n'est pas un avantage pour celui qui reçoit, mais pour celui qui donne la louange.

*

**22.** Prépare-toi à demeurer avec les méchants, l'esprit intact, ce qui est vertu angélique. Quelle gloire y a-t-il à le faire parmi des saints ?

*Opus imperfectum contra Iulianum, PL* 45, 1520.

**20** [1] « Malorumque condemnatio, laus bonorum sit », S. JÉRÔME , *Ad Nepotianum, Ep.* 52, n° 5, *PL* 22, 532.

**23.** Qui omnes diligit, salvabitur sine dubio. Qui vero ab omnibus diligitur, non ideo salvus erit.

**24.** Sicut odium tui omnibus est impedimentum ad vitam, ita omnium tibi. Expedit ergo tibi omnes diligere ; illis quoque prodest diligere te.

*

**25.** Prosperitas, laqueus est ; culter incidens hunc laqueum, adversitas. Carcer amoris Dei, prosperitas ; confringens hunc aries, adversitas.

**26.** Una febris aufert omnia contra quae pugnas, id est oblectamina quinque sensuum. Quid restat ergo, nisi ut Deo gratias pro collata victoria referas ? At tu contra quaeris cui succumbas, odiens libertatem.

**27.** Quae spes est si laqueis inimici gratis incumbis, et iaculis, si haec non solum non caves, sed insuper libenter amplecteris, teque illis detegis ? Ab illis ad illa confugis, ea putas remedium, ea solatium, ea desideras, et abesse non pateris.

**28.** Adversitas monet pacem desiderare ; tu autem caecatus id desideras, quod dum amas atque desideras, impossibile omnino est te pacem habere.

**29.** Ut Dominum veritatem gaudens suscipe, mendacium vero cum pace tolera, aut reprehende.

**30.** Ignoras te ligatum et non resistis vinculis sicut canis.

**31.** Vide duas experientias, ingestionis et egestionis. Quid te magis beatificat, quod per hanc an quod per illam experi-

**24**,2 tibi omnium MP
**26**,1 aufert *om.* MP ‖ 3 quaeris : queras G
**27**,2 non[2] *om.* P
**28**,3 omnino *om.* G ‖ est omnino P

**24** [1] Voir note sur « prodesse », p. 318 s.

**23.** Qui aime tous les hommes sera sauvé sans aucun doute. Mais qui est aimé de tous ne sera pas sauvé pour cela.

**24.** Comme te haïr est pour tous un obstacle à la vie, haïr les autres l'est pour toi. Il t'importe donc d'aimer tous les hommes ; à eux de même, il est utile [1] de t'aimer.

\*

**25.** La prospérité est un nœud coulant. Le couteau qui tranche ce nœud, l'adversité. La prospérité met en prison l'amour de Dieu. Pour briser cette prison, un bélier : l'adversité [1].

**26.** Une seule fièvre emporte tout ce contre quoi tu luttes, c'est-à-dire les attraits des cinq sens. Que te reste-t-il, sinon de rendre grâces à Dieu pour la victoire ainsi accordée [1] ? Mais toi, au contraire, tu cherches à quoi succomber, par haine de la liberté [2].

**27.** Quel espoir y a-t-il, si tu t'exposes spontanément aux traits et aux pièges de l'ennemi, si non seulement tu ne t'en gardes pas, mais bien plus, si tu les serres volontiers dans tes bras et te découvres à leurs attaques ? Tu te réfugies des uns aux autres, tu vois dans les uns un remède, dans les autres un soutien ; tu les désires et tu ne souffres pas qu'ils te quittent.

**28.** L'adversité t'exhorte à désirer la paix. Mais toi, aveugle, tu persistes à désirer ce dont l'amour et le désir te rendent la paix absolument impossible.

**29.** Accueille avec joie la Vérité, comme le Seigneur lui-même. Supporte au contraire le mensonge dans la paix, ou repousse-le.

**30.** Tu ignores tes liens, et tu ne tires pas sur tes chaînes, comme le chien.

**31.** Considère ces deux expériences : l'absorption et l'expulsion. Laquelle te rend le plus heureux ? Ce que tu éprouves par

---

**25** [1] Voir note « Liberté », p. 312 s.
**26** [1] *I Cor.* 15, 57.     [2] Voir note « Liberté ».

ris ? Illa onerat inutilibus, haec exonerat. Quid prosit utrumque circumspice. Hoc est totum devorasse, expertum esse. Nil
ultra spei remanet.

Sic in omnibus sensualibus. Vide ergo, quid beatitudinis
omnia huiusmodi sive in re sive in spe in te effecerint ; et
sic iudica de futuris. Cogita, inquam, prospera praeterita,
ac sic futura iudica. Quae speras, peritura sunt omnia. Et tu
quid post haec ? Aliquid ama et spera, quod non transeat.

**32.** Nil gaudendum est tibi in te omnino, vel in alio, nisi
in Deo.

**33.** Dum corporum species vel formae, quibus tibi adhaeren-
tibus foedaris, pereunt, tanquam syllabae suis temporibus,
Deo modulante, cruciaris. Eraditur enim quae increverat
rubigo.

**34.** Dicit tibi adversitas : « Niteris ut recedam. Quod certe
nullo modo prohibere, si bene velis, poteris. Non etenim possum, Domino modulante, manere. Quippe syllaba. »

**35.** Dicunt temporalia bona : « Si Deus sanaverit nos a
morbo corruptionis, quid ages ? In ipso usu considera, in quo
melior ex nobis fias, vel quid inde speres in posterum. Expertus es nos. Quid ergo ? Vis in nos mutari, an nos in te ? Quid
tibi et nobis ? Quid doles transitu nostro ? Maluimus interire
secundum Domini voluntatem, quam manere secundum tuam
cupiditatem. Nullas tibi pro hoc amore tuo referimus grates,
sed potius irridemus, ut stultum. Cui enim potissimum obedire
debemus, Deo an tibi ? Dic : tibi, si audes. Hoc est fere
totum tuum officium, nos in putredines devorando convertere.
Haec tua utilitas, tua potentia, ut per te nostra fames transeat

---

**33,**2 temporibus *om.* P

**35,**5 Maluimus : Malumus MTB ‖ 7 Nullas : Nallas G ‖ 10 in putredines : imputredines T

---

**33** [1] Voir note sur les formes, p. 315. [2] Voir note sur les syllabes, p. 314.
**34** [1] Voir note sur les syllabes.
**35** [1] *Matth.* 8, 29.     [2] *I Cor.* 11, 7 ; *Gen.* 1, 27.

l'une, ou par l'autre ? Celle-là charge, celle-ci décharge de matières inutiles. Regarde avec attention ces deux profits : avoir tout dévoré, et avoir fait cette expérience ! Nul espoir ne subsiste.

Ainsi en est-il de toutes les perceptions de nos sens. Vois donc quel bonheur ont causé en toi toutes les réalités de ce genre, soit en fait, soit en espérance ; et juge ainsi celles qui sont à venir. Réfléchis, dis-je, que les perceptions agréables appartiennent au passé, et juge de même des futures. Tout ce que tu espères est destiné à périr. Et toi, que seras-tu après cela ? Aime et espère ce qui ne passe point.

**32.** Ne te réjouis d'absolument rien, ni en toi, ni chez un autre, si ce n'est en Dieu.

**33.** Tandis que périssent la beauté et les formes [1] des corps qui te souillent en s'attachant à toi — syllabes [2] en leurs brefs instants du poème modulé par Dieu — toi tu souffres. Voilà grattée, en effet, la rouille qui s'était accumulée.

**34.** L'adversité te dit : « Tu t'efforces de m'éloigner. Mais tu ne pourrais d'aucune façon m'empêcher de passer, le voudrais-tu. Car je ne peux demeurer, quand le Seigneur module son poème. Je ne suis qu'une syllabe [1]. »

**35.** Les biens temporels disent : « Si Dieu nous guérissait du mal de la corruption, que ferais-tu ? Dans l'usage même que tu fais de nous, considère en quoi nous te rendons meilleur, ou ce que tu peux en espérer pour l'avenir. Tu nous connais par expérience. Quoi donc ? Veux-tu être transformé en nous, ou l'inverse ? Qu'y a-t-il de commun entre toi et nous [1] ? Pourquoi te désoler de notre perte ? Nous avons mieux aimé périr selon la volonté du Seigneur que demeurer selon ta convoitise. Nous ne te rendons aucunes grâces pour cet amour que tu nous portes, mais nous rions plutôt de toi, comme d'un sot. A qui, en effet, devons-nous obéir de préférence ? A Dieu ou à toi ? Dis que c'est à toi, si tu l'oses. Voici presque toute ta fonction : nous dévorer, et nous transformer en pourriture. C'est là ton utilité, ton pouvoir : grâce à toi, la faim que nous

affluenter ; non enim facere vales ut maneat. Hoc tuum studium, haec tua beatitudo, ut nostris non careas sordibus,
quibus votive succumbis, corrumpente et constuprante te per
15 eas diabolo, non sine sua voluptate magna et gaudio, de tua
deceptione et interitu.

O imago Dei, numquid in hoc Deo similis ? Numquid enim
sic Deus facit ? Non illicitur, non cogitur. »

**36.** Dicant iterum temporalia. « Numquid nobis libere
uteris ? Nonne per nos traheris ad volendum quodlibet, vel
nolendum ? Nonne ego frigus, res transiens et sine sensu, cogo
te velle calorem ? Sic caetera. Vide si possis nolle calorem,
5 urgente frigore. Ergo servus noster es. »

**37.** Si putredo horrenda nec nominanda, experta per carnem, ita delectat et rapit animum, quid faciet summum
bonum ?

**38.** Experientia incitat affectum, attrahendo vel repellendo.

**39.** Sis licet temporalibus corroboratus, pacatus, pates
tamen iniuriis sorunculorum, pediculorum, pulicum, musca-
rum.

**40.** Desideras trium annorum pacem. Cur non potius
infinitorum, et aeternam ?

*

**41.** Laedit te frater tuus exul a ratione, et insanis ; corrumpunt te sorunculi, nec insanis : quia sunt irrationales.

---

**35**,13 non nostris MP ‖ 15 tua : sua P ‖ 17 *Litt.* O *init. picta* MTB ‖
similis : simili P ‖ 18 Deus sic MTP

**36**,4-5 Vide — frigore *om.* MP

**39**,1 *ante* Sis *add.* De humilitate et patientia servanda P ‖ Sis : *litt.* ‖
*init. picta* MTBP ‖ 2 sorunculorum iniuriis MP

**40**,1 annorum : dierum P

**41**,1 corrumpunt : corrumpant M ‖ 2 irrationales : irrationabiles P

excitons passe très vite, car tu ne peux faire qu'elle demeure. Voici ton effort, ton bonheur : ne pas être privé de nos souillures, auxquelles tu souhaites de succomber, tandis que par elles le diable te corrompt et te viole, non sans éprouver grande volupté et joie de ta déception et de ta perte.

Ô image de Dieu[2], est-ce en cela que tu lui ressembles ? Est-ce ainsi que Dieu agit ? Il ne peut être ni séduit, ni contraint.

**36.** Que les biens temporels disent encore : « Uses-tu librement de nous ? » N'es-tu pas entraîné par nous à vouloir ou à ne pas vouloir tel objet ? Moi le froid, chose passagère et privée de sens, est-ce que je ne te contrains pas à vouloir la chaleur ? Et ainsi des autres objets. Vois si tu pourrais ne pas vouloir la chaleur, quand le froid te presse ! Tu es donc notre esclave.

**37.** Si une pourriture, affreuse et innommable, connue par l'expérience du corps, séduit et ravit à ce point l'esprit, que fera le Souverain Bien ?

**38.** L'expérience suscite un sentiment, soit d'attrait, soit de répulsion.

**39.** Même si tu es comblé de biens temporels et en paix, tu pâtis cependant des injures des petites souris, des poux, des puces et des mouches[1].

**40.** Tu désires la paix pour trois ans. Pourquoi pas plutôt pour un nombre infini d'années, une paix éternelle[1] ?

\*

**41.** Ton frère, hors de son sens, te blesse, et tu deviens fou de colère. Les petites souris te tourmentent[1], et tu ne te fâches pas, parce qu'elles sont privées de raison.

---

**35** [2] *I Cor.* 11, 7 ; *Gen.* 1, 27.
**39** [1] Voir note sur les souffrances, p. 324.
**40** [1] *Prov.* 3, 2.
**41** [1] Voir note sur les souffrances.

**42.** Ad eum qui iniuriam tibi fecit, affabilem magis ac privatum te exhibe ; ad eum cui tu fecisti, supplicem et erubescentem.

**43.** Sicut quidquid boni ab hominibus fit tibi, Dei munera aestimas, et ei totam gratiam referendam credis, ita quidquid tu boni hominibus exhibes, eius beneficia, non tua deputa. Facit autem Deus munera sua magna, non tamen propter se ipsa, sed propter eos quibus ea misericorditer impertitur. Miserando enim gentes, apostolos glorificavit.

\*

**44.** Sicut dolores semper sensi nil conferunt beatitudinis amplius quam si ad momentum sentiantur, ita sapores, et caetera ad sensus corporis pertinentia.

**45.** Qui crucem baiulat, non quaerit diu vivere, ut eam cito deponat.

**46.** In voluptate es. Male igitur es. Quid ergo dubitas recedere quolibet, etiam ad aspera ?

\*

**47.** Cum id ipsum vel peius in te sit ipso, cur non in te hoc quod in alio reprehendis ?

**48.** Te vis ostendere, peccatum tuum celare. Inter te et ipsum, nosti discernere.

**49.** Bona est Dei creatura, malus defectus eius, id est peccatum. Tam facile est igitur inter fratrem tuum et vitium eius

---

**42,**1 eum : illum P ‖ 2 exhibe : exhibere P
**43,**3 deputa non tua P
**49,**1 Bona — eius *om.* P ‖ creatura Dei M

---

**45** [1] *Lc* 14, 27.
**49** [1] *I Tim.* 4, 4.
  [2] « Compassio quippe homini, et rectitudo vitiis debetur, ut in uno

**42.** Montre-toi plus affable et familier envers celui qui t'a fait injure, suppliant et rougissant auprès de celui à qui tu l'as faite.

**43.** Tu estimes comme un bienfait de Dieu tout le bien qui t'est fait par les hommes et tu crois devoir lui en rendre toutes grâces ; de même, quelque bien que tu fasses aux hommes, considère-le comme un bienfait de sa part, et non de la tienne. Or Dieu fait grandes ses largesses, non pour elles-mêmes, mais pour ceux à qui sa miséricorde les départit. Ainsi a-t-il glorifié les Apôtres par miséricorde pour les païens.

\*

**44.** Comme les douleurs toujours ressenties ne causent pas plus de bonheur que si elles sont senties un seul instant, ainsi les saveurs et les autres sensations du corps.

**45.** Qui porte une croix [1] ne cherche pas à vivre longtemps, afin de la déposer bientôt.

**46.** Tu es dans la volupté. Te voilà donc en mauvaise condition. Pourquoi hésites-tu à t'en éloigner, pour aller n'importe où, fût-ce même vers des choses austères ?

\*

**47.** Pourquoi ne blâmes-tu pas en toi ce que tu blâmes chez un autre, puisque le même mal, voire pire, se trouve en toi-même ?

**48.** Ta personne, tu veux la montrer, ton péché le cacher. Entre toi et lui, tu sais fort bien distinguer.

**49.** Bonne est la créature [1], mauvais son défaut, c'est-à-dire le péché. Il est donc aussi facile de distinguer [2] ton frère de son

eodemque homine, et diligamus bonum quod factum est, et persequatur mala quae fecit, ne dum culpas incaute remittimus, non iam per caritatem compati, sed per negligentiam concidisse videamur », S. Grégoire, *Homilia 32 in Evangelium*, PL 76, 1235. Ce texte était lu au rite cartusien dans la 4ᵉ leçon du Commun d'un Martyr.

discernere, quam inter bonum et malum. Denique, viso homine, quis irascitur, quis ei indignatur ? Viso vitio eius, quis non offenditur, nisi quis valde sapiens et bonus, qui norit hoc potius eidem obesse quam cuiquam alii, ac per hoc ei compatiendum esse ?

\*

**50.** Nil tibi laboriosius est quam non laborare, id est contemnere omnia unde labores oriuntur, universa scilicet mutabilia.

**51.** Aliud est optare aliquid tanquam bonum, id est ad fruendum et ad innitendum ; aliud, cum ei optatur bonum. Utrumque tamen amatur. Alterum horum amicis, alterum soli Deo debetur. Ipse solus optari debet, tanquam bonum. Cum ergo hoc alicui praeter ipsi exhibetur, ydolatria manifesta convincitur.

**52.** Cum amas aliquem ut amicum, optas autem ei divitias tanquam bonum, excellentius eas amas quam ipsum. Eum enim ut egentem, has autem ut sufficientiam amas, paratior ipso carere quam illis.

\*

**53.** Quam pulchra ars : vincere in bono malum. Contraria enim, contrariis superantur.

**54.** Qui in iniquitate sua occidit iniquum, eo quod odio habet iniquitatem et vult eam delere, fallitur. Mortuo enim

**49,**4 ei *om.* MTBP ‖ 5 quis[2] : qui TB ‖ 6 cuiquam *om.* MTBP
**50,**1 est[1] *om.* MTBP
**51,**2 ad *om.* MTBP ‖ ei : alicui MTBP ‖ 5 manifesta : manifeste P
**52,**1 ei autem P ‖ 2 Eum : Cum GB ‖ 3 egentem : agentem T
**54,**1 in *om.* P ‖ 2 habet : habeat M ‖ 3 in *om.* MP ‖ eius : illius P

---

**50** [1] Voir note « Nil tibi laboriosius », p. 321.
**53** [1] *Rom.* 12, 21.
[2] « Solent quippe medicinae periti aegritudinem... curare per contraria... et

péché que le bien du mal. Qui donc, à la vue d'un homme, va
se fâcher ? Qui va s'indigner contre lui ? A la vue de son vice,
qui n'est choqué, sauf celui qui est très sage et très bon ?
Celui-ci sait que le vice fait plus de tort à cet homme qu'à
aucun autre, et que, par suite, il faut avoir compassion pour
lui.

\*

**50.** Il n'est pas pour toi de plus grand labeur que de demeurer sans labeurs, c'est-à-dire de délaisser toutes les réalités
changeantes, sources de tous les labeurs [1].

**51.** Autre chose est de souhaiter quelque objet comme un
bien, c'est-à-dire pour en jouir et s'y reposer, autre chose
souhaiter du bien à quelqu'un. L'un et l'autre cependant sont
amour. L'un est dû aux amis, l'autre à Dieu seul. Lui seul doit
être désiré, comme le Bien. Quand donc ce souhait est adressé
à un autre que lui, c'est la preuve d'une idolâtrie manifeste.

**52.** Quand tu aimes quelqu'un comme ami, mais lui souhaites les richesses comme un bien, tu aimes davantage celles-ci
que lui. Tu l'aimes, en effet, comme indigent, et les richesses
comme un bien qui suffit. Tu es prêt à te passer de lui plutôt
que d'elles.

\*

**53.** Quel art admirable : triompher du mal par le bien [1]. Les
contraires, en effet, sont surmontés par les contraires [2].

**54.** Celui qui fait mourir le méchant dans son iniquité [1], par
haine de l'iniquité [2] et pour détruire celle-ci, se trompe. Car le

minus fortia contraria a fortioribus contrariis supervenientibus superantur »,
*Sermon* jadis attribué à S. AUGUSTIN : *Sermo 247, 3, PL* 39, 2201. — Se lisait
au rite cartusien pour la fête de S. Vincent. En fait, ce sermon est d'YVES DE
CHARTRES : *Sermo 6, PL* 162, 563. — « Sicut artae medicinae calida frigidis,
frigida calidis curantur, ita Dominus noster contraria apposuit praedicamen-
ta peccatis », S. GRÉGOIRE , *Hom. 32 in Evangelio, PL* 76, 1232.

**54** [1] *Éz.* 33, 8.9.13.    [2] *Ps.* 118, 163

iniquo in iniquitate sua, aeternata est iniquitas eius. Qui ergo odit iniquitatem, det operam ut corrigatur iniquus, et sic peribit iniquitas.

**55.** Si erga homines pessimos velut agnus esse debes, quid ad Deum, cum ab eo corriperis flagello aliquo ?

**56.** Facile est iter ad Deum, quoniam exonerando itur. Esset autem grave, si onerando iretur. In tantum ergo te exonera, ut, dimissis omnibus, te ipsum abneges.

**57.** Quod in suis amicis vel parentibus non amavit Deus, id est potentiam, nobilitatem, divitias, honores, non ames tu in tuis.

**58.** Caritate, sapientia repletur frater ; nec communicas. Ira, odio furoreque repletur ; nec potes evadere quin communices. Insanus sanis indiget, ut eum vel servent vel curent.

**59.** Positus es quasi signum ad retundenda iacula inimici, id est ad destruendum malum, oppositione boni. Reddere autem malum pro malo non debes unquam ; nisi forte medicinaliter. Quod iam non est malum pro malo, imo bonum pro malo reddere.

\*

**60.** Laqueos comedis, bibis, vestis, dormis. Omnia laqueus.

**61.** Exul es amore, voluptate, affectu, non loco. Exul es in regione corruptionis, passionum, tenebrarum, ignorantiae, malorum amorum et odiorum.

**55,**1 agnus *iter*. P
**57,**1 Quod : Quid P || vel parentibus *om*. P
**61,**1 es[1] : ab *add*. P

---

**55** [1] *Lc* 10, 3.
**56** [1] *Lc* 18, 28.
[2] *Matth*. 16, 24. – « Hoc enim inter terrenum et caeleste aedificium distat, quod terrenum aedificium expensas colligendo construitur, caeleste vero aedificium expensas dispergendo. Ad illud sumptus facimus, si non habita colligamus. Ad istud sumptus facimus, si et habita relinquamus », S.

méchant étant mort dans son iniquité, celle-ci est devenue éternelle. Donc celui qui hait l'iniquité doit travailler à corriger le méchant, et ainsi périra l'iniquité.

**55.** Si tu dois être comme un agneau à l'égard des hommes les plus méchants [1], que dois-tu être envers Dieu quand il te corrige par quelque châtiment ?

**56.** Facile est la route qui mène à Dieu, car pour y avancer, il faut se décharger. Elle serait pénible s'il fallait se charger pour la parcourir. Dépose donc si bien ton fardeau qu'ayant tout abandonné [1], tu renonces à toi-même [2].

**57.** Ce que Dieu n'a pas aimé dans ses amis ou ses parents : pouvoir, noblesse, richesses, honneurs, ne l'aime pas non plus chez les tiens.

**58.** Un frère est plein de charité, de sagesse, et tu ne fraies pas avec lui. S'il est plein de colère, de haine, de fureur, tu ne peux éviter de communiquer avec lui. L'aliéné a besoin de gens sensés pour le garder ou le soigner.

**59.** Tu es placé comme une cible pour arrêter les traits [1] de l'ennemi, c'est-à-dire pour détruire le mal en lui opposant le bien. Et tu ne dois jamais rendre le mal pour le mal [2], sinon parfois pour guérir. Ce n'est plus alors rendre le mal pour le mal, mais mieux : le bien pour le mal.

*

**60.** Pièges, ce que tu manges, bois, revêts, dors. Tout est piège [1].

**61.** Tu es en exil par l'amour, la volupté, le sentiment, mais non par le pays. Tu es exilé dans une région de corruption, de

GRÉGOIRE, *Homilia 37 in Evang.*, *PL* 76, 1277. Se lisait au rite cartusien dans la 1re leçon d'un Confesseur non Pontife.

**59** [1] *Lam.* 3, 12.      [2] *I Thess.* 5, 15.

**60** [1] *Ps.* 123, 7. — « Memento quia in medio laquearum ambulas... », S. JÉRÔME, *Ep.* 22, *Ad Eustochium*, n° 29, *PL* 22, 415. — « Multi enim laquei quacumque progredimur... laquei,... laquei », S. AMBROISE, *Expositio in Lucam*, Lib. IV, n° 10, *PL* 15, 1615 ; *SC* 45, p. 154.

**62.** Vide quanta turba generis tui pro mundo laboraverit, et non solum non sunt adepti, sed insuper se ipsos amiserunt. Tu autem, si studueris, plus adquires sine ulla comparatione, quam est id propter quod omnes laborant aut laboraverunt.

**63.** Si carnem custodias, anima quoque perit. Si vero animam, utrumque servatur.

*

**64.** Angelorum virtus est vivere cum vitiosis, nec eorum corrumpi vitiis.

Summorum est medicorum, degere cum aegris et insanis, et non solum minime corrumpi, sed salutem eis restituere.

**65.** Qui mundum amant, artem qua id quod amant assequantur vel fruantur, laboriose ediscunt. Tu Deum vis assequi, et artem qua adquiritur, id est retribuere bonum pro malo, contemnis ?

**66.** Aut hinc recede, aut propter quod hic positus es age : id est medere, patere.

**67.** Aut pone in his spem tuam totam, si audes, ac te ita contemnis ; aut omnino desiste ab eis. Cur enim pendes in medio ? Cur amatur id aut delectat, quod difficile est adquirere, impossibile conservare, cui non audes confidere, aut
5 secure diligere ?

**68.** Qui se vilem esse novit, vituperationes suas tanquam suas sententias quietus et humilis suscipit, laudes vero respuit, tanquam non suas sententias.

**69.** Vide quomodo sis quasi in bello. Sitis torret, opponis potum ; fames cruciat, opponis escas ; frigori, vestes aut

---

**66**,1 propter : id *add.* P
**67**,3 id *om.* P ‖ *ante* quod *add.* id P
**69**,1 sis : scis, id est sis P

---

**62** [1] *Matth.* 16, 26.       [2] Voir note « Nil tibi laboriosius », p. 321.
**65** [1] *Ps.* 34, 12 ; 37, 21.

passions, de ténèbres, d'ignorance, d'amours mauvaises et de haines.

**62.** Vois combien grandes sont les foules de tes semblables qui ont travaillé pour le monde, et non seulement n'y ont rien acquis, mais se sont en outre perdus eux-mêmes [1]. Mais toi, si tu fais effort, tu pourras acquérir beaucoup plus sans comparaison que l'objet de tous leurs labeurs présents et passés [2].

**63.** Si tu gardes ton corps, ton âme aussi périt. Mais si tu préserves ton âme, l'un et l'autre seront sauvés.

\*

**64.** C'est vertu angélique de vivre avec des vicieux sans être corrompu par leurs vices.

C'est le propre des plus grands médecins de vivre avec des malades et des fous, et non seulement de ne pas se laisser contaminer, mais de leur rendre la santé.

**65.** Ceux qui aiment le monde apprennent à grand labeur l'art d'atteindre l'objet de leur amour et d'en jouir. Toi, tu veux atteindre Dieu et tu dédaignes l'art par lequel on l'acquiert, c'est-à-dire de rendre le bien pour le mal [1].

**66.** Ou retire-toi d'ici, ou fais ce pour quoi tu as été placé ici, c'est-à-dire : soigne, souffre.

**67.** Ou place dans les réalités d'ici-bas tout ton espoir [1], si tu l'oses ; et ainsi tu te méprises ; ou éloigne-toi entièrement d'elles. Pourquoi demeures-tu en suspens entre deux ? Pourquoi aimer et trouver agréable ce qu'il est difficile d'acquérir, impossible de garder, ce à quoi tu n'oses pas te fier ou donner ton amour en sécurité ?

**68.** Qui se sait vil accueille, tranquille et humble, les reproches comme des sentences qui lui reviennent ; mais il repousse les louanges comme n'étant pas des sentences qu'il mérite.

**69.** Vois : tu es pour ainsi dire en guerre. La soif te dessèche, tu lui opposes la boisson ; la faim te fait souffrir, tu lui

---

**67** [1] *Ps.* 72, 28 ; 77, 7.

ignem ; morbis, medicinam. Contra haec omnia opus est
patientia et mundi contemptu, ne alio bello quod hinc surgit
5 supereris, catervis videlicet vitiorum.

**70.** Omnia vitia et peccata, quia propter creaturam fiunt,
id est propter ultimum bonum, bonitati creatoris attestantur, id
est summo bono.

**71.** Si tantum appetitur ventus generis nostri, id est opinio
vel laus, quantum appetenda est salus generis nostri, id est
creator ?

**72.** Si tam dulce est dici bonum, ut etiam qui hoc esse
nolunt, mali, hinc gaudeant, quanto est dulcius esse.

Et si tam amarum et foedum est dici malum, ut etiam qui
laetantur cum male fecerint et exultant in rebus pessimis hoc
5 nequeant tolerare, quanto est deterius esse ?

**73.** Appetit aliquid creatum homo, vel inhaeret ei sensu
corporis, et sui obliviscitur. Quando tu ita ad creatorem ?

**74.** Vide omnia pro quibus de te diabolus potest exclamare : « Euge, euge. »

**75.** Beatitudinem tibi praecipit Dominus, id est perfectum
amorem sui, unde venit non turbari nec formidare, id est pax
et securitas.

**76.** Quandoquidem sola voluptate caperis, sola delectabilia
sunt cavenda. Nusquam ergo secura anima christiana, nisi in
adversis.

**77.** Haec redemptio nostra : dimissio peccatorum, illuminatio, accensio, immortalitas. Haec omnia Deus noster nobis.

**78.** Pungunt te temporalia. Cur ergo non fugis ad alia, id
est ad veritatem ?

**69**,5 videlicet : scilicet MTBP
**72**,1 hoc etiam qui esse P
**75**,1 praecipit : praecepit M
**78**,1 non fugis om. P

---

**72** [1] *Prov.* 2, 14.
**74** [1] *Ps.* 34, 21 ; 34, 25 ; 39, 16 ; 69, 4. — S. AUGUSTIN, *Sermo 274*,
*PL* 38, 1253. Ce sermon était lu pour la fête de saint Vincent.

opposes les aliments ; au froid, les vêtements ou le feu ; aux maladies, la médecine. Contre tous ces maux, il est besoin de patience et de mépris du monde, pour ne pas être vaincu par une autre guerre qui surgit de là, celle des armées des vices.

**70.** Tous les vices et péchés, étant causés par la créature, c'est-à-dire le dernier des biens, rendent témoignage à la bonté du Créateur, le Bien Suprême.

**71.** Si le vent de la faveur du genre humain, c'est-à-dire la renommée ou la louange, sont tant désirées, combien plus faut-il désirer le Créateur, salut de notre genre humain.

**72.** S'il est tellement agréable de s'entendre dire bon, au point que ceux qui ne veulent pas l'être, les méchants, s'en réjouissent, combien est-il plus agréable de l'être de fait.

Et s'il est tellement amer et odieux de s'entendre dire mauvais, au point que ceux-là mêmes ne peuvent le tolérer, qui se réjouissent de faire le mal et exultent dans les pires perversités [1], combien est-il plus détestable de l'être de fait.

**73.** L'homme désire ardemment un objet créé ou s'y attache par les sens de son corps, jusqu'à l'oubli de soi. Quand feras-tu de même pour ton Créateur ?

**74.** Vois tout ce pour quoi le diable peut s'écrier à ton sujet : « Bravo, bravo [1]. »

**75.** Dieu t'a prescrit la béatitude, c'est-à-dire un parfait amour de lui, grâce auquel disparaissent trouble et crainte : de là, paix et sécurité [1].

**76.** Puisque la volupté seule te captive, seuls sont à éviter les biens délectables. L'âme chrétienne n'est donc nulle part en sûreté, sinon dans l'adversité.

**77.** Voici notre rédemption [1] : rejet des péchés, illumination, embrasement, immortalité. Tout cela, notre Dieu l'est pour nous.

**78.** Les biens temporels t'inquiètent. Pourquoi donc ne fuis-tu pas vers les autres, c'est-à-dire vers la Vérité ?

**75** [1] *Jn* 14, 27.
**77** [1] *Lc* 21, 28.

**79.** Quantum diligis te, id est hanc vitam temporalem, tantum diligas transitoria sine quibus esse non potes, necesse est. Et quantum spernis hanc vitam, tantum et eius fomenta.

**80.** Numquid ira beatitudo est ? Nonne miseria ?

**81.** Aliquando malum displicet, sine mercede boni. Velut si duo velint, in domo una, propriam superbe exercere voluntatem. Uterque malum vult. Horum si alterutrum sibi displiceant voluntates, non odio superbiae fit, sed amore. Odit enim
5  illius superbiam hic qui amat suam, quae impeditur ab illo. Hic laqueus est valde occultus.

**82.** De his quae diligis, fecit tibi Deus virgas. Prospera fugiendo, aspera irruendo cruciant.

Omnia flagellum sunt, praeter ipse.

Qui flagellum destruit, quasi filius est qui virgas patris
5  verberantis frangit.

*

**83.** Novit vera caritas Deum.

**84.** Quanto quaeque creatura nobilior est et potentior, tanto libentius subditur veritati. Imo hinc potens ac nobilior, quia subditur ei.

**85.** Grave tibi est, hoc vel illud amisisse. Ne quaeras ergo amittere. Quaerit enim amittere, quisquis ea diligit et adquirit, quae retineri non valent.

**86.** Nemo iratus beatus. Et e converso.

*

**87.** Insulta cuilibet meretrici, si audes.

---

**81**,4 odio : odium G ‖ 6 Hic : Hinc P
**82**,3 ipse : ipsum T
**84**,2 ac : et MTBP

---

**82** [1] *Prov.* 13, 24 ; *Sir.* 30, 1.
**83** [1] *I Jn* 4, 7-8.

**79.** Autant tu t'aimes toi-même, c'est-à-dire cette vie temporelle, autant il t'est nécessaire d'aimer les biens passagers sans lesquels tu ne peux subsister. Mais autant tu méprises cette vie, autant tu méprises ce qui l'entretient.

**80.** La colère est-elle un bonheur ? N'est-elle pas plutôt le malheur ?

**81.** Parfois le mal déplaît, sans la compensation du bien. Comme si, dans une seule maison, deux hommes voulaient faire régner, par orgueil, leur propre volonté. Tous deux veulent un mal. Si leurs volontés se déplaisent réciproquement, ce n'est pas par haine de l'orgueil, mais pour son amour. Car celui qui aime son orgueil a en haine celui de l'autre, qui contrarie le sien. Voilà un piège bien caché !

**82.** Dieu a fait pour toi des verges des choses que tu aimes. La prospérité fait souffrir quand elle s'enfuit, l'épreuve quand elle survient.

Tout est fouet, sauf Dieu lui-même.

Qui détruit le fouet ressemble au fils qui brise les verges avec lesquelles son père le frappe [1].

\*

**83.** La vraie charité connaît Dieu [1].

**84.** Plus une créature est noble et puissante, plus volontiers elle se soumet à la vérité. Bien plus, elle est puissante et noble parce qu'elle s'y soumet.

**85.** Il t'est pénible d'avoir perdu ceci ou cela. Ne cherche donc pas à perdre. C'est chercher à perdre, en effet, que d'aimer et d'acquérir ce qui ne peut être conservé.

**86.** Nul homme irrité n'est heureux. Et inversement.

\*

**87.** Insulte la première pécheresse venue, si tu l'oses [1].

**87** [1] *Jn* 8, 7.

**88.** Hoc semper intuendum, quid fiat in animo tuo ; nec quid sive boni sive mali alii faciant, sed quid tu de ipsis eorum factis facias. Quomodo scilicet utaris bonis ac malis eorum, quantumque ex eis proficias, sive favendo et adiu-
5 vando, sive compatiendo et emendando. Tunc enim de omnibus factis hominum bene operaris cum nullis eorum beneficiis illiceris ad favorem, nullis malefactis deterreris ab amore. Tunc enim gratis amas. Non enim est ullius meriti pacem habere, nisi cum his qui eam nobiscum non habent.

**89.** Deus caritas est. Qui ergo caritatem exhibet alicui, nisi propter ipsam, Deum vendit, beatitudinem suam vendit. Non enim bene est illi, nisi amando.

**90.** Si caritas et eius signa, alacritas vultus et caetera, ita tibi placent in alio, cur non in animo tuo multo dulcior est ?

\*

**91.** Liberis liberatore opus non est.

**92.** Vide, quot modis scientia cruciet hominem.

**93.** De hominibus, Dei, non de Deo, hominum, facienda voluntas est.

**94.** Bonum est tibi amari a sanctis, imo ipsis quamprimum hoc expedit. Ipsi enim te amando sentiunt caritatem quae Deus est. Ipsa itaque dilectio, fit praemium sui.

**95.** Quid habet erga te veritas ? Pietatem. Hanc habe tu ad omnes.

---

**88,**2 sive mali sive boni P ‖ faciant alii MTBP ‖ 2-3 ipsis eorum *om.* P ‖ 4 et : sive P
**92,**1 quot : quo M
**94,**2 hoc *om.* P
**95,**1 te veritas *om.* P

---

**88** [1] *Ps.* 119, 7.

**88.** Considère sans cesse ce qui se passe en toi, et non pas ce que le prochain fait de bien ou de mal, mais ce que tu fais de leurs actions. Comment uses-tu de leurs biens et de leurs maux, et quels progrès en tires-tu, par ton approbation et ton aide, ou par ta compassion et ta correction ? Alors, en effet, tu agis bien à l'égard de toutes les actions des hommes, quand aucun de leurs bienfaits ne séduit ta faveur, aucun de leurs méfaits ne te détourne de les aimer. Alors, en effet, ton amour est gratuit. Il n'y a aucun mérite à garder la paix, sinon avec ceux qui ne la gardent pas avec nous [1].

**89.** « Dieu est amour [1]. » Donc celui qui témoigne de l'amour à autrui, s'il ne le fait pas pour l'amour lui-même, vend Dieu, vend son bonheur. Car il n'y a pour lui de bonheur qu'en aimant.

**90.** Si l'amour et ses signes, l'allégresse du visage et le reste te plaisent tant chez un autre, pourquoi ne t'est-il pas beaucoup plus doux encore dans ton propre esprit ?

*

**91.** L'homme libre n'a pas besoin de libérateur [1].

**92.** Vois de combien de manières la science fait souffrir l'homme [1].

**93.** A l'égard des hommes, fais la volonté de Dieu, et non à l'égard de Dieu celle des hommes.

**94.** Il t'est bon d'être aimé des saints ; bien plus, cela leur est immédiatement utile. En t'aimant, ils font l'expérience de l'amour qui est Dieu [1]. Ainsi l'amour devient à lui-même sa propre récompense.

**95.** Qu'éprouve pour toi la Vérité ? De la bonté. Aie toi aussi de la bonté pour tous.

---

89 [1] *I Jn* 4, 8.
91 [1] Voir note « Liberté », p. 312.
92 [1] *Eccl.* 1, 18 ; *Gen.* 2, 17.
94 [1] *I Jn* 4, 8.

**96.** Cuius magis miserandum est, innocentis occisi, an occisoris eius ? Hic vitam temporalem, quam sponte contemnere debuit, amisit, ille sempiternam.

**97.** Hic stultus, id est homo inimicus, ille callidus, diabolus scilicet, qui per hunc te impugnat. Circa hunc blandus ut eum liberes esto, contra illum cautus.

*

**98.** Quid est utilitas ? Veritas. Quae, quia delectat optimos angelorum et hominum, super omnia esse convincitur.

**99.** Avellanae et mora habent in se ipsis unde appetantur ; et veritas et pax non ?

**100.** Quod defectus, debilitas, pruritus, dolor, aliquid determinare exigunt ad pacem : consuetudo facit. Id enim exigunt, quod tu eis exhibere consuesti : innixa super dilectum suum.

*

**101.** Non precatur hostes Dominus ut eum dimittant, sed Patrem ; non est enim potestas nisi a Deo.

**102.** Quicquid fiat tibi, dum modo animus tuus nec irae nec odii nec tristitiae nec metus motum incurrat, neque horum causam, in futuro saeculo nil nocebit.

*

**96**,1 magis *om.* P ‖ est *om.* MTBP
**97**,2-3 ut liberes eum blandus P
**100**,3 eis *om.* P
**101**,1 Dominus hostes MP ‖ 2 enim est P
**102**,2 neque horum : nec eorum MTBP

---

**97** [1] *Gen.* 3, 1.      [2] Voir note « Liberté », p. 312.      [3] *Matth.* 10, 16.
**99** [1] *Zach.* 8, 19.
[2] « Ad istum fructum contemplationis, cuncta officia referuntur actionis.

**96.** Qui faut-il plaindre davantage ? L'innocent tué, ou son meurtrier ? Le premier a perdu la vie temporelle qu'il devait mépriser de son propre gré, le second la vie éternelle.

**97.** Celui-ci est fou : l'homme ennemi ; celui-là est rusé [1], le diable, qui par le fou te combat. Envers le premier, sois affable, afin de le libérer [2] ; contre le second, sois sur tes gardes [3].

\*

**98.** Qu'est-ce que l'utilité ? La Vérité. Puisqu'elle charme les meilleurs des anges et des hommes, c'est la preuve qu'elle est au-dessus de tout.

**99.** Les noisettes et les mûres ont en elles ce qui les fait désirer. Et la vérité et la paix [1], non [2] ?

**100.** Une infirmité, une faiblesse, une démangeaison, une douleur t'obligent à faire quelque chose pour être en paix [1] : cela provient de l'habitude. Ces sollicitations réclament ce que tu t'es habitué à leur donner : elles s'appuient sur leur amant [2].

\*

**101.** Le Seigneur ne prie pas ses ennemis de le délivrer, mais il prie son Père [1]. Il n'est pas de pouvoir, en effet, qui ne vienne de Dieu [2].

**102.** Quoi qu'il t'arrive, du moment que ton esprit ne se laisse mouvoir ni par la colère, ni par la haine, ni par la tristesse ou la crainte, ni par la cause de ces maux, cela ne te causera aucun dommage dans le siècle futur.

\*

Solus est enim liber ; quia *propter se appetitur...* », S. AUGUSTIN, *Tractatus 101, in Ioannis Evang.*, par. 5, *PL* 35, 1895. Ce texte était lu au réfectoire, dans le rite cartusien, le 2e Dimanche après l'Octave de Pâques.

**100** [1] Voir note sur les souffrances, p. 324.    [2] *Cant.* 8, 5.

**101** [1] *Matth.* 26, 39 ; *Jn* 12, 27.    [2] *Rom.* 13, 1.

**103.** Omnis miseria in hoc est : omnes amant aliquid principaliter, ubi semper habent intentionem fixam. Tu vero quid ?

**104.** Ecce omnes, quasi thesauro invento, arreptis mundi partibus singuli singulis intendunt, aut certe inter plures scinduntur, ac si canis inter duo frusta carnis positus, ignoret cui potissimum appropinquet, alterum timens amittere.

**105.** Omnes putant bene degere. Unusquisque in suo sensu abundans, aut putat se agere quod sibi expedit, aut dolet non agere quod putat expedire. Et hic quoque qui dolet, expedire sibi putat ut doleat. Hi omnes falluntur.

**106.** Beatus qui eligit ubi secure laboret. Haec est autem secura electio et labor utilis, omnibus prodesse velle, ita ut tales esse velis eos, qui tuo non egeant auxilio. Tanto enim minus agunt quod expedit, quanto propriis utilitatibus viden-
5　　tur intendere. Haec est autem propria uniuscuiusque utilitas, omnibus velle prodesse. Hoc autem quis intelligat ?

Qui ergo propriam quaerit agere utilitatem, non solum nullam suam utilitatem invenit, sed etiam magnum animae suae damnum incurrit. Dum enim propriam quaerit, quae
10　　nulla esse potest, a communi repellitur, id est a Deo. Sicut enim omnium hominum una est natura, ita et utilitas.

*

**107.** Cum aliquis malum dicit de te, si non est ita, eidem nocet, non tibi. Ipse enim fallitur. Sicut si vocet aurum stercus, quid auro nocuit ? Si vero est quod de te dicitur malum, doceris quid caveas.

---

**103**,2 vero : autem MTBP
**105**,2 dolet : se *add.* MP
**106**,1 est *om.* MTB ‖ 3 velis esse P ‖ 6 omnibus *om.* P ‖ 9 damnum incurrit : incurrit detrimentum MP

---

**105** [1] *Rom.* 14, 5.
**106** [1] Voir note sur « prodesse », p. 320.　　　[2] *Matth.* 16, 26.
**107** [1] Voir note sur « prodesse ».

**103.** Toute misère consiste en ceci : tous aiment principale-
ment un objet sur lequel ils fixent sans cesse leur recherche. Et
toi, qu'aimes-tu ?

**104.** Voici : tous les hommes, comme s'ils avaient trouvé
un trésor, s'arrachent les diverses parties du monde et se
surveillent les uns les autres, ou à tout le moins sont tiraillés
entre plusieurs partis, comme le chien, placé entre deux
morceaux de viande, ne sait duquel approcher en premier, par
crainte de perdre l'autre.

**105.** Tous les hommes estiment bien employer leur vie :
chacun abonde dans son sens [1], ou pense faire ce qui lui
convient, ou se désole de ne pouvoir faire ce qu'il croit lui être
avantageux. Et même celui qui se désole estime utile pour lui
de se désoler. Ils se trompent tous.

**106.** Bienheureux celui qui fait choix d'un endroit où il peut
travailler en sécurité. Or c'est un choix sûr et un travail utile
de vouloir rendre service à tous [1], afin de les vouloir tels qu'ils
n'aient pas besoin de ton aide. Car ils font d'autant moins ce
qui convient qu'ils semblent rechercher davantage leur propre
intérêt. Or l'utilité propre de chacun est de vouloir rendre
service à tous. Mais qui comprendra cela ?

Donc celui qui cherche à travailler pour son propre intérêt,
non seulement ne trouve en aucune façon sa propre utilité,
mais encourt même un grand dommage pour son âme [2]. Car
tandis qu'il recherche sa propre utilité qui ne peut être que
nulle, il est rejeté par l'utilité commune, c'est-à-dire par Dieu.
De même, en effet, que tous les hommes ont une seule nature,
ils ont une seule utilité.

\*

**107.** Quelqu'un dit du mal de toi : si ce n'est pas vrai, il se
nuit à lui-même, non à toi [1]. Car il se trompe lui-même. Comme
s'il appelait or une ordure, en quoi cela nuirait-il à l'or ? Mais
si le mal qu'on dit de toi est bien tel, te voilà instruit de ce dont

Qui autem laudat quod est bonum, non ei quem laudat,
15 sed sibi ipsi prodest. Cum vero bonum tibi de te dicitur, utquid
rumores quos tu nosti melius, tibi narrantur ? Tu te solum
vitupera.

**108.** Si volunt ut ores pro aliquo, dicunt tibi : « Tam sanc-
tus est, tam bonus est. » Tanquam si adducatur ad medicum
aegrotus, dicaturque sibi : « Sana illum, medere ei, quia tam
sanus est. » An forte ideo dicitur, ut spem salutis eius inde
5 concipias ? Dicitur etiam : « Ora pro illo, quia bene fecit
tibi » : imo, quia male fecit mihi, quia tunc indiget. Non enim
est opus sanis medicus, sed male habentibus.

Et quia eris ex hoc Dei filius.

*

**109.** Turbatio animi stulta, ipsa est miseria. Haec fere semper fit in te, cum causas mortis tuae, id est ea quibus adhae-
rebas male, misericorditer corrumpit Deus, ut, ea deserens,
vivas.

**110.** Cur rapis in te id quod in alio displicet, id est iram ?
Irasceris ergo, quia ille irascitur. Imo iam tibi irascere, quia
tu irasceris. Si ira ipsa vere tibi displiceret, non admitteres
eam, sed fugeres. Quod fit, tantummodo tenendo pacem.

**111.** Aliquando ita tibi displicet ira, ut in odium ruas. Si
displicet ira illius, displiceat odium tuum.

**112.** Cum diceris iustus, quodam modo vituperaris, sicut
lignum auratum pro ornamento ostenditur. Non enim inaura-
retur, si per se ipsum satis fulgeret.

---

**107.**,5 laudat[1] *om.* P ‖ 6 ipsi sibi P ‖ 7 melius nosti MP
**108.**,6 indiget tunc P ‖ 8 Filius Dei P
**110.**,1 rapis : capis TB
**111.**,2 ira : illa P

---

**107**.[2] S. Augustin : *De sermone Domini in monte,* Lib. II, cap. 18,
*PL* 34, 1297, nº 62 : « Nisi forti... ».
**108**[1] *Matth.* 9, 12 ; *Lc* 5, 31.    [2] *Matth.* 5, 9.45.

tu dois te garder.

Quant à celui qui loue ce qui est bien, il ne rend pas service à celui qu'il loue, mais à lui-même. Et quand on te dit du bien de toi, à quoi bon te raconter des nouvelles que tu connais mieux que personne ? Toi, blâme-toi seul [2].

**108.** Si l'on veut te faire prier pour quelqu'un, on te dit : « Il est si saint, il est si bon ! » Comme si on conduit un malade au médecin en disant à celui-ci : « Soigne-le, guéris-le, car il se porte si bien ! » Mais peut-être te dit-on cela pour te faire concevoir l'espoir de son salut ? On dit aussi : « Prie pour lui, parce qu'il t'a fait du bien. » Mais bien davantage, si quelqu'un m'a fait du mal, car alors il en a besoin. En effet, « ce ne sont pas les bien portants qui ont besoin du médecin, mais les malades [1]. »

Et, ce faisant, tu seras un fils de Dieu [2].

*

**109.** Le trouble stupide de l'esprit : voilà la misère même. Celui-ci, presque toujours, s'élève en toi quand Dieu, par miséricorde, détruit les causes de ta mort, c'est-à-dire les biens auxquels tu étais attaché d'une manière mauvaise, afin qu'en les abandonnant, tu vives.

**110.** Pourquoi accueilles-tu en toi ce qui te déplaît chez les autres, la colère ? Tu t'irrites donc, parce qu'il s'irrite ! Bien plutôt, irrite-toi contre toi-même, pour t'être mis en colère. Si la colère elle-même te déplaisait vraiment, tu ne l'admettrais pas, tu la fuirais. Cela ne peut se faire qu'en gardant la paix.

**111.** Parfois la colère te déplaît à ce point que tu te précipites dans la haine. Si la colère de celui-là te déplaît, qu'il en soit de même pour ta haine.

**112.** Quand on te dit juste, d'une certaine façon on te blâme, comme on montre du bois doré en guise d'ornement. On ne le dorerait pas, en effet, s'il avait assez d'éclat par lui-même.

**113.** Non glorietur lacus quod abundet aqua ; de fonte enim est. Sic tu de pace. Semper enim aliud aliquid est causa pacis tuae. Tanto ergo infirmior et fallacior est pax tua, quanto mutabilius est id unde oritur. Quam vilis est ergo, cum ori-
5 tur ex iucunditate humanae faciei.

**114.** Tutus esse appetit omnis homo. Quod tanto minus est, quanto magis potest inquietari. Tanto autem magis potest inquietari, quanto sunt paratiora habere se aliter quam vult, ea quae diligit. Dicat ergo quilibet hominum tibi : « Ego tibi
5 malum faciam, ego tibi pacem auferam. Cogitabo quippe de te malum, aut dicam. » Ecce quam paratus est maestificari ac turbari.

**115.** Turbatio animi, ipsa est miseria. Haec autem fere semper fit in te, cum gladios quibus ab inimico tuo perimeris, idest ea quibus male inhaerebas, id est mutabilia bona, misericorditer tibi subtrahit Dominus.

**116.** Si confidis in pleno cellario, an non usurarii hoc faciunt ? An non est hoc, ydolum colere ? An quia cellarium non habet faciem et oculos ? Non autem nosti quantum confidis pleno, nisi cum depletur.

**117.** Qui dat aliquid alicui, vel quia dedit, vel quia daturus est aliquid, non habet a Deo gratiam. Sic tu de pace et dilectione.

**118.** Vitanda sunt delectabilia, cum de pruritibus vel aliis passionibus nostris ad pacem venire volumus, ne forte propter ipsas voluptates quas ibi experimur, perturbationes ipsas amare incipiamus.

---

**113**,4 est[1] *om.* MTBP ‖ est[2] *om.* MTBP
**114**,7 ac : et MTBP ‖ *post* turbari *add.* tanto pax tua turbatur et deicitur T *(in mg.),* B *(in textu)*
**115**,2 tuo *om.* MTBP
**117**,1 vel quia dedit *om.* TB
**118**,3 ibi : tibi P

**113.** Que le lac ne se glorifie pas de l'abondance de ses eaux : elles viennent de la source. De même toi, pour la paix. Toujours, en effet, quelque chose d'autre est cause de ta paix. Celle-ci est donc d'autant plus faible et trompeuse qu'est plus changeante la source dont elle naît. Par suite, combien est vile celle qui naît du charme d'un visage humain.

**114.** Tout homme désire être en sûreté. Il l'est d'autant moins qu'il peut davantage être inquiété. Or il peut d'autant plus être inquiété que les objets de ses amours sont davantage exposés à devenir autres qu'il ne les veut. Si donc un homme vient te dire : « Je te ferai du mal, je t'ôterai la paix ; oui, je penserai du mal de toi et j'en dirai », te voilà sur le point de t'attrister et de te troubler.

**115.** Le trouble de l'esprit est la misère même. Or ce trouble, presque toujours, naît en toi lorsque le Seigneur te soustrait par miséricorde les armes dont se sert ton ennemi pour te faire périr, c'est-à-dire les biens changeants auxquels tu étais attaché de manière mauvaise.

**116.** Tu mets ta confiance dans un cellier bien rempli. Les usuriers n'en font-ils pas autant ? N'est-ce pas adorer une idole ? Ou bien cela ne le serait-il pas parce que le cellier n'a ni visage, ni yeux ? Mais tu ne sais à quel point tu te confies en un cellier bien rempli, si ce n'est quand il se vide.

**117.** Qui fait un don à un homme parce qu'il en a reçu ou espère en recevoir un de lui, n'a pas la grâce de Dieu. Ainsi de toi, pour la paix et l'amour.

**118.** Quand nous voulons échapper aux démangeaisons ou à nos autres souffrances afin de parvenir à la paix, il nous faut éviter les biens délectables, de peur que pour le plaisir même que nous y éprouvons, nous commencions à aimer nos troubles eux-mêmes [1].

---

**118** [1] Voir note sur les souffrances, p. 324.

**119.** Blasphemas medicum, desperando aegrum. Tam facilis enim est eius sanitas, quanta illius in medendo potestas et benignitas.

**120.** Declinare a malo sola veritas novit, et solus eius amor potest. Non ergo localiter declinatur a malo.

**121.** Si haec in quibus confidis aut delectaris facerent hoc in se ipsis, irrideres tanquam stulta, imo lugeres tanquam perdita. Et si omnes ita insaniunt, numquid tibi bonum est insanire ?

**122.** Si te ipsum tam immundum toleras, cur non quemlibet alium ?

\*

**123.** Quot ea quae diligis casibus subiacent, totidem et animus tuus.

**124.** Prius, cogente corporis cruciatu, admisisti mundum ; nunc autem delectat ipse cruciatus, ut sentias et fruaris mundo.

**125.** Ideo ultra omnia adversa amara nobis est veritas, quia singulae adversitates, singulas aut plures oppugnant voluptates. Veritas autem, simul omnes calumniatur.

Si enim colores omnes et caetera quae per oculos sentiri possunt aut ab aliis sensibus corporis sis expertus, si rumores omnes aut recitares aut audires, quae utilitas ? Sic nec in tantis quae expertus es, vel audisti.

---

**119**,2 eius est MTBP ‖ 3 et : atque MTBP
**121**,3 ita omnes MP ‖ bonum est tibi B
**122**,1 tam : tamquam MTBP ‖ 2 alium : alterum P
**125**,4 omnes *om.* P ‖ 7 es : est P

---

**120** [1] *Ps.* 36, 27.
[2] Cf. S. AUGUSTIN : « Non corpore creditur... » et « Non enim ad Christum

**119.** Tu blasphèmes le médecin quand tu désespères du malade. Car la guérison de celui-ci est d'autant plus facile que sont grands, chez le médecin, le pouvoir de guérir et la bonté.

**120.** Seule la Vérité sait se détourner du mal [1], et seul le peut l'amour de la Vérité. Ce n'est donc pas en changeant de lieu qu'on se détourne du mal [2].

**121.** Si les objets auxquels tu te fies ou bien tu trouves du charme faisaient cela à l'égard d'eux-mêmes, tu te moquerais de leur sottise ; davantage, tu pleurerais comme de leur perte. Et si tous sont à ce point insensés, est-ce un bien pour toi de déraisonner ?

**122.** Si tu te tolères si impur, pourquoi pas n'importe quel autre ?

*

**123.** Autant d'accidents auxquels sont sujets les objets que tu aimes, autant ton esprit aussi.

**124.** Tout d'abord, contraint par la souffrance corporelle, tu as admis le monde ; mais maintenant tu te délectes dans cette souffrance même, afin de goûter le monde et d'en jouir.

**125.** La vérité nous est plus amère [1] que toutes les adversités, car chaque adversité s'oppose à une ou plusieurs jouissances, tandis que la vérité s'oppose à toutes ensemble.

Aurais-tu, en effet, perçu toutes les couleurs et tout le reste que les yeux ou les autres sens du corps peuvent sentir, pourrais-tu raconter ou entendre toutes les nouvelles, quelle utilité ? Ainsi en va-t-il de tout ce que tu as effectivement perçu ou entendu, si grand soit-il.

ambulando accedimus... », *Tractatus in Ioannem*, XXVI, 2, *PL* 35, 1607 ; et XXVI, 3, *PL* 35, 1608.

**125** [1] « Ita se natura habet, ut amara sit veritas... » S. JÉRÔME, *Ep.* 40, n° 1, *PL* 22, 473. — Item : « Quamdiu blanditur iniquitas et dulcis est iniquitas, amara est veritas », S. AUGUSTIN, *Sermo* 153, n° 10, *De verbis Apostoli ad Romanos*, 7, 5, *PL* 38, 830.

**126.** Nisi sint morbi, ad quid medicus ? Nisi adversa, ad quid fortes et patientes ? Nisi reatus, ad quid intercessores ? Nisi stultitiae, ad quid doctores ? Nisi egestates, ad quid ministri ?

5 At tu medereris, si non essent quibus, id est aegri ? Patereris, si non essent quae, id est adversa ? Intercederes, si non essent pro quibus, id est rei ? Doceres, si non essent qui, id est stulti ? Ministrares, si non essent quibus, id est egentes ?

O praepostere. Quid enim aliud ? Comederes, si non esset 10 fames ? biberes, si non esset sitis ? calefaceres te, si non esset frigus ? umbram peteres, si non esset aestus ? Omnia perverse.

\*

**127.** Neminem odisse potes, nisi tua iniquitate. Nam etiam iniquis optare bonum, sanctorum est.

**128.** Veritatem tantum, et pacem quae ex ea procedit, amare oportet.

**129.** Magnorum est pro confitentibus intercedere, ut eis ignoscatur. Maiorum autem, pro his etiam supplicare benigne, qui nondum suum recognoscunt reatum, ut cognoscant. Et pro his qui, aut quia erubescunt, aut quia amant reatum 5 suum, non confitentur, ut confiteantur.

**130.** Quanto vicinior es amori huius vitae, et rebus ad eam pertinentibus, tanto vicinior es iniquitati.

**131.** Si auferantur haec emplastra, id est vestes et caetera, tunc videbis utrum sanus sis.

**132.** Beatitudinem oportet esse sentientem sive intelligentem, ut ei propter se ipsam referre gratias possit qui beatificatur. Quis autem gratias agere aut placere studeat rei non intelligenti ?

---

**126**,2 fortes : forte T ‖ 7 essent[2] : esset G ‖ 8 egentes : gentes P
**127**,1 etiam *om.* P
**128**,1 ex : ad P
**129**,3 recognoscunt : cognoscunt P
**130**,2 es *om.* MTBP

**126.** A quoi bon le médecin, s'il n'y avait pas de maladies ? A quoi bon les forts et les patients, s'il n'y avait pas d'adversités ? Pourquoi les intercesseurs, s'il n'y avait pas de fautes ? Pourquoi les docteurs, s'il n'y avait pas de sottises ? A quoi bon ceux qui secourent, s'il n'y avait pas de pauvres ?

Et toi, soignerais-tu, s'il n'y avait personne à soigner, pas de malades ? Souffrirais-tu, s'il n'y avait pas de malheurs ? Intercéderais-tu, s'il n'y avait personne pour qui le faire, pas d'accusés ? Enseignerais-tu, s'il n'y avait personne à instruire, pas d'ignorants ? Pourrais-tu servir, s'il n'y avait personne à secourir, aucun indigent ?

Ô homme absurde ! Et quoi encore ? Mangerais-tu, sans la faim ? Boirais-tu, sans la soif ? Te chaufferais-tu, sans le froid ? Rechercherais-tu l'ombre, sans la chaleur ? Tout est à contresens !

\*

**127.** Tu ne peux haïr personne, si ce n'est par suite de ton iniquité. Car, souhaiter le bien, même aux méchants, est le propre des saints.

**128.** Il faut aimer la seule Vérité et la paix qui en procède.

**129.** C'est le propre des grandes âmes d'intercéder pour ceux qui s'avouent coupables, afin qu'il leur soit pardonné. C'est le propre des plus grandes âmes de supplier avec bonté pour ceux qui ne reconnaissent pas encore leur faute, afin qu'ils la reconnaissent, et pour ceux aussi qui n'avouent pas, soit par honte, soit par amour de leur faute, afin qu'ils l'avouent.

**130.** Plus tu es proche de l'amour de cette vie et de tout ce qui s'y rapporte, plus tu es proche de l'iniquité.

**131.** Enlève tous ces emplâtres, les vêtements et tout le reste : tu verras alors si tu es vraiment sain.

**132.** La béatitude doit être douée de sentiment et d'intelligence. Ainsi celui qui est béatifié pourra lui rendre grâces pour elle-même. Qui, en effet, ferait effort pour rendre grâces ou plaire à un objet sans intelligence ?

**133.** O qui eligitis patrem aut medicum, hoc vobis consulo. Talem eligite, cuius animum nec morbi nec aliud quid avertat a vobis.

**134.** Quod solum tibi a Deo exhiberi desideras, id est benignitatem, hanc omnibus hominibus exhibe, sive flagello, sive lenitate.

**135.** Quid insultas caecis et infirmis tu id ipsum, aut, si aliud, non per te ipsum aut a te ipso ?

*

**136.** Cogita si omnes homines ira semper et insania agerentur, quid tibi agendum esset. Numquid ideo turbari deberes ? Cur ergo, cum unus aliquando turbatur, turbaris ? Medicinam ei debes, non turbationem. Quomodo enim insania
5 insaniendo curari potest ?

**137.** Alia pax est eius qui ex toto superavit adversa, alia eius qui fugit, aut fugisse se putat. Tu non exultas quia viceris aut evaseris, sed aut victus, aut non longe a victo.

**138.** « Non veni ut iudicem mundum, sed ut salvum faciam », id est : non veni in reos quam meruerunt sententiam damnationis exercere, sed quomodo eam vitare possint misericorditer ostendere.

**139.** Cur tibi tui generis placent cruciatus ? An quia iustum est ? Ergo et tui Deo placeant, quia iustum est. Haec autem sententia, ignibus te tradit aeternis.

Cum enim morte plectendus iudicatur qui gallinam occidit,
5 cui poenae subicitur, qui hominem ?

---

**133,**1 aut : vel P ‖ 2 avertat : advertat P
**134,**2 hominibus *om.* MP
**136,**4 ei : illi MTBP
**138,**3 vitare eam P

---

**138** [1] *Jn* 12, 47.

**133.** Ô vous qui avez à élire un père ou un médecin, je vous donne ce conseil : choisissez-le tel que ni la maladie, ni rien d'autre ne détourne son esprit de vous.

**134.** Cela seul que tu désires de Dieu pour toi, la bonté, témoigne-le à tous les hommes, soit par le châtiment, soit par la douceur.

**135.** Pourquoi insultes-tu des aveugles et des malades, toi qui es comme eux ? Ou bien, si tu es différent, tu ne l'es ni par toi-même, ni de toi-même.

*

**136.** Réfléchis : si tous les hommes étaient toujours conduits par la colère et la folie, que devrais-tu faire ? Devrais-tu te troubler pour cela ? Pourquoi donc te troubles-tu quand un seul perd son calme ? Tu lui dois un remède, et non pas de l'agitation. Comment la folie pourrait-elle guérir la folie ?

**137.** Autre est la paix de celui qui a totalement surmonté l'adversité, autre la paix de celui qui a fui ou croit avoir fui. Toi, tu ne te réjouis pas d'avoir vaincu ou échappé, mais d'avoir été vaincu ou presque.

**138.** « Je ne suis pas venu pour juger le monde, mais pour le sauver [1]. » Cela veut dire : je ne suis pas venu exécuter sur les coupables une sentence méritée de condamnation, mais leur montrer avec miséricorde comment ils pourraient l'éviter.

**139.** Pourquoi te plaisent les souffrances de tes semblables ? Serait-ce parce que c'est justice ? Les tiennes devraient donc plaire à Dieu, puisque c'est justice. Mais pareil jugement te livre aux flammes éternelles [1].

Si en effet celui qui a tué une poule a été jugé digne de la peine de mort, quelle peine encourt l'homicide ?

---

**139** [1] *Matth.* 18, 8 ; 25, 41.

**140.** Si amas tantum, si ipso amore cogeris, obiurga, verbera. Si aliter facis, te ipsum condemnas. Omnia eo animo quo tibi vis a Deo fieri, facito aliis.

**141.** Non sint temporalia causa pacis tuae : tam vilis enim ac tam fragilis erit quam illa. Haec pax tibi communis est cum brutis ; tua sit cum angelis, id est quae de veritate procedit.

**142.** Noli homines repellere ; sed repelle ab eis quod te iure offendit, id est vitium. Et hoc amore ipsorum. Sicut vis tibi. Non enim natura ipsa humana, sed vitia eam deterentia te offendunt. Cur stimulas cruenta vulnera tui generis, nisi ut
5    sanes ? Sicut tua.

Non quid alii faciant, sed quid tu. Ille enim omnibus utilis est, qui non tam quid alii, quam quid ipse de illis vel eorum operibus agat attendit, sive bona sint sive mala. Nam de utrisque bonum facere potes, ac multo praeclarius et sin-
10    gularius de malis.

Quod si malos respuis, a te ipso incipe. Mali autem et boni materia sunt unde bene faciat iustus, istis congaudens, illis compatiens.

**143.** Corpus a validioribus victum, aut impellitur, aut attrahitur. Similiter voluntas. Tu vero non quid corpus vincendo moveat, sed mentem ac voluntatem cura.

*

**144.** Propter pacem omnia facis ; ad quam iter est per solam veritatem, quae est adversarius tuus in hac via. Ergo aut illam tibi, aut te illi subice. Non enim aliud tibi restat.

**142**,6 faciant : attendas *add.* P
**143**,2 Similiter : et *add.* MTBP ‖ 3 ac : et MTBP
**144**,2 via : vita P ‖ 3 subice illi MTBP

---

**140** [1] *Matth.* 7, 12.
**144** [1] *Matth.* 5, 25.

**140.** Si c'est seulement par amour, si tu n'es contraint que par l'amour même, réprimande, frappe. Si tu le fais pour un autre motif, tu te condamnes toi-même. Agis en tout à l'égard des autres selon l'esprit même que tu veux voir en Dieu à ton égard [1].

**141.** Que les biens temporels ne soient pas cause de ta paix ; aussi vile en effet sera-t-elle, et aussi fragile qu'eux. Pareille paix t'est commune avec les bêtes. Que la tienne te soit commune avec les anges : celle qui procède de la Vérité.

**142.** Ne repousse pas les hommes, mais chasse loin d'eux ce qui t'offense à bon droit : le vice. Et cela par amour pour eux. Comme tu le veux pour toi. Car ce n'est pas la nature humaine elle-même qui te choque, mais les vices qui l'affaiblissent. Pourquoi avives-tu les plaies sanglantes de tes semblables, sinon pour les guérir ? Comme les tiennes.

Non pas ce que font les autres, mais ce que toi, tu fais ; car celui-là est utile à tous, qui est attentif, non pas tant à ce que font les autres, mais à ce qu'il fait, lui, d'eux-mêmes ou de leurs actions bonnes ou mauvaises. Des unes et des autres, tu peux faire l'occasion d'un bien, et beaucoup plus merveilleux et remarquable des mauvaises.

Mais si tu rejettes les hommes mauvais, commence par toi-même. Car les mauvais et les bons sont la matière dont se sert le juste pour bien agir, se réjouissant avec ceux-ci, ayant compassion pour ceux-là.

**143.** Le corps, vaincu par des forces plus puissantes, est poussé ou attiré. De même la volonté. Pour toi, prends garde à ce qui peut mouvoir et vaincre, non ton corps, mais ton esprit et ta volonté.

\*

**144.** Tu fais tout pour avoir la paix, vers laquelle il n'est d'autre voie que la seule Vérité ; et celle-ci est ton adversaire sur ce chemin [1]. Soumets-la donc à toi, ou soumets-toi à elle. Car il ne te reste rien d'autre à faire.

**145.** Quicquid ob pacem et beatitudinem tenueras et amaveras contemne, nisi pacem ac beatitudinem vis omnino perdere.

**146.** Doles, quia tibi non obeditur. O pudor, ubi es ? Ideo creavit Deus hominem, ut tibi subiectus obediret, et non potius sibi, id est Deo ?

**147.** « Turbaris, quia ego turbatus sum. Turbatus turbatum reprehendit. O pudor. Loripedem rectus derideat, Ethiopem albus. Ego quidem corrigar, nec amplius hoc malum faciam. Tu autem quid facies de hoc tuo vitio, quo non solum mihi
5 mederi non vales, sed nec ferre saltem potes ? »

**148.** Ancillam diligis turpiter, id est creaturam ; ideo tantummodo cruciaris, cum dominus eius, id est Deus tuus, agit de ea quod bene vult.

**149.** Uni ex syllabis magni carminis adhaesisti ; ideo turbaris, cum canendo procedit cantor sapientissimus. Subtrahitur enim syllaba.tibi quam solam amabas, et succedunt aliae suo ordine. Non enim canit tibi soli, nec tuae voluntati, sed
5 suae. Quae autem succedunt syllabae, ob hoc tibi contrariae sunt, quia impellunt eam quam male amabas.

**150.** Naturalis est locus tuus, esse te socium utilem et amicum hominum, non superbum dominum. Age ergo omnia socia caritate, non superba dominatione.

**151.** Potanda est dilectio gratis, id est propter suam dulcedinem propriam, tanquam nectar suavissimum ; etiam si omnes insaniant, non vendenda ulla mercede. Nobis enim ipsis utilis est, nosque beat, quicquid alii faciant.

*

**145**,1 tenueras : tenueaas M ‖ 2 ac : et BP
**147**,3 malum hoc MP ‖ 5 saltem ferre MP
**148**,2 tantummodo : tantum P
**150**,3 superba : superbam P
**151**,1 est[1] : ergo add. MP ‖ 4 ipsis om. MTBP

**145** [1] Voir note « Liberté », p. 312.

**145.** Dédaigne tout ce que tu avais retenu et aimé en vue de la paix et de la béatitude, à moins que tu ne veuilles perdre tout à fait la paix et la béatitude [1].

**146.** Tu souffres, parce qu'on ne t'obéit pas. Ô honte, où es-tu ? Dieu a-t-il donc créé l'homme pour qu'il soit ton sujet et t'obéisse, et non plutôt à lui, Dieu ?

**147.** Tu es agité parce que je le suis. Le furieux reprend le furieux. Quelle honte ! Que le bien planté raille le cagneux, le blanc l'Éthiopien [1]. Pour moi, je me corrigerai et ne commettrai plus désormais ce méfait. Mais toi, que feras-tu de ton vice, avec lequel non seulement tu ne peux me guérir, mais que tu ne peux même pas supporter ?

**148.** Tu aimes honteusement la servante, c'est-à-dire la créature ; de là uniquement ton tourment, car son seigneur, c'est-à-dire ton Dieu, fait d'elle ce qu'il veut bien.

**149.** Tu t'es attaché à l'une des syllabes du grand poème. Aussi te voilà troublé quand le chantre très sage poursuit son chant. Car il t'a soustrait une syllabe, la seule que tu aimais, et les autres se succèdent selon leur ordre. Il ne chante pas, en effet, pour toi seul, ni à ta volonté, mais selon la sienne. Les syllabes suivantes te sont contraires, parce qu'elles poussent en avant celle que tu aimais de manière mauvaise [1].

**150.** Ta place naturelle est d'être pour les hommes un compagnon [1] utile et un ami, non un maître orgueilleux. Fais donc tout avec une charité amicale et non par orgueilleuse domination.

**151.** L'amour doit être bu gratuitement, pour sa propre douceur, comme un très délicieux nectar. Tous fussent-ils hors de leur sens, il ne faut le vendre à aucun prix. Car il nous est utile, il nous rend heureux, quoi que fassent les autres.

*

**147** [1] « Loripedem rectus derideat, Aethiopem albus », JUVÉNAL, *Satire* II, 23.

**149** [1] Voir note sur les syllabes, p. 314.

**150** [1] « Sit rector bene agentibus per humilitatem socius », S. GRÉGOIRE, *Liber regulae pastoralis*, IIa Pa., cap. 6, *PL* 77, 34.

**152.** Qui hoc amat quod amandum non est, miser et stultus, etiam si nunquam vel ipse vel illud pereat. Numquid enim ydolatra ob hoc tantum miser est, quia periturum est quod adorat ? Ergo non esset miser, si illud non periret. Certe manente ydolo, eius miserrimus est adorator, licet incolumis corpore, et temporalibus bonis plenus.

**153.** Non te faciunt adversa miserum, sed ostendunt et docent fuisse.

**154.** Prosperitates excaecant animum, tegendo et augendo miseriam, non auferendo.

**155.** Sapienter ac sine confusione dicitur : « Nix alba est, » quia verum est. Non autem minus verum est, mentiri eum qui dicit : « Nix nigra est. » Non minus ergo sapienter et inconfusibiliter dicitur : « Si enim recipis hoc quia verum est, nulli vero contradicas amplius. » Si enim placet hoc pomum quia dulce est, cur non omnia eumdem habentia saporem, similiter placeant ?

**156.** Tanquam luxuriosus et pravus filius in domo boni patris, vis esse in hoc mundo. Vis enim ut Deus et eius opera ad tuam pravam voluntatem inclinentur, eique serviant, non tu ad Dei voluntatem.

**157.** Nullam prorsus mutationem debes tibi desiderare, nisi tui, id est scientiae et voluntatis tuae. Aliarum vero rerum mutationes eisdem ipsis debes desiderare, si debes. Tibi prodesse possunt etiam aliena mala, si de illis agas quod agendum est.

**158.** Sicut radicum vel caeterarum rerum naturas, ita opinionis vel favoris, laudis vel vituperationis expende.

**159.** Amor uniuscuiusque hominis, communis est omnium. Singuli enim, omnes amare debent. Qui ergo hunc sibi specialiter exhiberi vult, raptor, et ideo reus contra omnes efficitur.

---

**152**,3 est[1] *om.* MTBP || 5 est *om.* MTB
**157**,2 vero *om.* P || 3 desiderare debes P
**159**,3 vult exhiberi P

**152.** Qui aime ce qui ne doit pas être aimé est un malheureux et un sot, même si lui-même et l'objet de son amour ne devaient jamais périr. L'idolâtre est-il misérable seulement parce que doit périr l'objet de son adoration ? Il ne serait donc pas misérable, si cet objet ne devait pas périr. Certainement, tant que subsiste l'idole, son adorateur est très misérable, serait-il même en bonne santé et comblé de biens temporels.

**153.** L'adversité ne te rend pas malheureux, mais elle manifeste et enseigne que tu l'as été.

**154.** Les succès aveuglent l'esprit : ils cachent la misère et l'accroissent, mais ils ne l'enlèvent pas.

**155.** On dit sagement et sans erreur : « La neige est blanche », car cela est vrai. Il n'est pas moins vrai que celui qui dit : « La neige est noire » est un menteur. N'est pas moins sage et sans erreur celui qui dit : « Si tu as reçu tel fait pour sa vérité, ne contredis plus désormais à aucune vérité. » Car, si te plaît ce fruit parce qu'il est savoureux, pourquoi tous les fruits ayant la même saveur ne te plairaient-ils pas de même ?

**156.** Tu veux être en ce monde comme un fils débauché et dépravé dans la maison de son père. Car tu veux que Dieu et ses œuvres s'inclinent devant ta volonté pervertie et la servent, mais non pas toi devant la volonté de Dieu.

**157.** Tu ne dois désirer pour toi absolument aucun changement, si ce n'est de toi-même, de ta connaissance et de ta volonté. Si tu dois désirer les changements des autres choses, ce ne peut être que pour elles. Les maux d'autrui peuvent aussi t'être utiles [1], si tu fais d'eux ce qu'il faut.

**158.** Autant que la nature des racines et des autres choses, pèse avec soin la nature de l'opinion ou de la faveur, de la louange ou de la critique.

**159.** L'amour de chacun appartient à tous, car chacun doit aimer tous les autres. Donc celui qui veut pour lui seul un témoignage de cet amour est un voleur et se rend coupable envers tous.

---

**157** [1] Voir note sur « prodesse », p. 320.

**160.** Si quis secatur aut uritur, clamat. Nil mirum. Patitur enim. Sic qui redarguitur. Tu vero qui hoc facis, cur moveris, nisi tantum illius compassione ?

**161.** Si bonum est affici temporalibus, bonum sit esse ipsa. Nulli talium invideas. Melior enim omnibus illis es.

*

**162.** Initium redeundi ad veritatem, displicere sibi in falsitate.

**163.** Minister veritatis, amet quod ministrat, et cui ministrat. Et cum id ipsum ab alio ministratur sibi, cum gratiarum actione suscipiat, tanquam id quod amat.

**164.** Caritas tibi sit causa dicendi veritatem, tanquam medendi. Quod si quis eam non recipit, aut compateris ei, aut non eum diligis, aut id quod spernit vile ducis. Tanquam si respuat aeger salubrem medicinam.

**165.** Veritatem sine fine pax sequitur, communis cum angelis. Mendacium, labor et dolor, communis cum diabolo.

**166.** Denique aurum aurum esse, sensisse non paenitebit unquam, sicut terram esse terram, quia verum est. Amandum vero quod amandum non est duxisse, vel sperandum in quo non est sperandum, difficile paenitebit, quia non est ita. Tamen tam plane errat, qui putat non amandum amandum, quam qui putat non aurum aurum. Illud tamen mortiferum est ; hoc autem, et si est error, non tamen multum noxius est. Et tamen quam multi timent illum errorem, et quam pauci istum.

**167.** Vide quomodo in spe diligere possis frumentum in herba, truncum gibbosum. Sic eos dilige, qui nondum boni sunt.

---

**164**,3 eum non P
**166**,3 duxisse : dixisse B || 6 aurum non MP || 7 tamen *om*.MTP

---

**165** ¹ *Ps.* 89, 10.          ² *Jn* 8, 44.

**160.** Celui qu'on opère ou qu'on brûle crie. Rien d'étonnant, car il souffre. De même celui qui reçoit des reproches. Mais toi qui les lui fais, pourquoi es-tu ému, si ce n'est seulement de compassion pour lui ?

**161.** S'il est bon d'aimer les biens temporels, qu'il soit bon d'être ces biens eux-mêmes. Toi, ne porte envie à aucun d'eux, car tu vaux mieux qu'eux tous.

*

**162.** Le début du retour à la vérité : se déplaire dans la fausseté.

**163.** Que le ministre de la vérité aime ce qu'il donne et celui à qui il donne. Et quand cette même vérité lui est administrée par un autre, qu'il la reçoive avec action de grâces, comme l'objet de son amour.

**164.** Que l'amour soit pour toi le motif de dire la vérité, comme de donner un remède. Mais si quelqu'un ne l'accepte pas, ou tu as compassion pour lui, ou tu ne l'aimes pas, ou tu tiens toi-même pour vil ce qu'il dédaigne. Comme un malade qui rejetterait une médecine salutaire.

**165.** La vérité est suivie d'une paix sans fin, commune avec les anges. Le mensonge est suivi de labeur et de douleur [1], communs avec le diable [2].

**166.** Enfin on ne regrettera jamais d'avoir reconnu que l'or est de l'or, comme la terre de la terre, car c'est vrai. Mais on regrettera difficilement d'avoir jugé aimable ce qui n'est pas digne d'amour, ou d'avoir espéré ce en quoi on ne peut placer l'espérance, parce que c'est faux. Pourtant celui qui croit pouvoir aimer ce qui ne doit pas l'être se trompe autant que celui qui prend pour de l'or ce qui ne l'est pas. La première erreur est cependant mortelle, la seconde, bien que réelle, n'est guère nuisible. Néanmoins combien de gens redoutent cette erreur-ci, combien peu celle-là.

**167.** Vois comment tu peux, à cause de leurs promesses, aimer le blé en herbe et l'arbre qui bourgeonne. Aime ainsi ceux qui ne sont pas encore bons.

**168.** Talis esto erga omnes, qualis erga te veritas extitit. Qualem te sustinuit et amavit, ut meliorem faceret, tales sustine et ama, ut meliores facias.

\*

**169.** Si iustam causam habes in placito, sufficiat tibi sola ipsa iustitia, nec quaeras aliquem esse de tua parte, nisi propter ipsum, aut propter adversarios ad eamdem iustitiam communicandam inclinandos, tanquam quos diligis. Qui iuste
5 iudicat, eorum utilitati servit, qui iniuste obtinebant. Ipsos enim reducit ad iustitiam.

**170.** Qui iustitiae adhaeret, sibi ipsi prodest, non ipsi. Non est enim ipsa tanquam defendenda, sed ad eius protectionem fugiendium, ne pereamus. Haec autem est magna iustitia, non se defendere.

**171.** Da mihi amorem aut timorem vacantem, si potes. Si quid miraris, pones invitus. Ignorantia mater est admirationis, et novitas.

**172.** Qui vult te laedere, armetur vita tua, id est veritate. Vita enim animae tuae est veritas. Ergo vulnerat te vita tua, quia mendacio te protegis.

**173.** Veritate utuntur homines ad nocendum tanquam gladio, quod bonum est, quia malum putant, tanquam malum

**169**,6 enim *om.* P
**170**,1 adhaeret : adhaerent P ‖ 3 est *om.* TB ‖ magna est MP

---

**170** [1] Voir note sur « prodesse », p. 320.

**171** [1] « Ipsa dilectio vacare non potest. Quid enim de quocumque homine etiam male operatur, nisi amor ? *Da mihi vacantem amorem et nihil operantem.* Flagitia, adulteria, facinora, luxurias omnes, nonne amor operatur ? Purge ergo amorem tuum », S. AUGUSTIN, *Enarratio in Ps.* 31, *PL* 36, 260.

[2] « Quem res plus nimio delectavere secundae, mutatae quatient ; *si quid mirabere, pones invitus...* », HORACE, *Ep.* I, 10.

**168.** Sois tel à l'égard de tous que la Vérité s'est montrée envers toi. Comme elle t'a soutenu et aimé pour te rendre meilleur, soutiens et aime les autres, afin de les rendre meilleurs.

*

**169.** Si, dans un procès, ta cause est juste, la seule justice elle-même doit te suffire. Ne cherche pas à rallier quelqu'un à ta cause, sinon pour l'incliner lui-même ou tes adversaires, tels des personnes que tu aimes, à communier à cette même justice. Qui juge avec justice rend service à ceux qui se trouvaient en injuste possession, car il les ramène à la justice.

**170.** Qui s'attache à la justice est utile à lui-même [1], non à elle. Car celle-ci n'a pas à être défendue elle-même, mais nous avons à nous réfugier sous sa protection pour ne pas périr. Mais voici la plus grande justice : ne pas se défendre.

**171.** Donne-moi un amour ou une crainte en repos [1], si tu le peux. Si tu es saisi d'admiration pour un objet, tu l'abandonnes à contre-cœur [2]. L'ignorance est mère de l'admiration ; de même la nouveauté [3].

**172.** Qui veut te blesser s'armera de ta propre vie, c'est-à-dire de la vérité. Car la vérité est la vie de ton âme [1] ; il te blesse donc au moyen de ta vie ; car tu fais du mensonge ta protection.

**173.** Le glaive de la vérité est un bien, mais les hommes s'en servent pour nuire, parce qu'ils le croient mauvais, et ils

[3] « Operantur ergo iam in terra ministri tui, non sicut in aquis infidelitatis annuntiando et loquendo per miracula et sacramenta et voces mysticas, ubi intenta sit *ignorantia mater admirationis* in timore occultorum signorum ; talis enim est introitus ad fidem filiis Adam oblitis tui, dum abscondent se a facie tua et fiunt abyssus : sed operentur etiam sicut in arida discreta a gurgitibus abyssi ; et sicut forma fidelibus vivendo coram eis et excitando ad imitationem », S. AUGUSTIN, *Confessiones,* Lib. XIII, cap. 21, *PL* 32, 857.

**172** [1] « Illa vita ubi est animae nostrae ipsa Veritas vita », S. AUGUSTIN, *Enchiridion,* cap. 17, n. 5, *PL* 40, 240.

irrogantes. Noli tu eam sic ministrare, sed intentione bene faciendi ei cui eam impendis. Magnam enim tibi faceret iniu-
5 riam, qui te tam nequam tamque malitiosum duceret, ut, cum se vellet de aliquo inimico suo vindicare, te illi daret, imo irrogaret tanquam supplicium.

**174.** Non magis gaudendum tibi est quod bene sapias, quam timendum ne male utaris.

**175.** Non hominum superbus dominus, sed utilis socius esse debes. Nec delectari eorum voluptate multiplici, sed utilitate simplici, id est veritate.

*

**176.** Vide quid intersit, inter quinque sensus, et fidem et intellectum.

**177.** In omni cura quam pro salute tua geris, non est ullum officium vel medicamentum utilius tibi, quam te ipsum vituperare atque contemnere. Quicumque ergo hoc facit, adiutor tuus est. Hoc enim agit quod tu agebas, aut agere debuisti, ut salvus
5 fieres.

**178.** Sicut scientia, ita et affectus ex alio in alium quasi venit.

Nisi quis dederit in ore tuo quippiam, id est nisi fecerit quod tibi placeat, sanctificas super eum praelium. Hoc loco,
5 os voluntatem accipe.

**179.** Pax est bonum illius animi in quo ipsa est. Propter se igitur est appetenda, tanquam bonus sapor. Tanta sit in te, ut et malos non excludas.

**180.** Adversa non te peiorant, sed quam sis peioratus ostendunt. Ibi enim peioratus es, ubi eis quae adversa destruunt

---

**173,**3 sic eam P ‖ 4 enim *om.* MP ‖ 7 tanquam *om.* MP
**174,**1 tibi gaudendum MP
**178,**1 in alium *iter.* M

---

**175** [1] Comme en **150** [1].

l'administrent comme tel. Toi, ne l'administre pas ainsi, mais dans l'intention de faire du bien à qui tu l'offres. Celui-là te ferait une grave injure, qui t'estimerait si méchant et si rusé, et comme pour se venger d'un ennemi, te livrerait à elle et, davantage, te l'infligerait comme un supplice.

**174.** Ta joie de posséder un bon savoir ne doit pas être plus grande que la crainte d'en mal user.

**175.** Tu ne dois pas être pour les hommes un maître orgueilleux, mais un compagnon [1] utile. Tu ne dois pas te complaire dans leurs multiples jouissances, mais dans leur simple utilité, c'est-à-dire dans la vérité.

*

**176.** Vois quelle distance entre les cinq sens, et la foi et l'intelligence.

**177.** Dans tout le soin que tu prends pour ton salut, nul service ou remède ne t'est plus utile que de te blâmer toi-même et de te mépriser. Quiconque en agit ainsi envers toi est donc ton aide. Car il fait ce que tu faisais ou aurais dû faire pour ton salut.

**178.** Comme la science, le sentiment passe en quelque sorte de l'un à l'autre.

A qui ne te met rien dans la bouche, c'est-à-dire s'il ne fait pas ce qui te plaît, tu déclares une guerre sainte [1]. En ce passage, entends par « bouche » la volonté.

**179.** La paix est le bien de l'esprit en qui elle réside. Elle doit donc être désirée pour elle-même [1], comme une saveur délicieuse. Qu'elle soit si grande en toi que tu n'en exclues pas même les méchants.

**180.** L'adversité ne te rend pas pire que tu n'es, mais elle montre combien tu es devenu mauvais. Car tu l'es devenu en

---

**178** [1] *Mich.* 3, 5. (L'hébreu fait mieux comprendre que la Vulgate : voir *BJ, TOB*.)
**179** [1] *Zach.* 8, 19.

inhaesisti. Imo iam caecus eras aut infirmus, cum inhaesisti. Nam secundum pravam praeparationem mentis inhaesisti.

**181.** Quod syllaba in carmine, hoc loci aut temporis obtinet unaquaeque res in mundano discursu. Ideo ergo cruciaris, quia deterioribus inhaesisti, et suo ordine transeunt.

**182.** Si amas quia amaris, vel ut ameris, non tam amas quam redamas, amorem pro amore rependens. Cambitor es ; recepisti mercedem tuam.

**183.** Si nulla lingua esset, nonne loqueretur Deus homini sufficienter per adversa quae patitur, sive in se sive in amore exteriorum, vel etiam per prospera ?

**184.** Haec omnia quae dicuntur adversa, non sunt adversa nisi malis, id est amantibus creaturam pro creatore.

*

**185.** Omnia quae mutas, aut ut non sint, aut ut melius sint mutas. Utrumque autem praecedit reprehensio, sive displicentia. Uno horum ad homines, altero ad vitia eorum utendum est.

**186.** Amato quod amando carere nequeas, id est Deum.

**187.** Vide, quantum luminis et virtutis habeas. In tantum enim nec illici nec cogi potes, quod solum est libertas. Vide etiam, quam cito illici aut cogi potes ; tam caecus enim et infirmus es. In tantum autem potes cogi, quantum es illectus. Utrum sit dulce, non est quaestio, sed utrum amandum, aut in eo confidendum. Quibus enim ratis argumentis aut scrip-

---

**180**,3 inhaesisti[1] : adhaesisti GP ‖ 4 pravam praeparationem mentis inhaesisti : propria rationem inhaesisti mentis P

**181**,1 loci : loco M

**183**,3 per : pro P

**185**,4 est *om.* MTBP

**187**,2 illici nec cogi potes : potes cogi nec illici M cogi potes nec illici P ‖ 4 es[1] *om.* MTBP ‖ cogi potes P

---

**180** [1] *Ps.* 10, 17 (Hébr.).

cela : quand tu t'es attaché aux biens que détruit l'adversité. Bien plus, tu étais déjà aveugle et infirme quand tu t'es attaché. Car ton attache est née selon les mauvaises dispositions de ton esprit [1].

**181.** Comme une syllabe dans un poème, chaque chose occupe dans le train de ce monde sa part de lieu et de temps [1]. Tu souffres pour t'être attaché à des biens inférieurs et qui passent, quand vient leur tour.

**182.** Si tu aimes parce que tu es aimé ou pour l'être, ton amour est moins un amour que l'acquittement d'une dette, car tu paies amour pour amour. Tu es un changeur ! Tu as déjà touché ton salaire [1].

**183.** Si le langage n'existait pas, Dieu ne parlerait-il pas assez à l'homme par le moyen de l'adversité que souffre celui-ci, soit en lui-même, soit dans son amour des biens extérieurs ; ou encore par le moyen de la prospérité ?

**184.** Tout ce qu'on nomme adversité ne l'est que pour les méchants, c'est-à-dire pour ceux qui aiment la créature au lieu du Créateur.

*

**185.** Tout ce que tu changes, c'est pour le supprimer ou pour l'améliorer. Dans les deux cas, il y a auparavant une critique ou un déplaisir. Use de l'une à l'égard des hommes, de l'autre contre leurs vices.

**186.** Aime ce que tu ne peux perdre en l'aimant : Dieu.

**187.** Vois combien de lumière et de vertu tu possèdes. Dans cette mesure même, tu ne peux être ni séduit, ni contraint. En cela seul consiste la liberté [1]. Vois aussi combien vite tu peux être séduit ou contraint ; tu es tellement aveugle et faible. Tu es contraint dans la mesure où tu es séduit. Que cela soit agréable n'est pas la question, mais que ce soit digne d'amour ou de confiance. En effet, quelles preuves sûres, quels textes écrits,

---

**181** [1] Voir note sur les syllabes, p. 314.  **182** [1] *Matth.* 6, 2.5.16.
**187** [1] Voir note « Liberté », p. 312.

turis, seu praeceptis vel exemplis, aut sacramentis, praeveniris
aut confirmaris, ut hoc securus facias.

   Probatum tibi est hoc esse aurum. Sed unde probatum est
10 esse amandum, aut in eo confidendum ? Aliud est enim esse
aurum, aliud esse amandum. Aurum enim solum aurum est,
amandum autem non solum aurum, sed nec aurum.

   **188.** Vide quomodo capiatur anima rebus corporeis, et
capta crucietur, utpote in puero. Capitur enim, viso passere.
Quem cum acceperit, subiacet tot casibus, quot ipse passer.
Quomodo autem est tuta, prius quam talibus capiatur. Ea
5 enim quae placent tenent illam, ut possit adversis multari.

*

   **189.** Stultus medicus nolens opinionem suam minui, quicquid non bene contingit, licet culpa sua sit, ipsis tamen imputat aegris. Ita facis tu subiectis.

   **190.** Quaere doceri, potius quam docere. Hoc enim facit,
quisquis se bene novit. Sic iuvari et custodiri.

   **191.** Exiguum est quod sustines, in comparatione Domini ;
et id ipsum non ut debes toleras.

   **192.** Quicquid legis in libris, potes videre oculis in hominibus, id est quid declines, et quid facias.

   **193.** Qualem animum haberes ad omnes homines, si remotus esses ab eis, cogitans eorum peccata atque miserias,
omnino saltem nunc talem habeto, cum videas oculis tuis
perire eos, aut caecitate, aut infirmitate. Aut enim falluntur a
5 diabolo per temporalia, aut superantur.

   **194.** Pingi vis ligna igne consumenda, cum ea quae consu-
mis vis esse decora, seu cibos, seu vestimenta. Vestibus indiges

**187**,7 aut : seu P
**192**,2 et *om*. MTBP
**193**,4 eos perire MP

---

**194** [1] *Sir*. 11, 4.

ou préceptes, ou exemples, ou sacrements te guident ou te confirment qu'ainsi tu agis en toute sécurité ?

La preuve est faite pour toi : ceci est de l'or. Mais d'où est tirée la preuve que tu dois lui accorder amour et confiance ? Être de l'or, en effet, est une chose, être digne d'amour en est une autre. Car l'or n'est que de l'or. Mais ce qu'il faut aimer, ce n'est pas seulement l'or, ce n'est même pas l'or.

**188.** Vois comme l'âme se laisse prendre par les biens sensibles, et souffre, une fois prise. Comme chez l'enfant. Il est captivé à la vue d'un passereau. Dès qu'il l'a reçu, il est exposé à autant de hasards que son passereau lui-même. Mais vois comme l'âme est en sécurité, avant d'être ainsi captive. Les objets qui lui plaisent la possèdent, en effet, pour qu'elle puisse être condamnée à subir l'adversité.

*

**189.** Le sot médecin, ne voulant pas que son renom soit atteint, attribue aux malades eux-mêmes tous les insuccès dus à sa faute. Ainsi agis-tu à l'égard de tes sujets.

**190.** Cherche à être enseigné, plutôt qu'à enseigner. Ainsi agit qui se connaît bien. De même pour être aidé et protégé.

**191.** Tu souffres bien peu en comparaison du Seigneur ; et ce peu même, tu ne le supportes pas comme tu le devrais.

**192.** Tout ce que tu lis dans les livres, tu peux le voir de tes yeux chez les hommes : c'est-à-dire ce que tu dois éviter et ce que tu dois faire.

**193.** Les dispositions que tu aurais à l'égard des hommes si, vivant loin d'eux, tu pensais à leurs péchés et à leurs misères, tu dois les avoir tout à fait, au moins maintenant, quand tu les vois de tes yeux périr par aveuglement ou par faiblesse. Car ils sont trompés ou vaincus par le démon au moyen des réalités temporelles.

**194.** Tu veux que soit peint du bois destiné au feu, quand tu veux que soit beau ce que tu consommes, les mets, les vêtements [1]. Des habits, tu en as besoin contre le froid, et non

contra frigus, non colore illo vel illo. Sic cibo contra famem, non sapore hoc aut illo.

**195.** Bina est voluntas magistri boni, aut medici. Quod boni adest, id est salutis aut scientiae, conservare, augere. Quod deest supplere, quod mali amovere. Apprehendat ebria sitientem. Non est bonus magister aut medicus, qui hoc semper esse desiderat. Semper enim vult esse morbosos, qui semper vult esse medicus. Et qui magister, imperitos. Odit ergo quos semper tales esse optat. Qui vero bonus est, contra morbos et imperitiam luctatur, ut pereant. Ergo et contra officium suum quodam modo, ut pereat. Si enim non sint ista mala, nec illud erit.

**196.** Vide quomodo te pungat Dominus, quocumque extra eum extenderis per concupiscentiam in creaturis, tanquam nutrix pueri brachium extentum extra cunas, ne pereat frigore.

**197.** Cum ubique falli nolis, cur ergo in beatitudine vel mercede ?

**198.** Nil agendum propter se, nisi nosse et amare Deum.

**199.** Vide quomodo cuncta appetantur, aut propter se aut propter aliud, id est omnia sint aut ad quae tendatur, aut per quae tendatur, ut boves et omnia quae habentur vel aguntur, usque ad usum panis.

\*

**200.** Non secundum profectum subiectorum, sed secundum desiderium tuum et conatum erit merces tua, sive illi

**195**,2 aut : et B ‖ 9 sint : sunt MP
**196**,1 te pungat : te pungat te M pungat te P
**197**,1 ergo *om.* MTBP
**199**,1 appetantur : appetuntur MTBP
**200**,2 conatum : cognatum P

**195** ¹ *Deut.* 29, 19.
² « Si enim est malevola benevolentia, quod fieri non potest, potest et ille

de telle ou telle couleur ; de même de la nourriture contre la faim et non de telle ou telle saveur.

**195.** Double est la volonté du bon maître ou du médecin : conserver et accroître ce qui est bon, la santé ou la science ; compléter ce qui manque et éloigner ce qui est mauvais. Que des boissons enivrantes désaltèrent celui qui a soif [1]. N'est donc ni bon maître, ni bon médecin celui qui désire le demeurer toujours [2]. Qui veut être toujours médecin veut qu'il y ait toujours des malades. De même pour le maître à l'égard des ignorants. Il les hait donc, en souhaitant qu'ils soient toujours tels. Mais celui qui est bon lutte contre la maladie et l'ignorance pour les faire périr. Il combat donc en quelque sorte sa propre fonction pour que celle-ci disparaisse. Car si ces maux n'étaient plus, la fonction ne serait plus.

**196.** Vois comme le Seigneur t'aiguillonne partout où, hors de lui, tu te répands par convoitise parmi les créatures. Ainsi une nourrice à l'égard de l'enfant qui étend ses bras hors du berceau, pour qu'il ne meure pas de froid.

**197.** Toi qui ne veux être trompé en rien, pourquoi te laisses-tu tromper au sujet de la béatitude ou de la récompense ?

**198.** Ne faire aucune action pour elle-même, sinon connaître et aimer Dieu.

**199.** Vois comment tous les biens sont désirés, soit pour eux-mêmes, soit pour d'autres. Autrement dit, tout se range ainsi : les biens vers lesquels on tend et ceux par lesquels on y tend : ainsi les bœufs et tout ce que l'on a, tout ce que l'on fait, jusqu'à l'usage du pain.

\*

**200.** Ta récompense ne sera pas selon le progrès de tes sujets, que ceux-là progressent ou non, mais selon ton désir et

---

qui veraciter sinceriterque miseretur, cupere esse miseros, ut misereatur », S. Augustin, *Confessiones*, Lib. III, cap. 2, *PL* 32, 684.

proficiant sive non. Nunquam etenim, nunquam successu crescit honestum.

**201.** Omnes conantur implere quod volunt, tanquam sint certi bonum esse quod volunt. Omnes autem ad hoc revoca, ut conentur velle quod oportet.

**202.** Laudat te quis propter sanctitatem, sursum tendit. Ultra te est enim quod ei placet, id est sanctitas. Tu vero, si amas illum, non tanquam cui placet sanctitas, sed tu, deorsum tendis.

**203.** Voluptas bestialis, ex sensibus carnis ; diabolica vero, omnis fastus, et invidiae et fallaciae. Philosophica, nosse creaturam ; angelica vero, nosse et amare Deum.

**204.** Non defenditur veritas, sed defendit. Non enim illa te, sed tu illa indiges.

**205.** « Non turbetur cor vestrum neque formidet » : sabbatum est verum. Hoc celebrat, qui nec illicitur nec cogitur. Hic habet se in potestate. Hic potest de se eleemosynam facere, ut, sicut viderit aliis expedire, iratus sit aut pacatus.

**206.** Si ille aut ille tantum laboraret propter Deum, quantum laborat propter mundum, natale eius tanquam martyris ageretur.

**207.** Sicut ex glacie frigus, ita ex temporalium amore timor inutilis animam invadit, et caeterae miseriae. Quae autem miseria gravior, frigus an inutilis timor ? Nonne timor ?

Remove a te ergo universa quae tibi timendi causa sunt, sicut quae frigoris. Remove, dico, non a loco, sed ab animo. Non est enim timendum, nisi quod potest et expedit vitari, id est peccatum. Quicquid autem vitare expedit, vitari et potest adiuvante Deo, id est iniquitas.

**208.** Vide quam sis in potestate hominum, ad perturbandum et cruciandum. Quam facile est eis vituperare te

**207**,7 id est peccatum — vitari *om.* P ‖ 8 Deo : Domino P

---

**200** [1] « Sit satis et nunquam successu crescat honestum », LUCAIN, *Pharsale* ou *De bello civili*, IX, 571.

tes efforts. Jamais, en effet, jamais la valeur morale ne s'accroît par le succès [1].

**201.** Tous s'efforcent de faire leur volonté, comme s'ils étaient certains que l'objet de leur vouloir est bon. Rappelle-leur à tous de s'efforcer de vouloir ce qu'il faut.

**202.** Tel te loue pour ta sainteté : il s'élève. Car au-delà de toi se trouve ce qui lui plaît : la sainteté. Mais toi, si tu l'aimes, non comme celui à qui plaît la sainteté, mais à qui tu plais, tu déchois.

**203.** Une jouissance bestiale vient des sens du corps ; celle du diable est dans le faste, les jalousies et les tromperies ; celle des philosophes dans la connaissance de la création ; mais celle des anges, de connaître et d'aimer Dieu.

**204.** On ne défend pas la vérité, mais elle défend. En effet, ce n'est pas elle qui a besoin de toi, mais toi d'elle.

**205.** Que votre cœur ne se trouble ni ne s'effraie [1]. Voilà le vrai sabbat [2] ; il est célébré par celui qui n'est ni séduit ni contraint. Celui-là se possède lui-même. Il peut faire l'aumône de soi-même, se montrer irrité ou apaisé, selon qu'il le jugera utile aux autres.

**206.** Si tel ou tel travaillait autant pour Dieu qu'il le fait pour le monde, on célébrerait son anniversaire comme celui d'un martyr.

**207.** Comme du froid vient de la glace, ainsi une crainte inutile envahit l'âme avec d'autres misères, à partir de l'amour des biens temporels. Or quelle misère est la pire : le froid ou la crainte inutile ? N'est-ce pas la crainte ?

Éloigne donc de toi tout ce qui t'est cause de crainte, comme tu le fais à l'égard du froid. Éloigne, dis-je, non pas de ce lieu, mais de ton esprit. Car il ne faut rien craindre, hormis ce qui peut et doit être évité : le péché. Or tout ce qu'il convient d'éviter, c'est-à-dire l'iniquité, peut l'être avec l'aide de Dieu.

**208.** Vois à quel point tu es au pouvoir des hommes, pour le trouble et la souffrance. Autant il leur est facile de te critiquer

**205** [1] *Jn* 14, 27.       [2] *Is.* 58, 13.

verbis, aut cogitationis opinione, tam facile et perturbare.
Quid ergo, si velint cedere ? Si displices eis, perturbaris. Ergo
5 in eorum es potestate. Sive quis haec faciat, sive non, tu tamen
ita ex praeparatione mentis es expositus. Si in bono displices
eis, ipsis hoc nocet, non tibi. Labora ergo tunc mutare corda
eorum, non bonum tuum. Si in malo displices eis, non ipsum
displicere tibi nocet, imo prodest, sed ipsum malum tuum.

\*

**209.** « Caritas Dei diffusa est in cordibus nostris, per Spiritum Sanctum qui datus est nobis. » Tu autem nec Deum nec
proximum, nisi propter temporalia beneficia diligis. Per temporalia ergo diffunditur in te, non per Spiritum Sanctum. Non
5 est caritas quae ita diffunditur, sed cupiditas.

**210.** Cum quem vituperas, nil utilius ei facere potes. Nec
tamen bene fecisse iudicaberis, si non ei hoc tanquam bonum
facias, id est ex caritate qua illum diligas.

**211.** Amara et insuavis est veritas generi tuo nimis valde,
non suo, sed eorum vitio, sicut lux fulgens infirmis oculis. Vide
ergo, ne tu eam amariorem facias, dum non eam sicut debes
dicis, id est ex caritate.

5 Sic enim pius medicus qui salubrem et amarum dat potum,
linit oram vasis melle, ut quod, dum est dulce, libenter sumi-
tur, etiam quod salubre est hiatu facili hauriatur. Prodesse
autem hominibus, tuum officium totum.

---

**208**,6 ita *om.* MP || 7 ipsis — tibi *om.* MP || 7-8 Labora ergo — bonum
tuum *post* malum tuum (9) *transp.* MP
**209**,2 nobis *om.* TB || 3 temporalia beneficia : bona temporalia P
**211**,6 dum quod P || dulce est M

---

**209** [1] *Rom.* 5, 5.
**211** [1] Comme en **125** [1].
[2] « Sed veluti pueris absinthia tetra medentes — Cum dare conantur, prius
oras pocula circum — Contingunt mellis dulci flavoque liquore — Ut puerorum aetas improvida ludificetur — Labrorum tenus interea perpotet amarum

par des paroles ou par une expression de leur pensée, autant il est facile de te troubler. Que serait-ce donc, s'ils voulaient frapper ? Dès que tu leur déplais, te voilà troublé. Tu es donc en leur pouvoir. Que l'un d'eux te fasse ceci ou non, tu es ainsi exposé selon la disposition de ton esprit. Si tu leur déplais dans le bien, cela leur fait tort, non à toi. Travaille donc dès lors à changer leur cœur, et non le bien, qui est tien. Si tu leur déplais dans le mal, ce déplaisir même ne te nuit pas ; bien plus, il t'est utile, mais c'est ton propre mal qui te nuit.

*

**209.** « L'amour de Dieu a été répandu dans nos cœurs par l'Esprit-Saint qui nous fut donné [1]. » Or toi, tu n'aimes Dieu et ton prochain que pour leurs bienfaits temporels. Cette effusion se fait donc en toi par les biens temporels, et non par l'Esprit - Saint. Ce n'est pas l'amour qui se diffuse ainsi, mais la convoitise.

**210.** Quand tu blâmes quelqu'un, tu ne peux rien lui faire de plus utile. Tu ne seras pourtant estimé avoir bien agi que si tu lui as fait cela pour son bien, c'est-à-dire par l'amour dont tu l'aimes.

**211.** La vérité est très amère [1] et désagréable à l'excès pour tes semblables, non par sa faute, mais par la leur, comme une lumière éclatante pour des yeux malades. Veille donc à ne pas la rendre plus amère, en ne la disant pas comme tu le dois, c'est-à-dire par amour.

Ainsi, en effet, le bon médecin qui administre une potion salutaire, mais amère, enduit de miel le bord du vase : ce qui est doux se prend volontiers ; de même ce qui est salutaire doit être accueilli plus facilement [2]. Être utile aux hommes, voilà ta fonction [3].

---

— Absinthi laticem, deceptaque non capiatur, — Sed potius tali facto recrea-ta valescat... » (LUCRÈCE, *De rerum natura*, I, 936-942).

[3] Voir note sur « prodesse », p. 320.

**212.** Omnis anima rationalis volens ulcisci se, hoc irrigat alii, quod sibi metuit et abhorret, ac malum ducit. Nil autem libentius ad ulciscendum se quam veritatem arripit, nec ullum malum venenatiore mente infligit. Ergo nil sibi magis abhorret
5  fieri, quam veritatem dici. Hoc quippe adversarius de alio dicit, quod si is cui dicitur humiliter recognoscat, salutem mereatur aeternam. Qui enim adulterum adulterum vocat, hoc ei dicit pro malo, quod ipse pro salute sua fateri debet gratis. Libenter hoc ergo recipiat, nec qua intentione, sed quid
10  sibi dicatur, attendat.

**213.** Si dicis veritatem, non amore veritatis, sed desiderio laedendi alium, non praemium dicentis veritatem, sed poenam convitiatoris assequeris.

**214.** Quod aliis pro malo irrogas, pro malo habiturus es, si quis hoc fecerit, et e converso.

**215.** Vide modo, quantum supplicii passurus es, cum lux vera perfecte ostenderit te tibi, si tantum cruciatur cui uno verbo aliquid malorum suorum ostendis. Tunc enim patebunt consilia cordium.

**216.** Aequaliter peccas, vel cum alium vituperas, vel ab alio vituperaris. In utroque enim veritatem aut pro malo recipis aut pro malo irrogas. Qui ergo te flagellare voluerit, vitam tuam, id est veritatem, arripiat, per illam te cedat et cruciet.

\*

**217.** Dicunt martyres Deo : « Propter te mortificamur tota die » ; dic tu quibuslibet vilitatibus : « Propter vos conturbor tota die. »

**212**,7 vocat adulterum MTBP ‖ 8 ipse : ille MTBP
**213**,1 desiderio : amore P
**214**,1 malo[1] : malis M ‖ 2 quis : quid T
**215**,1 supplicii : suppliciis T ‖ 2 ostenderit : responderit P
**216**,1 vel[2] : cum *add.* TB ‖ 2 aut pro malo recipis *om.* P ‖ 4 cruciet : cruciat M

---

**212** [1] « Securus minetur mortem, qui non timet mortem. *Si vero unde terret, timet, attendat se,* et ei cui minatur, comparet se... », S. AUGUSTIN,

**212.** Toute âme raisonnable, quand elle veut se venger, inflige à autrui ce qu'elle craint et abhorre pour elle-même et considère comme mauvais [1]. Or elle s'empare plus volontiers de la vérité pour se venger, et n'inflige aucun mal avec un esprit plus venimeux. Elle n'a donc rien de plus en horreur pour elle-même que de s'entendre dire la vérité. Certes, ce qu'un adversaire dit de son ennemi, peut, si celui-ci le reconnaît humblement, lui mériter le salut éternel. Qui, en effet, traite un adultère d'adultère, lui dit en mauvaise part cela même que celui-ci doit avouer spontanément pour être sauvé. Qu'il accepte donc cela volontiers, et ne s'arrête pas à l'intention de son ennemi, mais à ce qui lui est dit.

**213.** Si tu dis la vérité, non par amour de la vérité, mais par désir de blesser autrui, tu ne recevras pas la récompense de celui qui dit vrai, mais le châtiment dû à qui outrage.

**214.** Ce que tu infliges à autrui comme un mal, tu le tiendras pour un mal si quelqu'un te le fait, et inversement.

**215.** Vois dès maintenant quel supplice tu souffriras quand la vraie lumière te révélera parfaitement à toi-même [1], si souffre tant celui à qui tu montres d'un mot une petite part de sa malignité. Alors, en effet, seront mis en évidence les desseins des cœurs [2].

**216.** Soit que tu blâmes autrui, soit qu'il te blâme, tu pèches également. Car dans les deux cas, ou tu accueilles la vérité comme un mal, ou tu l'infliges comme un mal. Qui voudra donc te flageller n'aura qu'à s'emparer de ta vie, c'est-à-dire de la vérité, et te frapper et faire souffrir par elle.

*

**217.** Les martyrs disent à Dieu : « A cause de toi, on nous met à mort tout le long du jour [1]. » Toi, dis à tous les objets sans valeur : « A cause de vous, je suis troublé tout le jour. »

---

*Sermo 65* cap. 1, par. 2 (alias *Sermo 13 De Sanctis*), *PL* 38, 427. Ce texte était lu dans la deuxième Leçon de la fête de saint Maurice.
**215** [1] *Jn* 1, 9.        [2] *I Cor.* 4, 5.
**217** [1] *Ps.* 43, 22 ; *Rom.* 8, 36.

**218.** Restringe te ac recollige undique, ne forte volubilitas mutabilium inveniat te in ipsis, et crucieris.

**219.** Ecce nullum aliud est officium tuum, quam erat antequam prior fieres. Votis enim ac precibus et affectibus agebas, quod nunc factis agere coepisti, id est prodesse hominibus. Non autem debent opera affectus minuere, sed incitatione
5  augere.

**220.** Si debes his qui peccaverunt mala reddere, et hoc est salus tua, totus huic operi intende. Incipe ergo a te. De nullo quippe, certior es an peccaverit. Aggredere omnes caeteros. Omnes enim peccaverunt. Adimple hoc in quantum poteris ;
5  in quantum non poteris opta. Nam sufficit optare bonum, quod non potes exsequi. Reus autem est valde, qui bonum quod exsequi non valet, non saltem exoptat.

**221.** Vidisti aliquando, cum nidus formicarum destrueretur, quam sollicite unaquaeque arripiat quod amabat, id est ovum, propria salute contempta. Sic ama veritatem et pacem, id est Deum.

**222.** Quanto quisque bona aestimat temporalia, tanto dolet se illis carere, et aliis compatitur carentibus. Et quanto viliora ducit ea, tanto levius fert se vel alios carere. Sic et de aeternis. Hi ergo inter omnes sunt summi, qui compatiuntur erroribus
5  ac peccatis.

**223.** Alii corporibus, tu vero compatere mentibus.

*

219,1 est aliud MTBP
220,6 exsequi non potes MTBP
222,1 aestimat bona MP ‖ 3 carere : et aliis compatitur carentibus *add.* M ‖ et *om.* P
223,1 vero *om.* B

---

219 [1] Voir note sur « prodesse », p. 320.
220 [1] « Si ab homine malo libero te, prius liberandus es a teipso », S. AUGUSTIN, *Sermo 42*, n. 3, *PL* 38, 253.

**218.** Retire-toi et recueille-toi de toutes parts, pour que l'inconstance des choses changeantes ne te trouve pas parmi elles et que tu aies à souffrir.

**219.** Vois : en rien ta charge n'est autre qu'avant ton élection comme prieur. Par tes souhaits, tes prières et tes sentiments, tu accomplissais alors ce que tu as commencé maintenant à réaliser par des actes : être utile aux hommes [1]. Or les travaux ne doivent pas affaiblir les sentiments, mais les accroître en les stimulant.

**220.** Si tu dois payer en retour le mal à ceux qui ont péché et que là réside ton salut, applique-toi tout entier à cette tâche. Commence donc par toi [1]. Car de personne tu n'es aussi certain qu'il a péché. Attaque tous les autres, puisque tous ont péché [2]. Accomplis cela dans la mesure du possible ; si tu ne le peux, désire-le. Car il suffit de souhaiter le bien que tu ne peux accomplir. Mais celui-là est un grand coupable, qui ne souhaite pas au moins vivement le bien qu'il ne peut faire.

**221.** Tu as vu, un jour où l'on détruisait une fourmilière, avec quelle sollicitude chaque fourmi s'emparait de ce qu'elle aimait, son œuf, au mépris de sa propre vie. Aime ainsi la vérité et la paix [1], c'est-à-dire Dieu.

**222.** Autant quelqu'un estime les biens temporels, autant il souffre d'en être privé et éprouve compassion pour ceux qui en sont privés. De même autant il les estime sans valeur, autant il en supporte aisément la privation pour lui et les autres [1]. Et ainsi pour les biens éternels. Ceux-là sont donc, entre tous, les plus grands, qui ont compassion des erreurs et des péchés.

**223.** Que d'autres aient compassion des corps ; mais toi aies compassion des âmes.

*

**220** [2] *Rom.* 3, 23.
**221** [1] *Zach.* 8, 19.
**222** [1] « Prae amore aeternorum, temporalia mihi cuncta vilescunt », S. Augustin, *Tractatus 52 in Ioannis Evang., PL* 35, 1769.

**224.** Nullus publicano esse poterat reditus ad salutem, nisi humiliter confiteri, quod ei Pharisaeus superbe improperabat.

**225.** Veritas est vita, et salus aeterna. Debes ergo compati, ei cui displicet. In tantum enim, est mortuus et perditus. Tu autem perversus non diceres veritatem, nisi putares amaram illi esse atque intolerabilem. Ex te enim metiris alios. Sed et
5 hoc pessimum est, quoniam, ut placeas hominibus, dicis veritatem, quam diligunt aut mirantur, sicut diceres mendacia aut adulationes.

Ecce absinthium amarum ac salubre est, ei quem diligis. Non hoc ei quia amarum est, sed quia salubre impendis. Nam
10 illud crudelis est, hoc benigni.

Non ergo, vel quia displicet vel quia placet, dicenda est veritas, sed ut prosit. Silenda est autem tantum ne noceat, sicut lux infirmis oculis.

**226.** Vae non his qui perdiderunt temporalia, sed qui perdiderunt sustinentiam. Nulla enim passio superatur, nisi per ipsam. Non enim edendo contraitur fami, sed servitur ; sicut bibendo, siti. Ad hoc enim tendunt ista, ut scilicet ad fruendum exterioribus corporum formis inclinent animum. Quod
5 quando fit, non superantur, sed regnant, finem suum, id est animi inclinationem et praeparationem ad faciliorem et maiorem inclinationem obtinentes.

**227.** Doluisti deesse tibi plenitudinem corporis ; non doluisti deesse fortitudinem mentis, ad bene tolerandum.

**228.** Cuius rei magis vel gaudetur adeptione, vel doletur amissione, melioris, an magis amatae ? Magis amatae, sive

---

**225**,5 hoc : homo P ‖ placeas : placeat P ‖ 11 vel[1] *om.* B ‖ 12 tantum *om.* P
**226**,4 enim *om.* P ‖ scilicet : fructu *add.* M

---

**224** [1] *Lc* 18, 11.
**225** [1] *Jn* 14, 6 et voir **172** [1].     [2] *Hébr.* 5, 9.
[3] Voir note sur « prodesse », p. 320.

**224.** Nul retour au salut n'était possible au publicain, à moins de confesser avec humilité ce que le pharisien lui reprochait avec orgueil [1].

**225.** La Vérité est la vie [1] et le salut éternel [2]. Tu dois donc avoir compassion pour celui à qui elle déplaît. Pour autant, en effet, il est mort et perdu. Mais toi, pervers, tu ne lui dirais pas la vérité, si tu ne pensais qu'elle lui est amère et intolérable. Car tu prends mesure sur toi pour juger les autres. Mais le pire de tout, c'est quand, pour plaire aux hommes, tu leur dis une vérité qu'ils aiment et admirent, comme si tu disais des mensonges et des flatteries.

Considère l'absinthe : elle est une plante amère, mais bienfaisante pour celui que tu aimes. Tu ne la lui donnes pas pour son amertume, mais pour le bienfait. Cela serait cruel, ceci est bienfait.

La vérité ne doit donc pas être dite parce qu'elle déplaît ou plaît, mais pour être utile [3]. Il faut la taire seulement si elle devait être nuisible, comme la lumière pour les yeux malades.

**226.** Malheur, non pas à ceux qui ont perdu des biens temporels, mais à ceux qui ont perdu courage pour le supporter. Aucune souffrance, en effet, n'est surmontée, sinon par elle-même. Car en mangeant, on ne triomphe pas de la faim, mais on la sert ; de même en buvant, pour la soif. Or voici à quoi tendent ces actions : incliner l'esprit à jouir des formes [1] extérieures des corps. Et quand cela arrive, elles ne sont pas vaincues ; elles règnent au contraire, étant parvenues à leur but : un penchant et une préparation de l'esprit pour un penchant plus facile et plus grand encore.

**227.** Tu t'es plaint de manquer de la plénitude des forces du corps ; tu ne t'es pas plaint du manque de force d'âme pour supporter cela.

**228.** Éprouve-t-on plus de joie d'avoir obtenu, ou plus de douleur d'avoir perdu ce qui est meilleur ou ce qu'on aime

---

**226** [1] Voir note sur les formes, p. 315.

melior sive deterior sit. Quae autem magis amatur ? Quae
melior putatur. Quae melior putatur ? Quae plus delectat.

5 Quod falsum est. Non enim secundum earum valentias dolemus rerum amissione vel gaudemus adeptione, sed secundum
amorem quo eis subdimur. Duabus quippe de rebus, eius tanto
plus dolemus amissione, vel gaudemus adeptione, quam et
quanto prae alia diligimus eam, sive deterior sive melior sit.
10 Nimis perverse. Dolet enim homo, amisso vel ovo, et non dolet
amisso Deo, summo scilicet bono.

\*

**229.** Omnia quae agit homo, agit ea voluntate ut bene sibi
sit, aut ne male. Et quam miserum, conari semper ad beatitudinem aut ad cavendum malum, ea via quae non solum non
pervenitur, sed semper longius receditur, id est per vitia. Quam
5 miserum, datum divinitus annisum vel voluntatem qua ad
beatitudinem tendat et perveniat homo, totumque id ad
implicandum se miseriis convertere, id est ad fruendum perituris.

**230.** Sua vitia quisque fugiat ; nam aliena non nocebunt.

**231.** Vitium est aliena curare peccata, et vitium non curare.
Sed et virtus utrumque, si addas voluntatem emendandi. Deme
caritatem, et vitium est.

**232.** Annitendum est, non tam ne possint, quam ne velint
peccare homines. Non enim non posse, sed nolle peccare, lau-
dandum est. Si autem velle peccare, hoc iam peccatum est,
nemo potest homines a peccando retinere, nisi qui potest facere

**228,**3-4 Quae melior putatur. *om.* TB ‖ 4 plus : magis P
**232,**1 est *om.* MTBP ‖ 3 est[1] *om.* MTBP

**232** [1] Voir note « Liberté », p. 312.

davantage ? Ce qu'on aime davantage, que ce soit meilleur ou moins bon. Mais qu'aime-t-on davantage ? Ce qu'on estime meilleur. Et qu'estime-t-on meilleur ? Ce qui cause un plus grand plaisir.

C'est faux. En effet, nous ne souffrons pas de la perte, ou nous ne nous réjouissons pas de l'acquisition des biens selon leur vraie valeur, mais selon l'amour qui nous soumet à eux. Certes, de deux choses, nous souffrons davantage de la perte de l'une, ou nous éprouvons plus de joie de sa possession, dans la mesure où nous la préférons à l'autre, qu'elle soit moins bonne ou meilleure. Quel énorme contresens ! L'homme, en effet, souffre d'avoir perdu, fût-ce un œuf, et ne souffre pas d'avoir perdu Dieu, le Souverain Bien.

*

**229.** Tout ce que fait un homme, il le fait avec la volonté que ce lui soit un bien, ou au moins pas un mal. Que c'est misérable de tendre toujours avec effort vers le bonheur ou l'éloignement du mal par une voie qui non seulement n'y peut parvenir, mais s'en éloigne toujours plus, c'est-à-dire par les vices. Que c'est misérable de changer la force donnée par Dieu ou le vouloir par lequel l'homme tend au bonheur et y parvient, pour s'immerger tout entier dans des misères, c'est-à-dire dans la jouissance des biens périssables.

**230.** Que chacun fuie ses propres vices ; car ceux des autres ne lui nuiront pas.

**231.** C'est un vice de soigner les péchés des autres, et un vice de ne pas les soigner. Mais l'un et l'autre deviennent une vertu, si s'ajoute la volonté de corriger. Enlève l'amour et le vice est là.

**232.** Il faut faire effort, non pas tant pour que les hommes ne puissent plus pécher, mais pour qu'ils ne le veuillent plus. Car ce qui est digne d'éloge n'est pas de ne pouvoir pécher, mais de vouloir ne pas pécher [1]. Or si vouloir pécher est déjà un péché, nul ne peut retenir les hommes de pécher, sauf celui

5    ne velint, id est solus Deus. Utinam non possemus velle, quia
tunc non possemus peccare.

**233.** Potens impotentia, non posse velle malum. Ideo poten-
tissimus est Dominus, quia malum velle non potest. Impotens
et multa potentia, id posse velle quod sibi perniciosum est,
et quod quanto magis volet, tanto invalidior et inimicis suis
5    subiectior erit.

**234.** Inter omnia viri opera est maximum, velle quod debet.
Quod quanto vult, tanto assequitur, et quanto assequitur, tanto
et vult. Velle enim verum bonum, assequi est. Verum autem
bonum iustitia, verum malum iniquitas.

\*

**235.** Eis congaudemus vel condolemus, quos beatos vel
miseros iudicamus. Eos autem beatos vel miseros iudicamus,
quos his quae bona ducimus et amanda, frui vel carere vide-
mus. Quisquis itaque vel fruentibus transitoriis congaudet, vel
5    carentibus condolet, invidia quidem caret, sed peritura bona
ducit amanda.

**236.** Nomen Christi est Iesus. Quo ergo momento, qualibet
causa, salvandi hominem quemlibet voluntatem amittis, a
Christi, id est a salvatoris te membris abscidis.

**237.** Quare vis fratrem illum dimittere ? Quia iracundia et
omnibus vitiis plenus est. Sic ergo faciat tibi Deus. Ex ore tuo
probasti, quod non debeas eum dimittere. « Non est sanis opus
medicus, sed male habentibus. »

233,1 impotentia : in potentia MTB || 2 est *om.* MTBP
235,3 ducimus : dicimus M
236,2 quemlibet : et *add.* P

---

233 [1] « (Primi hominis) prima libertas voluntatis erat posse non peccare ;
novissima erit multo maior, non posse peccare », S. AUGUSTIN, *De
correptione et gratia,* cap. 12, par. 33, *PL* 44, 936. — Voir aussi : *Opus
imperfectum contra Iulianum,* I, par. 102, *PL* 45, 1117 ; et VI, 11-12, *PL* 45,
1521-1522 ; *Retractationes,* I, 15, par. 4, *PL* 32, 609. *Épître 157,* II, par.8,
*PL* 33, 676 ; *Tractatus in Ioannem,* 41, par. 9-10 et 13, *PL* 35, 1697 et 1699.

qui peut faire qu'ils ne le veuillent pas : Dieu seul. Plaise à Dieu que nous ne puissions vouloir, car alors nous ne pourrions pécher !

**233.** Puissante impuissance, de ne pouvoir vouloir le mal [1] ! Aussi Dieu est-il Tout-Puissant, car il ne peut vouloir le mal. Impuissante et pourtant grande puissance de pouvoir vouloir ce qui nous est nuisible ; plus nous le voulons, plus nous serons faibles et soumis à nos ennemis [2].

**234.** La plus grande de toutes les œuvres de l'homme est de vouloir ce qu'il doit. Plus il le veut, plus il y parvient. Autant il y parvient, autant il le veut. Car vouloir le vrai bien, c'est l'atteindre. Or le vrai bien, c'est la justice, le vrai mal l'iniquité.

\*

**235.** Nous partageons la joie ou la peine de ceux que nous estimons heureux ou malheureux. Or nous jugeons heureux ou malheureux ceux que nous voyons jouir ou manquer des biens que nous tenons pour bons et dignes d'amour. Aussi quiconque partage la joie de ceux qui jouissent de biens éphémères ou la peine de ceux qui en sont privés, est certes exempt de jalousie, mais tient pour dignes d'amour des biens périssables.

**236.** Le nom du Christ est Jésus. Aussi dès que pour n'importe quelle raison, tu perds la volonté de sauver l'un d'entre les hommes, tu te retranches des membres du Christ, c'est-à-dire du Sauveur [1].

**237.** Pourquoi veux-tu renvoyer tel frère ? Parce qu'il est rempli de colère et de tous les vices. Que Dieu agisse de même avec toi. Tu viens de faire la preuve, de ta propre bouche [1], que tu ne dois pas le renvoyer. « Ce ne sont pas les gens bien portants qui ont besoin de médecin, mais les malades [2]. »

---

[2] Voir note « Liberté », p. 312.
**236** [1] *Matth.* 1, 21, et voir note sur « prodesse », p. 320.
**237** [1] *Lc* 19, 22.      [2] *Matth.* 9, 12.

5 Si matrem interroges quare filium suum derelinquat, et responderit : « Quia debilis est et aegrotus », interroga si id ipsum velit ipsa fieri sibi a filio. Et cum dixerit : « Non », adde : « Mala ergo causa odisti. » Sic est de medico.

**238.** Haec sunt quae a sanctis nobis impendi desideramus : oratio, doctrina, exemplum. Haec et nos aliis impendere, diligenter ac pie debemus. Noluisse autem prodesse, nocuisse est, cum Dominus dicat : « Dilige proximum tuum sicut te ipsum. »
5 Omnes ergo sunt singulorum, et singuli omnium. Qui ergo me non diligit, rapinam in me facit, quod a Deo mihi datum est, id est amorem suum mihi auferendo.

**239.** Aliud amamus, tanquam indigentes eo ut ex eo boni vel beati simus, sicut Deum ; aliud, quia boni sumus, non eo quia egeamus, sicut hominem. Diligimus enim eum, ut ei bene sit optantes. Non est autem plene bonus aut beatus, qui aliis
5 non est bonus. Miseria enim facit nos esse malos aliis, nata ex discessu a Deo, et amore carminis huius transeuntis, id est mundi.

**240.** Quae in transitoriis plus delectant, magis mortifera sunt.

**241.** Quae est ita impudens mulier, ut dicat viro suo : « Quaere mihi illum aut illum cum quo dormiam, et placuit mihi plus te, alioquin non quiescam ? » Tu tamen facis hoc viro tuo, id est Domino, cum, praeter ipsum aliquid diligens, id
5 ipsum ab eo petis.

**242.** Derelicto viro, id est Deo, adhaesisti servo eius, id est mundo. Quicquid ergo mali ab ipso vel propter ipsum incurras, non erit ad quem clamare praesumas.

**237**,5 suum *om.* MTBP
**239**,2 sicut — sumus *om.* P ‖ 4 aliis : alii P ‖ 5 nos facit MP
**241**,2 et : quia MP ‖ 3 quiescam : requiescam TB ‖ hoc facis P ‖ 4 aliquid : aliud MTBP

---

**238** [1] Voir note sur « prodesse », p. 320.
[2] *Matth.* 19, 19 ; 5, 43 ; 22, 39 ; *Mc* 12, 31 ; *Lc* 10, 27.

Si tu demandes à une mère pourquoi elle délaisse son fils, et qu'elle te réponde : « Parce qu'il est débile et malade », demande-lui si elle voudrait que son fils agisse de même avec elle. Et quand elle aura dit : « Non », ajoute : « Ta haine a donc une mauvaise cause. » Il en est de même du médecin.

**238.** Nous désirons que les saints nous dispensent la prière, l'enseignement, l'exemple. Et nous devons aussi procurer à autrui ces mêmes biens, avec zèle et bonté. Ne pas avoir voulu être utile, c'est avoir nui [1], car le Seigneur dit : « Tu aimeras ton prochain comme toi-même [2]. » Tous appartiennent donc à chacun, et chacun à tous. Par suite, qui ne m'aime pas, me vole ; il m'enlève ce que Dieu m'a donné : son amour.

**239.** Autre est ce que nous aimons en êtres indigents qui ont besoin de cela pour être bons et heureux, ainsi aimer Dieu, autre d'aimer cela parce que nous sommes bons, et non pour le besoin que nous en avons, ainsi aimer l'homme. Nous aimons en effet ce dernier en lui souhaitant du bien. Or, qui n'est pas bon à l'égard des autres, n'est pas pleinement bon ou heureux. La misère, en effet, nous rend méchants pour autrui, elle qui naît de notre éloignement de Dieu et de notre amour pour ce poème éphémère [1] qu'est le monde.

**240.** Ce qui nous est le plus délectable dans les réalités passagères est aussi le plus mortel pour nous.

**241.** Quelle femme est assez impudente pour dire à son mari : « Va me chercher un tel ou un tel pour que je couche avec lui ; il m'a plu davantage que toi ; sinon, je n'aurai pas de repos. » Toi, pourtant, tu agis ainsi à l'égard de ton époux, le Seigneur, quand, aimant un autre bien que lui, tu le lui demandes.

**242.** Délaissant Dieu, ton époux, tu t'es attaché à son serviteur, le monde. Donc, quel que soit le mal qui t'arrive par celui-ci, ou à cause de lui, il n'est personne à qui tu puisses prétendre en appeler.

---

**239** [1] Voir note sur les syllabes, p. 314.

**243.** Cum dicis Deo : « Da mihi hoc aut illud », hoc est dicere : « Da mihi in quo te offendam, et a te fornicer. » Cum enim aliquid ab eo aliud quam ipsum petis, ipsa petitione tua reatum ei tuum et fornicationem ab eo ostendis, et nescis.

**244.** Eadem aut peior stultitia est genu flectere his quae tu feceris, et animum inclinare his quae destruis, id est saporibus vel aliis sensibilibus.

**245.** Vide quomodo quasi in taberna amorem tuum venalem prostitueris, et ad mensuram munerum periturorum ipsum hominibus impendis, cum ipsis perituris formis, scilicet corporum, nullo unquam eum pretio vendideris. Nihil in hac taberna
5 accipit, qui nihil dat, aut daturus putatur. Et tamen nec quod venderes haberes, nisi tibi gratis esset datum desuper. Recepisti ergo mercedem tuam, aedificasti sicut tinea domum tuam, construens instabile ac necessario periturum fundamentum.

*

**246.** Horresce inscrutabilia Dei iudicia super te. Quicquid enim es super alios, nescis quare non fuerint ipsi super te. Talis ergo esto ad illos, quales vides illos esse debuisse ad te, si essent super te.

**247.** Aliud est velle laedere, aliud velle corrigere. Illud enim crudelitatis, hoc autem est caritatis.

**248.** Irascendum peccanti, sed si ei creditur expedire.

---

**245**,1 taberna : tabernacula T ‖ 2 periturorum : praeteritorum G ‖ 5 nec *om.* P ‖ 8 fundamentum : tuum *add.* M
**246**,2 ipsi non fuerint P ‖ 2-4 Talis ergo — super te *iter.* M ‖ 3-4 esse debuisse — super te *om.* P
**247**,1 Aliud est velle *om.* P ‖ aliud velle corrigere *iter.* T

---

**243** [1] *Os.* 9, 1 et 1, 2.
[2] *Ps.* 72, 27. − « Non te amabam, et fornicabam abs te,... Amicitia huius mundi, fornicatio est abs te », S. AUGUSTIN, *Confessiones,* Lib. I, cap. 13, n. 21, *PL* 32, 670.

**243.** Quand tu dis à Dieu : « Donne-moi ceci ou cela », autant dire : « Donne-moi de quoi t'offenser ou être infidèle à ton égard [1]. » En effet, quand tu lui demandes un autre bien que lui-même, tu révèles par ta seule demande ta culpabilité et ton infidélité à son égard, et tu ne t'en aperçois pas [2].

**244.** C'est une même folie, ou pire encore, de fléchir le genou devant les œuvres de tes mains, et d'abaisser ton esprit vers les objets que tu détruis : les saveurs ou autres biens sensibles.

**245.** Vois : tu rends ton amour vénal et le prostitues comme dans une taverne, et tu le distribues aux hommes, selon la mesure des dons périssables, car tu l'as vendu aux formes [1] passagères elles-mêmes, celles des corps, sans en jamais toucher le prix. Dans cette taverne, nul ne reçoit rien s'il ne donne rien ou ne fait rien espérer. Et pourtant, tu n'aurais rien à vendre, si cela ne t'avait été donné gratuitement d'en haut [2]. Tu as donc reçu ton salaire [3]. Tu as construit ta demeure comme la teigne [4], en bâtissant une fondation instable et nécessairement caduque.

*

**246.** Frémis devant les inscrutables jugements de Dieu [1] sur toi. Quelle que soit la place que tu occupes au-dessus des autres, tu ignores pourquoi les autres ne l'ont pas eue au-dessus de toi. Sois donc tel envers eux que tu estimes avoir été leur devoir à ton égard, s'ils eussent été au-dessus de toi.

**247.** Autre chose est vouloir blesser, autre chose vouloir corriger. Cela est cruauté, ceci est amour.

**248.** Mets-toi en colère contre le pécheur, mais seulement si tu crois lui être ainsi utile.

**245** [1] Voir note sur les formes, p. 315.     [2] *Jn* 19, 11.
[3] *Matth.* 6, 2 ; 6, 5 ; 6.16.     [4] *Job* 27, 18.
**246** [1] *Rom.* 11, 33.

**249.** Quacumque forma frueris, ea quasi masculus est tuae menti. Cedit enim et succumbit ei, et non ipsa tibi, sed tu ipsi conformaris et assimilaris. Eiusque formae imago remanet impressa menti tuae, tanquam simulacrum in templo suo, cui non bovem, non hircum, sed animam rationalem et corpus, id est te ipsum totum immolas, cum ea frueris.

**250.** Non sit exactor vindictae, qui petitor est veniae.

**251.** Panis, id est veritas, confirmat cor hominis, ne succumbat corporum formis.

**252.** Amor temporalis pacis, necessario parit inquietudinem mentis. Qui ergo habet hanc pacem, et amat, necessario caret pace.

**253.** Cum bene probaveris ullum esse sceleratum, erit tibi necesse ut lugeas peccatum eius, quia et Dominus luxit tuum. Cur enim rimaris languidi morbum, si cognito non solum non condoles nec mederis, sed insuper insultas ?

**254.** Quod aliquo modo cruciaris, sive timendo, sive irascendo, sive odiendo, sive quolibet modo dolendo, tibi tantum imputa, id est concupiscentiae tuae, ignorantiae vel torpori. Quod si quis te vult laedere, eius imputa concupiscentiae. Laesura tua et dolor, indicium est peccati tui, amasse te scilicet laesibile aliquid, Deo dimisso.

**255.** Vae illi, cuius beatitudo seu voluptas finem habet et initium.

**256.** « Data nave flatibus, ferebamur. » Ad gaudendum seu dolendum, alternatione occursantium formarum.

---

**249.**1-2 menti tuae MTB ‖ 4 *ante* cui *add.* et P
**250.**1 exactor : exauctor G
**253.**3 non[2] *om.* G
**254.**2 sive odiendo *om.* P

---

**249** [1] Voir note sur les formes, p. 315.   [2] *Ps.* 65, 15.
**251** [1] *Ps.* 103, 15.   [2] Voir note sur les formes.
**254** [1] Voir note sur les souffrances, p. 324.

**249.** Toute forme [1] dont tu jouis est comparable à un mâle à l'égard de ton esprit : car celui-ci cède et succombe à cette forme, et non l'inverse ; tu te conformes à elle, tu te laisses assimiler par elle. L'image de cette forme demeure imprimée dans ton esprit, comme la statue d'un dieu dans son temple. Quand tu jouis d'elle, tu ne lui immoles ni bœuf, ni bouc [2], mais une âme raisonnable et un corps, toi-même tout entier.

**250.** Que ne vienne pas exercer vengeance celui qui doit lui-même demander pardon.

**251.** Le pain, c'est-à-dire la vérité, fortifie le cœur de l'homme [1], pour qu'il ne succombe pas à l'attrait des formes corporelles [2].

**252.** L'amour de la paix temporelle engendre nécessairement l'inquiétude de l'esprit. Donc celui qui possède et aime cette paix-là est nécessairement privé de paix.

**253.** Quand tu auras des preuves de la scélératesse d'un homme, il te sera nécessaire de pleurer son péché, puisque le Seigneur aussi a pleuré le tien. Pourquoi, en effet, sonder le mal de celui qui languit, si, renseigné, non seulement tu ne lui donnes ni compassion, ni soins, mais bien plus, des injures ?

**254.** Impute à toi seul, à ta convoitise, à ton ignorance ou à ta tiédeur, tes souffrances de toutes natures, provenant de la crainte, de la colère, de la haine, ou de tous autres sujets de douleur. Et si quelqu'un veut te blesser, impute cela à sa convoitise. Ta blessure et ta douleur sont des indices de ton péché, parce que tu as congédié Dieu pour aimer ce qui pouvait te blesser [1].

**255.** Malheur à celui dont le bonheur ou le plaisir a une fin et un commencement [1].

**256.** « Le navire étant entraîné, nous nous laissâmes aller à la dérive [1]. » Vers la joie ou la peine, selon l'alternance des formes [2] sensibles qui se présentaient.

---

**255** [1] *Hébr.* 7, 3.
**256** [1] *Act.* 27, 15.    [2] Voir note sur les formes.

**257.** « De regionibus congregavit eos. » A saporibus scilicet et odoribus et carneis tactibus eruens animas sanctas, in se collegit.

**258.** In quacumque re castitatem erga Deum, in eadem poteris etiam erga proximum iustitiam custodire. Quod fit, non concupiscendo.

**259.** Si male facientibus tibi non invideas, pax erit tibi cum eis.

\*

**260.** Ita te habes in hoc mundo, quasi ad spectandum et mirandum formas corporum huc adveneris.

**261.** Aliud est nosse peccatum experiendo et peccando, aliud discernendo et arguendo. Hoc enim est iusti, illud iniqui.

**262.** Ierusalem eant alii, tu usque ad humilitatem aut patientiam. Hoc est enim, te ire extra mundum, illud intra.

**263.** Quantum in te est, omnes homines perdidisti. Interposuisti enim te inter Deum et ipsos, ut, verso in te intuitu et dimisso Deo, te solum admirentur, intuerentur, atque lauda-
5   rent. Tibique et eis omnino hoc inutile, ut non dicam damnosum.

257,1 scilicet *om.* MTBP
258,1 re *om.* M
259,2 eis : illis MP
263,2 et[1] : homini *add.* M ‖ 4 tibique : tibi B ‖ omnino hoc : omnis homo P

---

257 [1] *Ps.* 106, 2.
258 [1] *Sir.* 21, 12.
259 [1] *Ps.* 36, 1.
260 [1] Voir note sur les formes, p. 315.
262 [1] « Minor est ergo victoria urbes expugnare, quia *extra* sunt quae vincuntur. Maius autem est, quod per *patientiam* vincitur, quia ipse a se animus superatur et semetipsum sibimetipsi subicit, quando eum *patientia in*

**257.** « Il les a rassemblés de tous pays [1]. » C'est-à-dire : il a retiré les âmes saintes des saveurs, des odeurs et des contacts charnels et les a recueillies en lui.

**258.** En toute circonstance où tu garderas la chasteté envers Dieu, tu pourras garder aussi la justice [1] envers le prochain. Comment ? Ne pas convoiter.

**259.** Si tu n'en veux pas à ceux qui agissent mal envers toi [1], tu seras en paix avec eux.

*

**260.** Tu te comportes en ce monde comme si tu y étais venu pour contempler et admirer les formes des corps [1].

**261.** Autre chose est de connaître le péché par l'expérience du péché, autre chose par discernement, en le réprouvant. Ceci est le fait du juste, cela du méchant.

**262.** Que d'autres aillent à Jérusalem ; toi, va jusqu'à l'humilité, et la patience. Ceci, en effet, c'est pour toi sortir du monde, cela t'y enfoncer [1].

**263.** Autant que tu l'as pu, tu as causé la mort de tous les hommes. Car tu t'es interposé entre Dieu et eux ; ainsi tournant vers toi leurs regards, ils ont délaissé Dieu pour n'admirer, ne regarder, ne louer que toi [1]. A toi, comme à eux, ceci est tout à fait inutile, pour ne pas dire dangereux.

---

*humilitate* tolerantiae sternit », S. GRÉGOIRE : *Homilia 35, 5 in Evang., PL* 76, 1262. — S. BERNARD a développé plus tard la même idée que Guigues : « Neque enim terrenam, sed caelestem requirere Ierusalem, monachorum propositum est ; et hoc non pedibus proficiscendo, sed affectibus proficiendo », *Epist. 399, PL* 182, 612.

**263** [1] « Si enim veraciter humiles essent, Deum ab omnibus et non se vellent laudari. » Texte faussement attribué autrefois à S. AUGUSTIN : *Sermo 208* in *Appendice de festo Assumptionis* (alias 35 *De Sanctis*), *PL* 39, 2133. Se lisait au rite cartusien à la 8e Leçon de Matines de la Visitation. Ce sermon est en fait d'Ambroise Autpert, mais se trouve dans les œuvres de Fulbert de Chartres, *PL* 141, 336.

**264.** Si spectaculis interioribus non careres, nunquam ad exteriora exires, sive vacares.

**265.** Laesis spectaculis doles. Tibi et errori tuo hoc imputa, qui laesibilibus inhaesisti, quia in tantum consuevit homo malum omne in aliud retorquere, ut, si in lapidem offenderit aut igne ustus fuerit, ipsas Dei creaturas culpare ac maledicere
5    audeat, quae, nisi hoc facerent, tanquam invalidae atque emor-
tuae merito culparentur, et non potius suae infirmitatis lugere miseriam.

**266.** Sicut in fabula puella defecit intuendo solem, ita es tu ad necessario perituras corporum formas, et opiniones humanas.

**267.** Ita conantur homines facere sibi veram voluptatem sive beatitudinem, quasi aut nulla sit aut fieri possit, cum ipsa sola vere sit, fieri vero nullo modo possit. Idem est autem, facere sibi beatitudinem et Deum, et putare non esse beatitudi-
5    nem et Deum.

**268.** Si adhaerere Deo totum et solum bonum est tibi, ita separari ab eo totum et solum malum est tibi, et nihil aliud. Hoc tibi gehenna, hoc tibi infernus.

**269.** Ignorantia est causa temporalis pacis. Si enim qualia sunt temporalia perfecte deprehenderes, nunquam ea ad fruendum aut innitendum adquireres.

*

**270.** Scire, laudare, magnipendere, amare, tanquam bono frui, admirari, revereri, ei prosunt vel nocent, qui haec agit.

---

**265**,1 hoc : homo P ‖ 3 omne malum MTBP ‖ 4 ac : aut P ‖ 6 suae : se P
**267**,1 facere *om.* G ‖ 3 sola vere : vera sola P
**269**,3 innitendum : innuendum T innitandum P

---

**264** [1] « Quisquis ad interiora intelligenda rapitur, a rebus visibilibus oculos claudit... Dum per contemplationem interius vigilamus, exterius quasi obdormiscimus », S. GRÉGOIRE, *Moralia in Job,* Lib. XXX, cap. 16, 54, *PL* 76, 554.

**264.** Si tu ne manquais pas de spectacles intérieurs, jamais tu ne sortirais, ou tu n'aurais de la place en toi pour accueillir les spectacles extérieurs [1].

**265.** Tes spectacles ont été dérangés, et tu en souffres. Impute cela à toi-même et à ton erreur, pour t'être attaché à des objets que l'on peut déranger. L'homme a tellement l'habitude de faire retomber tout mal sur autre chose que lui. Ainsi, quand il a buté contre une pierre [1] ou s'est brûlé au feu, il a l'audace d'inculper et de maudire les créatures mêmes de Dieu. Mais si celles-ci n'agissaient pas comme elles font, il les accuserait à bon droit d'être sans forces et mortes ; tout cela plutôt que de déplorer la misère de sa propre infirmité.

**266.** Comme la jeune fille dans la fable a défailli en regardant le soleil, ainsi toi à l'égard des formes [1] des corps qui périront nécessairement, et à l'égard des opinions humaines.

**267.** Les hommes s'efforcent de se faire une vraie joie ou une vraie béatitude, comme si elle n'existait pas ou qu'on puisse la faire, alors que lui seul existe vraiment et ne peut en aucune façon être fait. Or c'est la même chose de se faire une béatitude et un Dieu ou de croire qu'il n'y a ni béatitude, ni Dieu.

**268.** Si être uni à Dieu est pour toi le seul bien total [1], de même être séparé de lui est pour toi le seul mal total, et rien d'autre. C'est pour toi la géhenne, c'est pour toi l'enfer.

**269.** L'ignorance est cause de la paix temporelle. Car si tu saisissais parfaitement ce que sont les biens temporels, jamais tu n'en ferais l'acquisition pour en jouir ou t'y reposer.

\*

**270.** Connaître, louer, estimer à grand prix, aimer, jouir comme d'un bien, admirer, révérer, tout cela est profitable ou

---

**265** [1] *Ps.* 90, 12.
**266** [1] Voir note sur les formes, p. 315.
**268** [1] *Ps.* 72, 28.

Omnis enim homo secundum id quod amat, magnipendit, et caetera, bonus est. Sciri vero, laudari, magniduci, et caetera, non ei qui scitur, amatur, tanquam bonum, sed ei qui haec agit aliquid prosunt. Quid enim soli prodest, quod eum mirantur homines ? Aut sapori mellis, quod eum ita amant ?

**271.** Ille amor quo amati sumus antequam essemus, vel cum inique agebamus, est causa omnium bonorum nostrorum.

**272.** Ecce ad acinum botri, vel granum mori, sine ullis minis tormentorum libens converteris, eisque inclinato animo frueris. Ad eum vero qui haec omnia fecit, et te ipsum, nec post minas aeternorum suppliciorum, nec post promissionem aeternae beatitudinis, quod est ipse, converteris.

**273.** Hoc spectaculum nullius oculis in hac vita, nisi Dei maxime et tuis, pro captu tuo patet, quantum videlicet corporibus vel eorum formis, vel opinionibus humanis et favoribus superferatur animus tuus, aut subiaceat.

**274.** Quanto quisque adhaeret summo bono, tanto est et beatus. Quanto ergo separatur, tanto est et miser. Si ineffabile est bonum quod amittitur, ineffabile est et damnum quod incurritur. Et si maius bonum nequit inveniri, maius damnum nequit incurri.

**275.** Continuum mendacium est habitus et coronae tuae, quoniam quod deest significant.

**276.** Nil concessum cupiditati, nil vetitum caritati.

**277.** Id Deus homini praecepit amare, quod nunquam potest nimis amare. Id maxime e contrario amat homo, quod nunquam potest vel parum amare.

---

**273**,2 captu : cautu G
**274**,4 maius bonum : bonum maius bonum P ‖ nequit : nequid M
**276**,1 nil[2] : nichil G

---

**271** [1] *I Jn* 4, 10.19.
**273** [1] Voir note sur les formes, p. 315.
**274** [1] *Ps.* 72, 28.

nuisible à qui le fait. Car tout homme est bon selon l'objet de son amour, de son estime, etc. Pourtant, être connu, loué, estimé, etc., n'est pas profitable à celui qui est connu, aimé comme bon, mais à celui qui agit vraiment ainsi. A quoi sert, en effet, au soleil, que les hommes l'admirent ? Ou à la saveur du miel qu'ils l'aiment ainsi ?

**271.** La cause de tous nos biens est cet amour dont nous avons été aimés avant d'exister [1] ou quand nous vivions dans le mal.

**272.** Vois : tu te tournes volontiers, sans être menacé d'aucuns tourments, vers un grain de raisin ou une baie de mûres, et tu en jouis, l'esprit incliné vers eux. Mais tu ne te tournes pas vers celui qui a créé tout cela et toi-même, ni après la menace des supplices éternels, ni après la promesse de la béatitude éternelle, qu'il est lui-même.

**273.** Aux yeux de personne en cette vie, hormis aux yeux de Dieu surtout et aux tiens, selon que tu en es capable, n'est offert ce spectacle : à savoir dans quelle mesure ton esprit s'élève au-dessus des corps ou de leurs formes [1], au-dessus de l'opinion et de la faveur des hommes, ou bien leur est assujetti.

**274.** Plus quelqu'un adhère au Souverain Bien [1], plus aussi il est heureux. Donc plus il en est séparé, plus il est malheureux. Si le bien perdu est ineffable, indicible est aussi le dommage encouru. Et s'il ne se trouve pas de plus grand bien, pire dommage ne peut être encouru.

**275.** Ton habit et ta couronne sont un perpétuel mensonge, car ils soulignent ce qui te manque.

**276.** Ne concède rien à la cupidité ; n'interdis rien à la charité [1].

**277.** Dieu a ordonné à l'homme d'aimer ce qu'il ne peut jamais trop aimer. L'homme, au contraire, aime au plus haut degré ce qu'il ne peut jamais aimer, ou seulement peu aimer.

---

**276** [1] « Nutrimentum caritatis est imminutio cupiditatis ; perfectio, nulla cupiditas », S. AUGUSTIN, *De diversis quaestionibus 83*, q. 36, n. 1, *PL* 40, 25. Ce texte sera cité par S. THOMAS, IIa, IIae, q. 24, a. 8, arg. 2. — Voir note « Liberté », p. 312.

**278.** Cum rogas Deum ut non auferat aliquid cui cupide inhaesisti, ita est, ac si mulier a viro suo in ipso adulterio deprehensa, cum debeat petere veniam criminis, roget potius, ne interrumpat ei ipsius adulterii voluptatem.

**279.** Non satis est tibi a Deo fornicari, nisi ipsum ad hoc inclines, ut ea quibus corrumperis fruendo, tanquam mulier carnibus adulteri, adaugeat, conservet et coaptet, id est formas corporum, sapores et colores.

**280.** Quid tibi videtur de eo, qui totam intentionem suam et tempus impendit ad fulciendum quamdam domum, quam fulciri est impossibile, ex his rebus ex quibus nil omnino fulciri potest, vel, si potest, ipsae futurae indigent totidem fulturis aliis, quot ipsa domus quae ex ipsis fulcienda est, et illae futurae totidem, et ita in infinitum ? Nonne miser est, et insanus ?

Vita haec domus, fultor tu, futurae temporalia, quae nunquam in eodem statu permanent, et nec fulcire nec fulciri omnino possunt.

**281.** « Singulariter », id est omnino, « in spe constituisti me ». Ergo ab omni fructu et voluptate praesentium avulsisti me.

*

**282.** Vide quomodo, cum nuper coram fratribus cecidisses, aliam pro alia antiphonam dicendo, quaerebat animus tuus qualiter culpam ipsam in aliud aliquid devolveret, sive in librum ipsum, sive in aliud. Nolebat enim se tale videre cor tuum, et ideo se sibi aliud simulabat, declinans in verba malitiae, excusando peccatum. Arguet illud Dominus, et statuet

---

**278**,3 veniam petere P
**279**,2-4 tanquam — et colores *om.* MTBP
**280**,7 fulturae : futurae P
**282**,1 coram : choram P ‖ 3 in aliud *om.* TB

---

**279** [1] Voir note sur les formes, p. 315.
**280** [1] *Job* 14, 2.

**278.** Tu demandes à Dieu de ne pas t'enlever cet objet d'une attache cupide ; comme si une femme, surprise par son mari en plein adultère, au lieu d'implorer le pardon de son crime, demanderait plutôt de ne pas lui interrompre la jouissance de cet adultère.

**279.** Ta fornication loin de Dieu ne te suffit pas ; tu voudrais même, comme une femme pour la chair de son amant adultère, incliner Dieu à augmenter, conserver, disposer à ton goût les objets dont la jouissance te corrompt, à savoir les formes [1] des corps, les saveurs, les couleurs.

**280.** Que penses-tu d'un homme qui dépense tous ses efforts et tout son temps à étayer une maison impossible à consolider, avec des matériaux qui ne peuvent rien soutenir du tout. Ou, s'ils le pouvaient, ces étais auraient eux-mêmes besoin d'autant d'autres étais que la maison à soutenir par eux. Puis ces derniers, à leur tour, auraient besoin d'autant d'autres étais, et ainsi à l'infini ? Cet homme n'est-il pas un pauvre sot ?

La maison, c'est ta vie, l'étayeur, c'est toi ; les étais sont les réalités temporelles, qui ne demeurent jamais dans le même état [1] et ne peuvent absolument ni étayer, ni être étayées.

**281.** « Tu m'as fait demeurer dans l'espérance d'une maniè-re spéciale [1] », c'est-à-dire totale. Tu m'as donc détourné de tout avantage et de toute jouissance des choses présentes.

*

**282.** Vois comment, naguère, tu as trébuché devant tes frères, en disant une antienne pour une autre ; ton esprit cher-chait le moyen de rejeter cette faute précise sur une autre cause : sur le livre lui-même, sur autre chose. Car ton cœur ne voulait pas se voir tel qu'il est ; aussi affectait-il à ses propres yeux de paraître autre, jusqu'à recourir à des paroles iniques, pour excuser sa faute [1]. Le Seigneur l'accusera et étalera tout

**281** [1] *Ps.* 4, 10.
**282** [1] *Ps.* 140, 4.

coram facie sua, et ultra non poterit dissimulare se sibi, aut fugere a se.

**283.** Non est praeceptum homini ut faciat sibi beatitudinem, sicut nec Deum, sed ut adquirat non factam, sed aeternam. Id solum, id est ea forma, beare mentem humanam potest, quae eam facit esse et vivere, sapere, quiescere, tutam 5 esse, id est certam se ista non posse amittere. Cui enim aliquid horum deest, beatus non est.

**284.** Evacuatio et elongatio a Deo praeparat ad concupiscendum. Concupiscentia praeparat ad timendum et dolendum, et ideo magis timendum et dolendum. « Spiritus ergo vadens et non rediens. »

*

**285.** Nil dignius in creaturis rationalibus mentibus, praesertim piis, nil vilius corruptionibus corporum.

**286.** Cum vis esse admirationi hominibus, hac ipsa superbia caecatus, vide ad quae miseranda deveneris. Vide ergo iustitiam Dei. Tu enim proposuisti te Deum, id est admirandum, excellentissimae parti creaturarum, et ille subiecit te 5 infimae. Tu enim voluisti et fecisti quantum in te fuit, te ab omnibus sciri, videri, laudari, admirationi et venerationi haberi, amari, timeri. Quae omnia ab excellentissima omnium creaturarum parte, id est a solis rationalibus mentibus, soli Deo debentur. Iuste ergo factum est, ut qui te Deum dignis- 10 simis creaturae partibus proponebas, quod in ea vilissimum

---

**283**,3 id² *om.* M ‖ ea *om.* MP
**284**,3 ergo : vero MP
**286**,5 infimae : infimum TB ‖ 9 est *om.* MTB

---

**282** ² *Ps.* 49, 21.        ³ *Ps.* 141, 5.
**283** ¹ Voir note sur les formes, p. 315.
**284** ¹ *Gal.* 5, 4.        ² *Ps.* 70, 12.

sous ses yeux [2] ; alors ton cœur ne pourra plus se dissimuler à lui-même ou fuir loin de lui-même [3].

**283.** Il n'a pas été enjoint à l'homme de se faire à lui-même sa béatitude, ni son Dieu, mais d'acquérir un bonheur incréé, éternel. Cela seul, cette « forme [1] », peut donner le bonheur à l'esprit humain, qui le fait être et vivre, savourer, être en repos, demeurer en sécurité, c'est-à-dire être certain de ne pouvoir perdre ces biens. Celui à qui l'un de ceux-ci fait défaut n'est pas heureux.

**284.** Le vide [1] et l'éloignement [2] de Dieu disposent à la concupiscence. Celle-ci prépare la crainte et la douleur, et par suite à craindre et à souffrir davantage. « Ainsi l'esprit s'en va et ne revient pas [3]. »

*

**285.** Rien n'est plus noble parmi les créatures que les êtres doués de raison, surtout les saints ; rien de plus vil que les corruptions de la chair.

**286.** Quand tu souhaites l'admiration des hommes, tu es aveuglé par cet orgueil même. Vois à quelle misère tu en arrives. Considère donc la justice de Dieu. Car tu t'es proposé comme dieu, pour être admiré, à la partie la plus excellente des créatures ; mais lui t'a assujetti à la plus infime. Tu as voulu et fait tout ce que tu pouvais pour être connu, vu, loué, admiré, vénéré, aimé et craint de tous [1]. Or tout cela, la plus excellente partie de toutes les créatures, les seules âmes raisonnables, ne le doivent qu'à Dieu seul. Ce qui est arrivé est donc juste : toi qui te proposais comme dieu aux plus nobles créatures, tu as

---

**284** [3] *Ps.* 77, 39. — « Qui autem concupiscentias suas perseveranter sequuntur, dorsum quodammodo habent ad Deum... Ergo et isti, ut ait propheta, caro sunt : et spiritus ambulans et non revertens », S. AUGUSTIN, *Quaestiones XVII in Sanctum Matthaeum,* Quaestio XI, *PL* 35, 1368. Se lisait au réfectoire le 5ᵉ Dimanche après l'Octave de l'Épiphanie.

**286** [1] Comme en **263** [1].

est ut deum acciperes, et qui ab excellentissimis quicquid soli
Deo debebatur extorquere perversa usurpatione voluisti,
quicquid ipse debebas Deo soli, vilissimis id est corruptionibus corporum cadaveribusque impenderes. Nam omnia
15 quae superius posuisti soli Deo debita, amorem scilicet et
caetera, istis exhibes toto corde.

Dum ergo usurpas quicquid est Dei, laudari scilicet et
caetera, amisisti quicquid est hominis, laudare Deum, ad quod
creatus es, et caetera. Et quia supra summum locus non est
20 nec infra infimum, dum supra summum tendis, infra infimum
trusus es. Qui enim aliquo fruitur, ei necesse est per amorem
subdatur. Tu autem frueris infimis. Ergo infra infima trusus
es, ubi locus nullus est. « Mittetur, ait Dominus, foras, sicut
palmes. »

**287.** Cum volitur bonum quod indiget alio bono, non miseria excluditur ; sed sollicitudo et indigentia cumulatur et auge-
tur. Ergo velis bonum, quod non indigeat alio bono. Omnia
autem bona, bonitate bona sunt. Igitur omnia egent bonitate,
5 ut bona sint. Bonitas autem, nullius eget. Per se enim bona est.
Hanc itaque ama, et beatus eris.

**288.** Non ad hoc ut videreris, vel scireris, vel amareris, vel
admirationi esses, vel laudareris factus es ; sed ut videres,
scires, amares, admirareris, laudares Dominum. Et ideo id
solum tibi utile, et nihil aliud.

**289.** Potestas in hoc saeculo, non nobis propter nos, sed
propter proximos nostros, sive tuendos temporaliter, sive refre-
nandos a malo, timore poenae, utilis est. Sic etiam facundia.

*

286,22 infimis : infirmis praeponebas P ǁ infima : infirma P
287,2 cumulatur et *om.* MTBP
288,1 hoc : homo P ǁ vel[2] *et* [3] *om.* MTBP ǁ 2 vel *om.* MTBP ǁ 3 id :
est *add.* P ǁ 4 et *om.* MTBP

286 [2] *Jn* 15, 6.

considéré comme dieu ce qui en elles est le plus vil. Et toi qui as voulu, par ton usurpation perverse, extorquer aux plus élevées des créatures l'hommage dû par toi à Dieu seul, tu as offert ton hommage aux plus viles de toutes, aux corruptions de la chair et aux cadavres. Car tout ce que tu viens d'énumérer comme dû à Dieu seul, l'amour et le reste, tu le leur as prodigué de tout cœur.

Quand donc tu usurpes le bien de Dieu — la louange et le reste —, tu as perdu tout ce qui appartient à l'homme : louer Dieu — ce pourquoi tu as été créé — et le reste. Et comme il n'y a pas de place au-dessus de ce qui est suprême, ni au-dessous de ce qui est le plus bas, quand tu prétends t'élever plus haut que le Bien Suprême, tu es repoussé au-dessous de ce qui est le plus vil. Car celui qui jouit d'un bien lui est nécessairement soumis par l'amour. Or toi, tu jouis des objets les plus bas. Te voilà donc repoussé au-dessous des êtres les plus bas, là où il n'est plus de place. « Il sera jeté dehors comme le sarment [2] », dit le Seigneur.

**287.** Quand on veut un bien qui dépend d'un autre bien, la misère n'est pas écartée ; mais l'inquiétude et le besoin s'accumulent et s'intensifient. Il te faut donc vouloir un bien qui ne dépende pas d'un autre. Or tous les biens sont tels en vertu de la bonté. Tous ont donc besoin de la Bonté pour être bons. Mais la Bonté, elle, n'a besoin d'aucun autre bien. Elle est bonne par elle-même. Aime-la donc et tu seras heureux.

**288.** Tu n'as pas été créé pour être vu, connu, aimé, admiré ou loué, mais pour voir, connaître, aimer, admirer et louer le Seigneur [1]. Aussi, cela seul t'est utile [2], et rien d'autre.

**289.** Le pouvoir en ce monde ne nous est pas utile pour nous, mais pour notre prochain, soit pour l'assister dans l'ordre temporel, soit pour le retenir de faire le mal, par crainte du châtiment. De même aussi, l'éloquence.

*

**288** [1] Comme en **263** [1].          [2] Voir note sur « prodesse », p. 320.

**290.** Qui fruitur aliqua forma corporis, quod bene sibi videtur ex ea, non sibi, sed eidem formae imputat, et ob hoc eam mente laudat et amat. Sed nec se bonum, sed illam ducit, se autem beatum ex ea. Nec in se ipso remanet, sed in illam tendit et transit, tanto utique nisu mentis et nutu voluntatis, quanto magis eam fruendo miratur et diligit. Et ideo si quis eamdem formam aut laeserit aut abstulerit, non ei sed sibi iniuriam factam putat. Et quia paradisus et beatitudo ei erat eidem inhaerere, infernus ac miseria ei est ab ea separari. Ita esto tu ad Deum.

**291.** Cum qualibet re perfecte quis fruitur, sui oblitus, se quasi derelicto et contempto, tendit in illam, nec attendit quid in se, sed quid in illa agatur, nec qualis ipse, sed qualis ipsa sit.

Ergo angeli magis se contemnunt quam nos. In Deum quippe toto nisu tendentes, se ipsos cum caeteris creaturis post se tota intentione derelinquunt, nec saltem respicere sese dignantur, ita se viles ducunt. Tota se utique mente contemnentes, suique obliti, toti in illum vadunt, nec quid aut quales ipsi, sed ipse sit attendunt. Et quanto se amplius contemnunt, seque a se ipsis avertunt, suique obliviscuntur, tanto similiores ei, et ideo meliores fiunt.

**292.** « In pace in id ipsum dormiam et requiescam ». In eo qui concentum caeli dormire facit, ut non moveatur amplius, nec turbato corde nec formidante : quod est verum sabbatum.

*

**290,**1 sibi bene MP ǁ 2-3 mente eam P ǁ 7 aut[1] *om.* MTBP
**291,**11 a se : ab P
**292,**2 qui : quod G

---

**290** [1] Voir note sur les formes, p. 315.
**292** [1] *Ps.* 4, 9.       [2] *Job* 38, 37.       [3] *Jn* 14, 27.

**290.** Celui qui jouit d'une forme corporelle [1] attribue le bien qui lui semble en provenir, non pas à soi, mais à cette forme même. Aussi la loue-t-il et l'aime-t-il en son esprit. Et il ne se tient pas lui-même pour bon, mais elle, et se croit heureux grâce à elle. Il ne demeure pas en soi-même, mais il tend vers elle, il passe en elle avec une application de son esprit et un assentiment de sa volonté d'autant plus grands que sa jouissance accroît son admiration et son amour. Aussi quelqu'un vient-il endommager cette forme ou la ravir, il attribue à lui-même l'injure subie, non à elle. Et parce que s'attacher à elle était pour lui le paradis et la béatitude, en être séparé est un enfer et une misère. Sois ainsi, toi-même, à l'égard de Dieu.

**291.** Qui jouit parfaitement d'un objet s'oublie lui-même, se délaisse en quelque sorte, et se méprise pour tendre vers cet objet. Il n'est plus attentif à ce qui se passe en lui-même, mais en cet objet, ni à ce qu'il est, lui, mais à ce qu'est son objet.

Les anges se méprisent donc plus que nous : tendant vers Dieu de toutes leurs forces, ils se laissent derrière eux de tout leur désir avec les autres créatures et se tiennent pour si vils qu'ils ne daignent même pas se regarder. S'humiliant de tout leur esprit, oublieux d'eux-mêmes, ils vont tout entiers à lui ; ils ne s'occupent pas de savoir qui ils sont et quels ils sont, mais qui il est, lui. Et plus ils se méprisent et se détournent d'eux-mêmes, plus ils s'oublient eux-mêmes, plus aussi ils deviennent semblables à lui, et par là meilleurs.

**292.** « En paix, dans l'unité, je dormirai et me reposerai [1] » : en celui qui plonge dans le sommeil l'harmonie du ciel [2], si bien qu'il n'y a plus de mouvement ; le cœur ne ressent ni trouble, ni crainte [3]. Tel est le vrai sabbat [4].

*

**292** [4] *Is.* 58, 13. — « Tu post opera tua bona valde, quamvis ea quietus feceris, requievisti septimo die, hoc praeloquatur nobis vox Libri tui, quod et nos post opera nostra, ideo bona valde, quia tu nobis ea donasti, sabbato vitae aeternae requiescamus in te », S. AUGUSTIN, *Confessiones,* Lib. XIII, cap. 36, *PL* 32, 868.

**293.** Aut medicus aegrum non diligit, aut eum sine dolore curat, si potest, et hoc ei expedire novit.

**294.** Cui verissime dici potest : « Quid habes quod non accepisti ? » Unde in se gloriari debeat, non in Domino. Tanto quippe, sicut beatus Gregorius dicit, humilior esse debet ex munere, quanto se obligatiorem conspicit in reddenda ratione.
5 Quanto enim plura acceperit, tanto plura debebit.

**295.** Dum corpus et corporea diliguntur, amor qui est vita, lux, libertas, immensitas quaedam, moritur, obtenebratur, ligatur, angustatur. Et sicut aurum non liquatur, nisi argento vivo misceatur, ita mens nostra inviolablis est et illaesibilis,
5 nisi corruptibilibus ac laesibilibus, et quae non possunt non mutari, amore misceatur. Permixta vero, tam corruptibilis quam illa, aut amplius, efficitur.

Parvo enim vulnere corporis, id est morsu pulicis, fit ingens doloris anxietas in anima. Morsu pulicis utrumque et
10 anima et corpus tuum vulneratur, alterum dolore, alterum scissura. Tu vero, sanata scissura corporis, putas etiam ipsam animam sanatam esse, cum remaneat eadem debilitas qua succubuit corpori vulnerato. Et quidem corporis debilitas sanari in hac vita non potest, sed semper in deterius tendit ;
15 animae autem sanitas, nisi hic incipiat, non invenietur in futuro.

**296.** Omnium autem talium dolorum et cruciatuum sola medicina est, contemptus eorum quae laesa sunt, et conversio mentis ad Deum.

\*

294,5 acceperit : accipit P
295,5 ac laesibilibus *om.* P ‖ 8-9 fit ingens — pulicis *om.* P ‖ 9 anxietas : axietas TB ‖ 11 Tu vero *om.* P ‖ scissura sanata M ‖ 14 in hac vita sanari P

**294** [1] *I Cor.* 4, 7.      [2] *I Cor.* 1, 31 ; *II Cor.* 10, 17.
[3] « Tanto ergo esse humilior atque ad serviendum promptior quisque debet ex munere, quanto se obligatiorem esse conspicit in reddenda ratione », S. GRÉGOIRE, *Homilia IX in Evangelium, PL* 76, 1106. Ce texte était lu au temps de Guigues pour la fête de saint Martin.

**293.** Ou le médecin n'aime pas son malade, ou il le soigne sans douleur, s'il le peut et s'il sait que cela lui fera du bien.

**294.** A qui peut être dit en toute vérité : « Que possèdes-tu que tu n'aies reçu [1] ? » d'où se glorifierait-il en lui-même et non pas dans le Seigneur [2] ? Comme le dit saint Grégoire, il doit être d'autant plus humble dans sa fonction qu'il se voit davantage obligé d'en rendre compte [3]. Car plus il aura reçu, plus il redevra [4].

**295.** Tant qu'on aime le corps et ce qui est du corps, l'amour qui est vie, lumière, liberté et une certaine immensité, meurt, s'enténèbre, est entravé et se rétrécit. Et comme l'or ne se liquéfie que mêlé de vif-argent, de même notre esprit demeure inviolable et invulnérable tant qu'il n'est pas mêlé par l'amour à des biens corruptibles et vulnérables, qui ne peuvent pas ne pas changer. Mais une fois mélangé avec eux, il devient aussi corruptible, et même davantage.

Une petite blessure du corps, par exemple la morsure d'une puce [1], cause dans l'âme un grand émoi douloureux. Par la morsure d'une puce, ton âme et ton corps sont tous deux blessés, l'un par la douleur, l'autre par la blessure. Mais toi, la blessure du corps une fois guérie, tu crois que ton âme l'est aussi ; cependant la même faiblesse, qui l'a rendue victime du corps blessé, demeure en elle. Sans doute la débilité du corps est irrémédiable en cette vie et tend toujours à s'aggraver. Mais la santé de l'âme, si elle ne commence ici-bas, ne sera pas trouvée dans le monde à venir [2].

**296.** Le seul remède pour toutes les douleurs et souffrances de ce genre est le dédain de ce qui a été blessé, avec la conversion de l'esprit à Dieu [1].

*

294 [4] *Lc* 12, 48.
295 [1] Voir note sur les souffrances, p. 324.      [2] *Matth.* 12, 32.
296 [1] « Quod instituit a cultu divinae religionis aversio, abstulit ad unum Deum verum sanctumque conversio », S. AUGUSTIN, *De Civitate Dei,* Lib VIII, c. 24, n. 2, *PL* 41, 251. — Voir note « Liberté », p. 312.

**297.** Non prodest multum si auferas alicui quod male tenet, sed si hortatu verbi et exemplo tuo agas, ut hoc ipse gratis dimittat. Non enim amisisse malum, sed dimisisse, laudabile est.

**298.** Sponte implicat se homo corporum ac vanitatis amori ; sed, velit nolit, cruciatur timore et dolore pro eorum interitu, sive cum auferuntur ipsa corpora, sive cum vituperantur. Amor enim periturorum, est quasi fons timorum inutilium
5 et dolorum, ac sollicitudinum universarum. Pauperem ergo a potente liberat Dominus, solvendo eum a vinculo mundani amoris. Qui enim nil periturum diligit, ubi a quolibet potente laedatur non habet ; et omnino inviolabilis est, qui sola inviolabilia sicut diligenda sunt diligit.

**299.** Si omnes capillos capitis tui abscidat quis, non te laedet, nisi cum eos qui capiti adhaerent tetigerit. Sic non te laedet, nisi ea quae per concupiscentiam in te fixere radices quis tangat ; quae quo plura fuerint et magis amata, eo plures
5 ac vehementiores dolores parient.

**300.** Nihil tutum superbiae, nihil excelsum Deo. Cum ergo te in aliquo persequitur Deus, ad nulla remedia fugiendum, prius quam ad ipsum. Quod fecere gygantes, erigentes turrim, ut tuto peccarent, quotiens facis similiter.

5 Hoc enim solum homines queruntur, quia non possunt implere quod volunt, non quia nolint quod expedit, aut quia velint quod obsit. Potestatem tantummodo dolent deesse sibi ne impleant quod volunt ; utrum autem bene velint, nec retractant. Tanquam nil erroris, nil perniciei possit esse in

**297**,2 verbi *om.* P ‖ 4 est *om.* T
**298**,4 periturorum : praeteritorum G ‖ 5 ergo *om.* P
**299**,2 cum *om.* TBP
**300**,2 in aliquo te P ‖ 6 nolint : nolunt B ‖ 7-8 quod obsit — velint *om.* P ‖ 7 tantummodo : tantum MTB

**297** [1] Voir note sur « prodesse », p. 320.    [2] Voir note « Liberté », p. 312.
**298** [1] *Ps.* 71, 12.    [2] Voir note « Liberté ».

**297.** En enlevant à quelqu'un ce qu'il détient à tort, tu ne lui es pas vraiment utile [1] ; mais tu le seras si par un mot d'exhortation et par ton exemple tu obtiens qu'il l'abandonne lui-même spontanément [2]. Le mérite, en effet, n'est pas d'être privé de ce mal, mais de s'en priver.

**298.** L'homme s'engage de lui-même dans l'amour des corps et de la vanité ; mais bon gré mal gré, il est torturé par la crainte et la douleur de leur perte, soit qu'on les lui enlève, soit qu'on les critique. Car l'amour des biens périssables est comme une source de craintes inutiles, de douleurs et d'universelles sollicitudes. « Le Seigneur libère donc le pauvre du puissant [1] », en dénouant le lien de l'amour de ce monde [2]. En effet, celui qui n'aime rien de périssable, n'offre pas de prise où les puissants le blessent. Et celui qui aime les seuls biens inviolables comme ils doivent être aimés est lui-même tout à fait inviolable [3].

**299.** Si quelqu'un coupe tous les cheveux de ta tête, il ne te blessera pas, à moins d'en atteindre la racine. De même nul ne te blessera s'il ne vient à toucher aux racines des attaches fixées en toi par la concupiscence. Plus elles seront nombreuses et davantage aimées, plus nombreuses et violentes seront par là même les douleurs engendrées par elles.

**300.** Rien n'est sûr pour l'orgueil, rien n'est élevé au regard de Dieu. Aussi quand Dieu te poursuit sur un point, ne recours à aucun remède avant de recourir à lui. Combien souvent tu agis comme les géants qui ont dressé leur tour [1], afin de pécher en sécurité.

Les hommes, en effet, ne se plaignent que de cela seul : de ne pouvoir faire ce qu'ils veulent, et non de ne pas vouloir ce qu'il faut, ni de vouloir ce qui est fâcheux. Leur seule peine est de manquer du pouvoir d'accomplir leur volonté. Que ce vouloir soit pour leur bien, ils n'y réfléchissent pas. Comme si nulle erreur, nul dommage ne pouvait se trouver dans la volonté,

**298** [3] Voir note sur les souffrances, p. 324.
**300** [1] *Gen.* 11, 4 ; 6, 4.

10    voluntate, cum e contra in ea sola sint omnia mala hominum.

**301.** Vide quam incomparabiliter plus quam valet diligatur
hoc corpus a te. Non enim tantum doles, quantum laeditur.
Exigua enim eius laesura, utpote morsus pulicis, magnae tibi
anxietatis est causa.

5     Cui autem Deus totum et solum bonum est, eius solummodo
amissionem maeret, non aliud. Non hoc dives in inferno. Levi-
ter quippe ferebat, amisisse se Deum. Non enim quaesivit,
reddi sibi Deum. Humoribus quibus assuetus erat, difficile
carebat.

*

**302.** Praeparationem cordis tui audit auris Domini ; tu
autem ignoras eam, sicut et beatus Petrus, cum diceret :
« Tecum paratus sum et in carcerem et in mortem ire. » Nec
tuam ergo nec alterius hominis aestimationem de te magnidu-
5     cas, sed solius Dei.

**303.** Vide quam te ipsum ignores. Nulla est enim regio tam
remota et ignota tibi, de qua facilius credas falsa narranti.

**304.** Quanto res ignotior est et facilior iudicatur, et persona
narrantis gravior est, tanto facilius creditur.

**305.** Ecce huic corpori immixtus, satis miser eras. Omnibus
enim eius corruptionibus usque ad morsum pulicis vel sorunculi subiacebas. Non suffecit hoc tibi. Immiscuisti enim te aliis
quasi corporibus, opinioni hominum, admirationi, amori,
5     honori, timori, et aliis similibus ; et sicut ex corporis, ita ex
horum laesione dolore afficeris. Ipsemet ligna quibus combure-

---

**300**,10 sola *om.* P
**302**,2 et *om.* MP ǀǀ 4 hominis *om.* MTBP ǀǀ 5 Dei : Deus M
**304**,2 gravior est : et facilior est *add.* T
**305**,2 corruptionibus eius MP ǀǀ 5 *ante* timori *add.* et P ǀǀ 6 horum :
eorum P

---

**301** [1] Voir note sur les souffrances, p. 324.          [2] *Lc* 16, 22-24.
**302** [1] *Ps.* 10, 17 (Hébr.).          [2] *Lc* 22, 33.

tandis qu'au contraire en elle seule résident tous les maux des hommes.

**301.** Vois comme tu aimes ce corps incomparablement plus qu'il ne vaut. Car ta douleur n'est pas proportionnée aux dommages qu'il subit. Sa moindre blessure, la morsure d'une puce par exemple [1], cause en toi un grand émoi.

Mais celui pour qui Dieu est le seul bien total, s'afflige uniquement de sa perte et de rien d'autre. Il n'en fut pas ainsi du riche en enfer [2]. Il supportait aisément d'avoir perdu Dieu, car il ne demanda pas que Dieu lui fût rendu. Il supportait difficilement la privation de cette fraîcheur de gosier à laquelle il était accoutumé.

\*

**302.** « L'oreille du Seigneur entend les dispositions de ton cœur [1]. » Mais toi, tu les ignores, tel le bienheureux Pierre, quand il disait : « Je suis prêt à aller avec toi et en prison, et à la mort [2]. » Ne fais donc grand cas, ni de ton propre jugement, ni de celui d'autrui à ton sujet, mais de celui de Dieu seul.

**303.** Vois à quel point tu t'ignores toi-même. Il n'est pas de pays si éloigné et si inconnu de toi, au sujet duquel tu croies plus facilement celui qui te raconte des mensonges.

**304.** Plus une chose est inconnue et paraît naturelle, plus considérée la personne qui la rapporte, plus facilement on la croit.

**305.** Vois : partie liée avec ce corps mortel, tu étais bien assez malheureux. Car tu étais soumis à toutes ses altérations, jusqu'à la morsure d'une puce [1] ou d'un souriceau. Cela ne t'a pas suffi. Tu as en effet lié partie avec d'autres objets, comme avec autant d'autres corps : l'opinion des hommes, l'admiration, l'amour, l'honneur, la crainte et d'autres attaches semblables, et leur altération te cause de la douleur comme celle du corps. Tu as dressé toi-même pour toi le bûcher où tu seras brûlé. En vérité, quand tu te vois méprisé, ton honneur est bles-

---

**305** [1] Voir note sur les souffrances.

reris, tibi adhibuisti. Laeditur nempe honor tuus, cum contemneris. Sic et de caeteris. Ita etiam de formis corporum cogita.

**306.** Sunt quidam sapores, ut mellis, quidam humores et calores, ut carnis. Cum ista aut subtrahuntur aut laeduntur, quomodo sit tibi vide.

**307.** Considera quomodo paupertas et vilitas in mediis urbibus solitudinem praestent, divitiae turbis heremos impleant.

**308.** Maxima utilitas corporum est, in usu signorum. Ex eis enim fiunt multa signa nostri saluti necessaria, ut ex aere voces, ex ligno cruces, ex aqua baptismus. Non norunt invicem motus suos animae, nisi per signa corporea.

**309.** Praepara te ad tolerandam legem, quam erga alios ipse exercueris. Legibus enim abs te conditis subiacere cogeris, sive bonis sive malis. In qua autem mensura mensus fueris, in eadem remetietur tibi. Bonas ergo leges et misericordia plenas 5 in alios da, ne si, quod absit, malae fuerint, male sit et tibi, cum eis subiectus fueris. Iudicium enim sine misericordia, ei qui non facit misericordiam.

**310.** Quam contemnendae sint saecularis potestas et longa vita in carne, ostendit Dominus, cum et Pontio Pilato potestatem occidendi filium suum, et Neroni orbis imperium dedit, cornicibus quoque vel cervis multa saecula vitae. Quae raro 5 dat sanctis. Quando autem sancto alicui dat Dominus potestatem super aliquos, non eius, sed eorum misereretur. Non enim ille indiget subiectis, sed illi potius bono egent rectore.

*

**305**,7 nempe : enim MP ‖ 8 corporum *om.* MP
**306**,2 aut[1] *om.* MP ‖ 3 tibi sit P
**309**,6 *ante* ei *add.* est P
**310**,5 alicui sancto P

---

**305** [2] Voir note sur les formes, p. 315.
**309** [1] *Matth.* 7, 2.      [2] *Jac.* 2, 13.

sé. Et ainsi du reste. Pense de même au sujet des formes corporelles [2].

**306.** Il y a des saveurs, comme celle du miel, des humeurs et des chaleurs, comme celles du corps. Quand elles te sont enlevées ou se trouvent altérées, vois comment tu te sens.

**307.** Considère comment la pauvreté et la misère créent la solitude au milieu des villes, comment les richesses remplissent de foules les déserts.

**308.** La plus grande utilité des objets corporels est leur usage comme signes. En effet, on tire d'eux beaucoup de signes nécessaires pour notre salut : ainsi de l'air on fait des paroles, du bois des croix, de l'eau le baptême. Les âmes connaissent leurs sentiments réciproques seulement par des signes corporels.

**309.** Prépare-toi à subir la loi que tu auras toi-même appliquée aux autres. Car tu es obligé de te soumettre aux lois portées par toi, bonnes ou mauvaises. « De la mesure dont tu auras mesuré, on mesurera pour toi [1]. » Donne aux autres de bonnes lois, pleines de miséricorde, de peur que, si elles étaient mauvaises, ce qu'à Dieu ne plaise, il en adviendrait pour toi du mal, quand tu leur seras soumis. Car « le jugement sera sans pitié pour celui qui ne montre pas de pitié [2]. »

**310.** Le Seigneur a montré combien sont méprisables le pouvoir en ce monde et une longue vie ici-bas, quand il a donné à Ponce-Pilate le pouvoir de tuer son Fils [1] et à Néron l'empire du monde, et aussi quand il accorde aux corneilles et aux cerfs de nombreux siècles de vie. Ce qu'il donne rarement aux saints. Mais quand le Seigneur donne à un saint le pouvoir sur d'autres, ce n'est pas à lui, mais à ceux-ci, qu'il témoigne sa miséricorde. Car le saint n'a pas besoin de subordonnés, mais eux plutôt ont besoin d'un bon guide.

*

**310** [1] *Jn* 19, 10-11.

**311.** Eiusdem est dignitatis, refrenare ac destruere voluntatem malam, et perficere et implere bonam. Alterum angelorum, alterum hominum sanctorum est, in quibus spiritus concupiscit adversus carnem, et caetera. Utrumque docet utrosque Christus, id est veritas. Item eadem dignitas est, licet non tanta, paenitentia, quae et innocentia.

**312.** Dolere unde dolendum, et gaudere unde gaudendum. Odisse malum, et amare bonum. Contemnere facturam, et amare factorem. Avelli ab adultero, et frui sponso. Perseverare in bono, et redire ad bonum. Horum alia in hominibus, alia in angelis ; omnia tamen operatur unus atque idem Christi spiritus.

**313.** Colloquere his quibus frueris, si potes. Quod si non potes, erubesce te ydolatram.

**314.** Penuria interioris spectaculi, id est Dei, non quod non insit, sed quod a te interius lippo non videatur, facit ut a tuis interioribus foras libenter exeas, imo intra te tanquam in tenebris nequeas commorari, et exterioribus corporum formis sive opinionibus hominum vaces admirando. Non imputes formis corporeis quod te aut detinent aut terrent, sive aliquo modo movent, sed tuae caecitati, atque a summo bono vacuitati.

**315.** Aut extingue penitus concupiscentiam, aut para te ad conturbandum, id est ad timendum et dolendum, unde non debes.

**316.** Vide, si omnes homines, dimissis omnibus aliis rebus quibus intendunt, uni tantum colori aut sapori ex toto inten-

---

**311**,3 sanctorum hominum MP ‖ 6 quae *om.* P
**312**,3 et *om.* TB
**314**,1 non[2] *om.* GM
**316**,1 omnibus *om.* MTBP

---

**311** [1] *Gal.* 5, 17.      [2] *Jn* 14, 6.
**312** [1] *Rom.* 12, 15.      [2] *Rom.* 12, 9.      [3] *I Cor.* 12, 11.
**314** [1] Comme **264** [1].

**311.** Voici une même grandeur : réfréner et détruire un vouloir mauvais, ou parachever et accomplir un vouloir bon. L'un est le fait des anges, l'autre celui des hommes saints, chez qui « l'esprit s'oppose à la chair, etc. [1] ». Le Christ qui est Vérité [2] enseigne l'un et l'autre aux premiers et aux seconds. Il y a également même dignité, non pas toutefois aussi élevée, dans la pénitence et l'innocence.

**312.** S'affliger quand il faut s'affliger, se réjouir quand il faut être dans la joie [1]. Haïr le mal et aimer le bien [2]. Délaisser la créature et aimer le Créateur. Se détourner de l'adultère et jouir de l'Époux. Persévérer dans le bien et revenir au bien. Certains de ces actes appartiennent aux hommes, et les autres aux anges. Mais le seul et même Esprit du Christ les accomplit tous [3].

**313.** Entre en conversation, si tu le peux, avec ce dont tu jouis. Et si tu ne le peux, rougis d'être un idolâtre.

**314.** Étant privé du spectacle intérieur [1], Dieu, non qu'il soit absent, mais parce que ton regard intérieur est obscurci [2] et ne le voit pas, tu sors volontiers en-dehors de toi-même. Bien plus, tu ne peux demeurer en toi-même où tu rencontres les ténèbres, et tu t'occupes avec admiration des formes [3] extérieures des corps et des opinions des hommes. Ne reproche pas aux formes corporelles de te retenir, de te faire peur ou de t'émouvoir de quelque manière, mais accuse ton aveuglement et ton état de vide à l'égard du Bien Suprême.

**315.** Éteins jusqu'au fond la concupiscence, ou attends-toi à être jeté dans le trouble, c'est-à-dire à craindre et à souffrir d'où tu ne le dois pas.

**316.** Vois si tous les hommes, laissant là tous les sujets qui les intéressent, s'occupaient entièrement d'une seule couleur ou

---

**314** [2] « Lippientes mentis oculi », S. GRÉGOIRE, *Moralia in Job,* Lib. V, cap. 36, 66, *PL* 75, 715. Et aussi, *PL* 75, 764. — *Homiliae in Ezech.* L. II, Hom. 11, *PL* 76, 954. — *Liber regulae pastoralis,* I<sup>a</sup> P., cap. XI, *PL* 77, 25.
[3] Voir note sur les formes, p. 315.

dant, quam miseri, foedi, stulti erunt. Sic sunt et modo, cum
tam multis ac diversis rerum qualitatibus intendunt. Non enim
5 magis plures aut universae creaturae, Deus noster aut salus
nostra sunt, quam una qualibet earum.

**317.** Omnes quod volunt, implere conantur. Quis autem
fecit eos securos, bonum aut utile esse quod volunt ? Unde
enim hoc probaverunt ?

**318.** Duo sunt quae necessario morituri et peccatores, frus-
tra conantur obtinere. Vivere scilicet et latere. Utrumque enim,
est impossibile. Moriuntur enim necessario cuncti, et nihil
opertum quod non reveletur, et occultum quod non sciatur.

*

**319.** Vere colit Deum ille solummodo, qui in eum vere
intendit, cum veri timoris vel amoris, honoris vel reverentiae,
atque admirationis affectu. Hic enim solus, cultus verus et
perfectus est. Qui ergo haec alicui rei praeter Deo exhibet,
5 ydolatra verus est.

Unde apostolus : « Quorum deus venter est » ; et alibi :
« Tales enim non Deo serviunt sed suo ventri » ; itemque :
« Avaritia quae est ydolorum servitus. »

Qui vero haec sibi vult exhiberi, quem nisi diaboli vera-
10 citer locum tenet, qui modis omnibus haec ab hominibus
conatur extorquere ? Itaque fere omnes querelae hominum
in eo sunt, quod scilicet aut pereunt, aut auferuntur eis dii
eorum, id est creaturae, quibus hunc verum et divinum
exhibebant cultum, sine quod eis talis non exhibetur cultus.
15 Vide ergo quantum adhuc in te atque in toto mundo regnet
ydolatria.

**317,**3 hoc : homo P
**318,**3 est *om.* MTBP ‖ 4 sciatur : scietur M
**319,**4 est *om.* MT ‖ 7 enim *om.* P ‖ 8 avaritia : avaracia G ‖ 10 *ante*
qui *add.* et P ‖ 12 sunt in eo MP ‖ 12-13 dii eorum eis P

d'une seule saveur, combien ils seraient malheureux, odieux, stupides. Ils le sont dès maintenant, quand ils s'occupent des aspects si nombreux et si divers des choses. Beaucoup de créatures, en effet, et même leur totalité ne sont pas plus notre Dieu et notre salut [1] que l'une quelconque d'entre elles.

**317.** Tous s'efforcent d'accomplir ce qu'ils veulent. Mais qui leur a donné la certitude de vouloir le bien ou l'utile ? D'où en ont-ils tiré la preuve ?

**318.** Ceux qui mourront nécessairement et qui ont péché s'efforcent en vain d'atteindre deux fins : vivre et se cacher. Les deux sont impossibles. Car tous mourront inéluctablement [1], et « il n'est rien de caché qui ne soit un jour dévoilé, rien de secret qui ne soit un jour connu [2]. »

\*

**319.** Celui-là seul rend à Dieu un culte vrai, qui tend en vérité vers lui, avec des sentiments de vraie crainte ou d'amour, d'hommage ou de révérence, et d'admiration. Car ce seul culte est vrai et parfait. Donc celui qui témoigne ces sentiments à quelque objet et non à Dieu est un vrai idolâtre.

Aussi l'Apôtre dit : « Leur Dieu, c'est le ventre [1]. » Et ailleurs : « Ceux-là ne servent pas Dieu, mais leur ventre [2]. » De même : « La cupidité est une idolâtrie [3]. »

Mais celui qui veut pour lui-même ces sentiments ne se met-il pas en toute vérité à la place du démon, qui s'efforce par tous les moyens de les extorquer aux hommes ? Aussi presque toutes les plaintes des hommes consistent en ceci : leurs dieux périssent ou leur sont enlevés, c'est-à-dire les créatures auxquelles ils rendaient ce culte véritable et divin ; ou encore, ce culte ne leur est pas rendu à eux-mêmes.

Vois donc combien l'idolâtrie règne encore en toi et dans le monde entier.

**316** [1] *Ps.* 17, 47 ; 37, 23 ; 50, 16.
**318** [1] *Sir.* 8, 8 ; *Hébr.* 9, 27.          [2] *Matth.* 10, 26 ; *Lc* 12, 2.
**319** [1] *Phil.* 3, 19.          [2] *Rom.* 16, 18.          [3] *Éphés.* 5, 5 ; *Col.* 3, 5.

**320.** Superbus, nec superiorem recipit nec aequalem. Sed cui veraciter nemo aequalis aut superior est, solus est ; et Deus est. Non enim possunt duo tales esse. Ergo superbus vult esse Deus. Sed duo esse non possunt. Ergo non esse Deum vult.
5 Merito igitur, « Deus superbis resistit. »

**321.** Cum vides aut audis aliena mala, respice animum tuum, ut probes quantum ei verae dilectionis erga homines insit.

**322.** Vide quantum te ipsum contemnas. Nulla enim fere res est, cui non facilius attendat, et in qua non libentius adquiescat cogitatio et voluntas tua. « Adhaesit enim pavimento anima tua, et in terra venter tuus. »

**323.** Qui non videri sed esse verax veraciter diligit, nec videri sed esse mendax veraciter metuit, statim ut se mentitum adverterit, sibi contradicit, nec ab hoc ulla eum vel improperia vel damna revocant. Mavult enim verax mori, quam mendax
5 vivere, si tamen vivit mendax, cum scriptum sit : « Os quod mentitur occidit animam. » Non itaque aut mendax vivere, aut verax mori, quamdiu hoc est, potest. Si enim os quod mentitur occidit animam, os quod verum dicit vivificat animam. Eo ipso itaque quo verax est vivit, et unde verax est
10 vivit. De veritate ergo, id est de Deo, vivit. In aeternum ergo vivit, aeterno cibo, id est veritate, refectus.

\*

**324.** Non est volendum tanquam bonum, quod indiget alio bono. Augebit enim indigentiam tuam sua propria, non expellet. Miseriorem igitur te reddet.

---

**320**,2 superior aut aequalis P ‖ 4 Ergo non esse *iter.* P
**322**,1 enim : ei TB
**323**,1-2 verax — esse *om.* P ‖ 6-9 Non itaque — vivificat animam *om.*
MTBP

---

**320** [1] *Jac.* 4, 6 ; *I Pierre* 5, 5.
**322** [1] *Ps.* 118, 25.        [2] *Ps.* 43, 25.

**320.** L'orgueilleux n'admet ni supérieur, ni égal. Mais celui à qui vraiment nul n'est égal ou supérieur est seul : c'est Dieu. Car deux êtres ne peuvent exister tels. L'orgueilleux veut donc être dieu. Mais il ne peut y avoir deux « Dieu ». Donc il veut que Dieu ne soit pas. Aussi, à bon droit : « Dieu résiste aux orgueilleux [1]. »

**321.** Lorsque tu vois ou entends parler des maux d'autrui, examine ton esprit, afin de savoir combien s'y trouve de véritable amour pour les hommes.

**322.** Vois à quel point tu te méprises toi-même. Car il n'est presque pas d'objet vers lequel ta pensée et ta volonté ne tendent plus facilement et en quoi elles se reposent avec plus de plaisir. « Ton âme est collée à la poussière [1], et ton ventre au sol [2]. »

**323.** Qui aime vraiment, non pas paraître, mais être véridique, et qui craint vraiment, non de paraître, mais d'être menteur, se rétracte dès qu'il s'aperçoit avoir menti, et ni les reproches, ni les dommages ne peuvent l'en faire revenir. Car il préfère mourir dans la vérité que vivre menteur, si tant est qu'un menteur soit vivant, car il est écrit : « La bouche menteuse tue l'âme [1]. » Aussi le menteur ne peut-il vivre, ni l'homme véridique mourir, aussi longtemps qu'ils restent tels. Si, en effet, la bouche menteuse tue l'âme, la bouche qui dit le vrai la fait vivre. L'homme vit parce qu'il est véridique, et il vit de ce qui le rend véridique. Il vit donc de la Vérité, c'est-à-dire de Dieu. Il vit pour l'éternité, sustenté par une nourriture éternelle, c'est-à-dire par la Vérité.

*

**324.** Il ne faut pas vouloir comme un bien ce qui a besoin d'un autre bien. Car ce bien ne supprimera pas ton indigence, il l'ajoutera à la sienne propre. Il te rendra donc plus misérable.

**323** [1] *Sag.* 1, 11.

**325.** Nulla res debet velle amari tanquam bonum, nisi quae eo ipso quod amatur, suum beatificat amatorem. Nulla autem hoc facit, nisi quae amatore non eget, id est cui non prodest, nec amari ab alio, nec amare aliud.

Crudelissima igitur res est, quae vult ut quis in ea intentionem suam et affectum et spem constituat, cum ipsa ei prodesse non possit. Hoc faciunt daemones, qui pro Dei servitio, suo volunt homines occupari.

Clama igitur tu amatoribus tuis : « Cessate iam nunc, miseri, me admirari, revereri, vel quolibet honorare modo, quoniam ego miser nec mihi nec vobis auxilium ullum ferre possum, imo egeo vestro. »

**326.** Qui te in te frui vult, eas a te gratias meruit, quas muscae et pulices, tuum sugentes sanguinem.

**327.** Vide quomodo in hoc tanquam mari, tam innumerabilium formarum corporearum et animorum humanorum nunquam in eodem statu permanentium, nunquam sinaris quiescere.

**328.** Aliud est occidere hominem, aliud occidere impium. Hominem enim occidere est, animam a corpore separare. Impius autem nullo modo occiditur, nisi mutata mente, damnata impietate, pius fiat. Non ergo moritur impius, morte corporis. Ita et iustus nullatenus moritur, nisi fiat iniustus. Igitur non nisi relicta iustitia.

**329.** Taliter ac tantum, qualis et quantus est diligendus est Deus. Est autem aeternus et immensus. Aeternus ergo et

---

**325**,5 res : rex P ‖ 7 hoc : haec MTB ‖ 9 nunc iam P ‖ 12 vestro egeo TB
**327**,1 tam *om.* P
**329**,2-3 Aeternus ergo et immensus *om.* P

---

**325** [1] Voir note sur « prodesse », p. 320.
**326** [1] Voir note sur les souffrances, p. 324.
**327** [1] « Non enim sentis esse te in mari », S. AUGUSTIN, *Enarratio in Ps.* 38, n° 11, *PL* 36, 422.
[2] Voir note sur les formes, p. 315.        [3] *Job* 14, 2.

**325.** Aucune réalité ne doit vouloir être aimée comme un bien, sauf celle qui, en étant aimée, donne le bonheur à celui qui l'aime. Et nul être ne réalise cela, hormis celui qui n'a pas besoin d'être aimé par quelqu'un, c'est-à-dire à qui nul avantage [1] ne provient d'être aimé par un autre ou d'en aimer un autre.

La réalité qui veut voir se fixer sur elle le désir, l'affection et l'espérance de quelqu'un est donc très cruelle, puisqu'elle ne peut lui être utile. C'est ce que font les démons : ils veulent que les hommes, au lieu de servir Dieu, soient occupés à leur service.

Toi, crie donc à ceux qui t'aiment : « Cessez désormais, misérables, de m'admirer, de me révérer, ou de m'honorer d'une manière ou d'une autre, car, misérable que je suis, je ne peux porter aucun secours, ni à moi, ni à vous. J'ai bien plutôt besoin du vôtre. »

**326.** Qui veut jouir de toi en toi-même a droit de ta part à la même reconnaissance que les mouches et les puces [1] qui sucent ton sang.

**327.** Vois comment tu n'es jamais laissé en repos dans cette sorte d'océan [1] de tant d'innombrables formes corporelles [2] et d'esprits humains qui ne demeurent jamais stables [3].

**328.** Autre chose est tuer un homme, autre chose tuer un impie. Tuer un homme, c'est séparer son âme de son corps. Mais l'impie n'est mis à mort en aucune façon, à moins que, son esprit transformé et son impiété condamnée, il ne soit devenu pieux. L'impie ne meurt donc pas par la mort de son corps. De même le juste ne meurt pas, à moins de devenir impie, à moins donc d'avoir abandonné la justice.

**329.** Dieu doit être aimé tel qu'il est, et selon sa grandeur. Or il est éternel et immense. Éternel et immense doit donc être l'amour de celui qui l'aime autant et comme il doit l'être. Celui-là donc est lui-même éternel et immense [1]. Mais person-

---

**329** [1] « Iam nullus nobis amandi modus imponitur, quando ipse modus est sine modo amare », SÉVÈRE DE MILÈVE, *Ad Augustinum, Ep.* 109, n° 2, *PL* 33, 419.

immensus est amor eum quantum et quomodo oportet diligen-
tis. Aeternus igitur et immensus est, et ipse amans. Sed nemo
5 eum omnino quomodo et quantum debet amare potest, nisi qui
eum qualis et quantus est perfectissime noverit. Sed hoc facit
nemo, nisi ipse. Ergo vera aeternitas et vera immensitas non
est nisi in ipso. Quantum tamen quisque facit hoc, tantum fit
hoc, id est immensus et aeternus.

*

**330.** Iudicium, pro condemnatione et pro discretione poni-
tur. Non ergo dicitur : « Nolite iudicare », id est discernere,
sed : « Nolite condemnare. » Ut sive bonum sive malum quis
agat, tu non nisi salutem eius semper inquiras. Non enim
5 convenit, ut qui venia indiges, venia indigentes condemnes.

**331.** Non solum nullum pretium debes suscipere ut facias
quod oportet, sed etiam nullis adversis quin facias deterreri.
Ipsa quippe iustitia propter se appetenda est, ut ipsa sit pretium
sui, sicut iniquitas propter se ipsam, etiam si nulla alia poena
5 sequatur, fugienda, cum tanquam sit ipsa poena sui.

**332.** Sicut nullo praemio peccato consentire, ita nullo
damno iustitiam deserere debes.

**333.** Si haec quibus in tua mente impressis admiratione et
amore, qui cultus soli Deo debetur, succumbis, in aliquo
angulo domus seu sculpta seu picta admiratione vel amore seu
corporis inclinatione venerareris, et innotesceret populo, quid
5 de te faceret ?

---

**329**,4 igitur : ergo P ‖ 6 perfectissime : perfecte MTBP ‖ 8 in : se *add.*
P ‖ hoc facit MP
**330**,1 pro[2] *om.* MTBP ‖ 5 indiges, venia *om.* P
**331**,3 sit : fit G ‖ 4 si etiam P

---

**330**[1] « Iam in superioribus lectionibus quantum potui, commonui
caritatem vestram dici etiam iudicium non damnationis, sed discretionis... »,
S. Augustin, *Tractatus 52, 6 in Ioannis Evang., PL* 35, 1771. — Voir aussi :

ne ne peut tout à fait aimer Dieu comme et autant qu'il le doit, hormis celui qui le connaît très parfaitement tel et si grand qu'il est. Or nul ne le fait, sinon lui-même. La vraie éternité et la vraie immensité n'existent donc qu'en lui-même. Toutefois, dans la mesure où quelqu'un le fait, il devient tel, c'est-à-dire immense et éternel.

*

**330.** Le mot « jugement » signifie « condamnation » et « discernement »[1]. Aussi n'est-il pas dit : « Ne jugez pas[2] », c'est-à-dire : ne discernez pas, mais : « Ne condamnez pas[3]. » Qu'un homme agisse bien ou mal, toi, ne recherche toujours que son salut. Car, ayant toi-même besoin de pardon, il ne convient pas que tu condamnes ceux qui en ont besoin.

**331.** Non seulement tu ne dois accepter aucun salaire pour faire ton devoir, mais encore aucune adversité ne doit t'en détourner. Car la justice doit être désirée pour elle-même[1], afin d'être elle-même sa propre récompense. De même il faut fuir l'iniquité pour elle-même, aucune punition ne dût-elle s'ensuivre, car elle est pour ainsi dire à elle-même sa propre punition.

**332.** Tu ne dois consentir au péché pour aucune récompense, et de même n'abandonner la justice sous la menace d'aucun dommage.

**333.** Si tu vénères des images imprimées dans ton esprit, auxquelles tu succombes par admiration et par amour — culte qui est dû à Dieu seul —, tu vénères par admiration, par amour ou en inclinant ton corps, des images sculptées ou peintes dans un coin de ta maison. Si le public venait à le savoir, que ferait-il de toi ?

*De Sermone, Domini in monte,* Lib. II, cap. 18, n° 59 à 62, *PL* 34, 1296. Était lu au 4e Dimanche après la Trinité.
[2] *Matth.* 7, 1.        [3] *Lc* 6, 37.
**331** [1] Comme en **99**[2].

**334.** Emendationem praecedit vituperatio. Non enim licet mutare, nisi quod displicet. Quia ergo semper indiges mutari, semper indiges tibi displicere.

**335.** Attende quomodo vicem magnetis exerceant in mente tua hae corporum foeditates, captivantes eam, sicut dicitur de Iudith : « Sandalia pedum eius captivam tenuerunt animam eius », id est Olofernis. Non corpus primo, sed animam. Atque
5   ita, per animam etiam corpus.

**336.** Ablactare amodo ab istis corporum formis, pudeat te non posse esse sine istis. Et quia ista, velis nolis, amissurus quandoque es, fac modo volens cum magna mercede aut gratia, quod etiam non sine magno supplicio quandoque factu-
5   rus es. Numquid enim, et si nullus auferat, non es hanc vitam et omnia quae ad illam pertinent contempturus ? Ecce habeto omnia. Numquid non es his omnibus quandoque cariturus ? Fac ergo modo quod tunc facturus es, quando omnia amiseris, id est disce esse sine istis, disce vivere et gaudere de Domino.

\*

**337.** Aliud est facere aut pati quod velis, aliud quod pro-sit. Nam et de malis, talis est in psalmo vindicta : « Dimisi eos secundum desideria », id est voluntates, « cordis eorum. Ibunt in adinventionibus suis. » Et insanus, cum lacertos suos
5   rodit, vel parentes seu amicos suos interficit, sine dubio quod vult, non tamen quod prosit facit. Et Dominus Petro : « Duce-ris », inquit, non quo non expedit, sed « quo non vis. » A volun-tate ergo tua avertere. Si enim dederis animo tuo, sicut

---

**334**,1 licet : libet MTBP
**336**,8 amiseris : admiseris P ‖ 9 sine istis esse P
**337**,3 desideria : cordis eorum *add.* MP ‖ id est : secundum *add.* P ‖
5 seu amicos *om.* MTBP ‖ 8 tua ergo P

---

**335** [1] Voir note sur les formes, p. 315.          [2] *Judith* 16, 11.

**334.** Le blâme vient avant la correction. Car il ne convient de changer que ce qui déplaît. Donc, puisque tu as toujours besoin de changer, tu as toujours besoin de te déplaire.

**335.** Vois comment ces laideurs des corps [1] agissent comme un aimant sur ton esprit et le captivent, comme il est dit de Judith : « Les sandales de ses pieds tinrent son âme captive [2] », l'âme d'Holopherne. Pas d'abord son corps, mais son âme. Et ainsi par l'âme, le corps également.

**336.** Sèvre-toi dès maintenant de ces formes sensibles [1]. Sois honteux de ne pouvoir te passer d'elles. Et puisque, bon gré mal gré, tu les perdras un jour, fais volontiers, de suite, pour une grande récompense et une grande grâce, ce que tu devras faire un jour, non sans un grand châtiment. Car ne te faudra-t-il pas délaisser cette vie et tout ce qui la touche, même si personne ne te les enlevait ? Voici : tout est en ta possession. Mais ne seras-tu pas un jour privé de tout cela ? Fais donc tout de suite ce que tu feras alors quand tu perdras tout : apprends à te passer de tout cela, apprends à vivre et à te réjouir du Seigneur.

*

**337.** Autre chose est de faire ou de souffrir ce que tu voudrais, autre chose ce qui te serait utile [1]. Car voici le verdict énoncé dans le psaume au sujet des méchants : « Je les ai abandonnés aux désirs », c'est-à-dire aux vouloirs de leurs cœurs, « ils suivront leurs avis [2] ». Le fou qui se ronge les bras ou qui tue ses parents ou amis, fait sans aucun doute ce qu'il veut, mais non ce qui lui serait utile. Et le Seigneur a dit à Pierre : « Un autre te conduira », non là où n'est pas ton intérêt, mais « là où tu ne veux pas [3] ». « Détourne-toi donc de ta volonté propre [4]. » Car, selon l'Écriture, si tu accordes à ton

---

**336** [1] Voir note sur les formes.
**337** [1] Voir note sur « prodesse », p. 320.          [2] *Ps*. 80, 13.
[3] *Jn* 21, 18.          [4] *Sir*. 18, 30.

Scriptura dicit, voluntates suas, « in gaudium te faciet ini-
10 micis tuis ».

**338.** Felix est omnis, qui vel vult, quod sibi prosit. Potest
ergo homo velle, quod sibi aut non prosit, aut obsit ? Utinam
vel semel in tota vita tua velis quod expedit, sicut volendum
est. O misera sors, non posse nolle quod obest.

**339.** Duobus modis, cum duae res sunt aequales, potest
haec illa maior fieri. Aut suo proprio augmento, aut sociae
detrimento. Hoc posteriore modo omnes principes et potes-
tates saeculi, aut gaudent aut nituntur caeteris omnibus esse
5     maiores, eorum videlicet deiectione et detrimento, non sua id
est corporis aut animi sui erectione vel augmento. Neque enim
aut corpora eorum aut mentes, ullo modo inde meliorantur,
sed videntur sibi profecisse et crevisse, quia illi defecerunt et
decreverunt. Quod si omnia ita diminuta essent, ut in nihi-
10    lum redacta essent, in quo cresceret ex hoc anima vel corpus
tuum ?

**340.** Nitere ut sis melior, quam es modo, id est ut te ipso
melior sis. Omnis enim res quae vere proficit, melior se ipsa
efficitur. Hoc enim solum utile est. Nec attenditur cum de vero
rei alicuius profectu agitur, utrum caeteris, sed utrum se ipsa,
5     id est quam solet, melior sit. Potest enim maior aliis fieri, aliis
deficientibus, non se proficiente ; melior autem se ipsa, sine
suo nequit esse provectu.

**341.** Non gaudendum tibi est, si caeteris te meliorem esse
contingat ; sed dolendum potius eos de bonitate minus habere,
computandumque id tibi deesse.

*

**338**,1 omnis *om.* P ‖ vel *om.* P
**339**,2 maior illa MP ‖ 5 detrimento et deiectione MTBP
**340**,5 aliis maior P
**341**,3 computandumque : est *add.* P

**337** [5] *Sir.* 18, 31.

esprit toutes ses volontés, « il fera de toi la risée de tes ennemis [5] ».

**338.** Heureux tout homme qui veut au moins ce qui lui serait avantageux [1]. Un homme peut-il donc vouloir ce qui ne lui serait pas utile ou lui serait dommageable ? Plût au ciel que, ne serait-ce qu'une seule fois dans toute ta vie, tu veuilles ce qui est expédient comme il le faut vouloir ! Ô malheureux sort : ne pas pouvoir ne pas vouloir ce qui est dommageable !

**339.** Quand deux choses sont égales, il y a deux manières de rendre l'une plus grande que l'autre : l'accroissement de l'une, ou la diminution de sa compagne. Selon cette seconde manière, tous les princes et toutes les puissances du siècle se réjouissent ou s'efforcent de dépasser tous les autres, en les abaissant ou en leur faisant tort, non point en s'élevant ou s'accroissant eux-mêmes, c'est-à-dire en corps ou en esprit. D'ailleurs ils n'améliorent en rien par là leurs corps ou leurs âmes ; mais ils se donnent l'impression d'avoir progressé et crû, parce que les autres ont régressé et décrû. Et si tout était diminué au point d'être réduit au néant, en quoi ton corps et ton âme seraient-ils grandis par là ?

**340.** Efforce-toi de devenir meilleur que tu n'es maintenant, c'est-à-dire d'être meilleur que toi-même. Car tout être qui progresse vraiment devient meilleur que lui-même. Cela seul est utile. Quand il s'agit du vrai progrès d'une chose, on ne regarde pas si elle devient meilleure que les autres, mais meilleure qu'elle-même, meilleure qu'elle n'a coutume d'être. Or elle peut devenir plus grande que les autres par l'abaissement de celles-ci, sans son propre progrès ; mais elle ne peut devenir meilleure qu'elle-même que par son propre progrès.

**341.** Ne te réjouis pas s'il t'arrive d'être meilleur que les autres ; mais déplore plutôt qu'il y ait en eux moins de bonté, et considère que cela te fait défaut.

*

**338** [1] Voir note sur « prodesse », p. 320.

**342.** Quomodo non glorietur aut superbiat de fortitudine vel pulchritudine, quando de infirmitate et turpitudine gloriatur homo ? Gloriatur enim si vehatur equo, aut eius turpitudo pannorum decore veletur, cum potius gloriari posse videretur,
5 si equum sua ipse virtute portaret, aut certe eo non indigeret, et fulgore suo vestes ipse decoraret, aut earum saltem decore non egeret. Haec enim et his similia, indigentiam eius ac turpitudinem protestantur.

**343.** « Amicitia huius mundi », ut beatus Iacobus dicit, « inimica est Deo. Qui enim voluerit amicus esse saeculi huius, inimicus Dei constituetur. » Qui autem diligit vel unam muscam in hoc mundo, totum mundum diligat necesse est. Totus
5 enim ei quam diligit rei, necessarius est. Porro quamdiu amor huius mundi, tam diu inimicitiae inter Deum et homines. Cum ergo ab eis te vis diligi, ut inimici Deo fiant vis.

Praedicas autem ut quicquid est creatum contemnant, quatinus Deo reconcilientur. Numquid ergo te solum excepturus
10 es dicturusque hominibus : « Omnia contemnite propter Deum praeter me », ut scilicet nihil sit aliud quod impediat reconciliari homines Deo nisi tu, atque ita propter te solum inter Deum et homines inimicitiae perseverent, sitque nemo salvus, dum diligendo te totum mundum diligere coguntur, tanquam
15 tibi necessarium ?

Aliud est autem diligere homines in mundo vel propter mundum, aliud in Deo vel propter Deum. Aliud cupide, aliud misericorditer.

---

**342**,2 vel : aut P ‖ 3 equo vehatur MP ‖ 4 veletur : velatur TB ‖ 5 virtute ipse P ‖ certe om. MTBP ‖ 7-8 ac turpitudinem eius P
**343**,1 Amicitia : Amicica G ‖ 2-3 Qui enim — Dei om. P ‖ 3 constituetur Dei M ‖ 4 diligat : diligit M ‖ 12 Deo homines P

---

**342** [1] *Jér.* 9, 23.

**342.** Comment l'homme ne se glorifierait-il pas et ne tire-rait-il pas orgueil de sa force [1] ou de sa beauté, quand il se glorifie de sa faiblesse et de ses infamies ? Il se glorifie, en effet, de monter à cheval, ou de voiler sa nudité [2] sous la beauté des étoffes, alors qu'il semblerait plutôt pouvoir se glorifier de porter lui-même un cheval par ses propres forces, ou tout au moins de n'en avoir pas besoin, et de parer lui-mê-me ses vêtements de sa propre beauté ou à tout le moins de n'avoir pas besoin de leur parure. Tout cela, et bien d'autres faits semblables proclament son indigence et sa laideur.

**343.** Comme le dit saint Jacques, « L'amitié pour ce monde est inimitié contre Dieu. Qui veut donc être ami du monde se rend ennemi de Dieu [1]. » Or celui qui aime, ne serait-ce qu'une mouche en ce monde [2], aime nécessairement le monde tout entier. Car celui-ci est tout entier nécessaire à l'objet de son amour. Aussi longtemps que dure l'amour de ce monde, aussi longtemps les inimitiés entre Dieu et les hommes. Quand donc tu veux être aimé de ceux-ci, tu veux qu'ils deviennent les enne-mis de Dieu.

Mais tu leur prêches de mépriser tout le créé pour être réconciliés avec Dieu. Feras-tu donc exception pour toi seul, et diras-tu aux hommes : « Méprisez tout à cause de Dieu, sauf moi ? » Ainsi rien d'autre que toi n'empêche la réconciliation des hommes avec Dieu, et à cause de toi seul durent les inimi-tiés entre Dieu et les hommes ; personne n'est sauvé tant qu'ils sont contraints, en t'aimant, d'aimer le monde entier comme étant pour toi nécessaire.

Or autre chose est d'aimer les hommes dans le monde ou pour le monde, autre chose de les aimer en Dieu ou pour Dieu. Là c'est convoitise, ici miséricorde.

---

**342** [2] *Sir.* 11, 4. — S. PIERRE DAMIEN, *Op. 29, De vili vestitu ecclesiastico-rum, PL* 145, 518 et *Op. 31, Contra Phylargyriam,* cap. VI, *PL* 145, 538.
**343** [1] *Jac.* 4, 4.          [2] Voir note sur les souffrances, p. 324.

**344.** Quam libenter ostentaret homo suam pulchritudinem si haberet, quia tam libenter ostentat alienam, videlicet in vestibus sive pelliciis, sive re cuiuslibet modi.

*

**345.** Omnis res quae vere proficit, mutatur in melius, sive in parte, sive tota. Omnemque eius profectum, vel in tota vel in aliqua parte eius consideramus. Et cum eam in melius mutare cupimus, aut toti aut alicui parti eius mutandae ope-
5 ram damus. Sic est et in defectu.

Quaenam itaque haec insania est, quae genus nostrum vexat ? Quis enim hominum suae utilitati intendit ? Quae anima se ipsam in melius mutare conatur ? O insana ebrietas.

Cum enim effusi in hunc mundum, per foramina vasis car-
10 nei, id est per sensus corporis, eius partibus inhaeremus, easque vel in melius vel in deterius sive a nobis sive ab aliis mutatas, aversa a nobis mentis intentione, miramur, earum profectus nostros putamus. Merito ergo et ineffabili insaniae genere, nostros illos esse putamus, quia, familiarius eis assue-
15 facti, eos cognoscimus, nos ipsos ignoramus.

Quae enim hodie anima ignorat albedinem vel nigredinem, vel similia ? Sed quae anima novit se ipsam ? Ergo si omnes animas interroges quid illa sint, respondebunt facile et uni-
formiter, tanquam de notis. Si autem interroges quid ipsae
20 sint, id est quid sit anima, statim confusae, aliae dicent, se hoc nescire, aliae dicent, animam esse ignem, aliae aerem, aliae humorem, aliae aliud, cum utique, si aliquid istorum est,

---

**345,**2 tota : in toto TB ‖ 4 mutandae : mutando P ‖ 6 est *om.* P ‖ 8 conatur mutare M ‖ 12 mentis *om.* MTBP ‖ 14 esse *om.* MTBP ‖ 16 anima hodie B ‖ 18 et : est P

---

**344** [1] *Sir.* 11, 4.

**344.** Combien volontiers l'homme étalerait sa beauté, s'il la possédait, lui qui aime tant étaler une beauté étrangère, dans ses habits, ses fourrures [1], ou dans toute autre espèce d'objets.

*

**345.** Toute chose qui progresse vraiment est changée en mieux, soit en partie, soit tout entière. Et nous remarquons l'ensemble de son progrès, soit en totalité, soit pour une partie. Quand nous désirons l'améliorer, nous travaillons à la changer, tout entière ou en partie. Il en est de même en cas de déclin.

Quelle est donc cette folie qui égare notre genre humain ? Qui, parmi les hommes, s'applique à sa propre utilité ? Quelle est l'âme qui fait effort pour se changer elle-même en mieux ? Ô folle ivresse !

En effet, quand nous nous répandons dans ce monde par les ouvertures de ce vase de chair que sont les sens du corps, nous nous attachons aux différentes parties de ce monde ; puis, détournant de nous l'attention de notre esprit, nous nous émerveillons devant les objets changés en mieux ou en pire par nous-mêmes ou par d'autres, et nous estimons que leurs progrès sont les nôtres. A bon droit et par une sorte d'indicible folie, nous estimons nôtres ces progrès, car, familiarisés avec eux par l'accoutumance, nous les connaissons, et nous nous ignorons nous-mêmes.

Quelle âme, en effet, aujourd'hui, ignore la blancheur, ou la noirceur, ou d'autres perceptions semblables ? Mais quelle âme se connaît elle-même ? Si donc tu interroges toutes les âmes : « Que sont ces choses ? » elles répondent sans hésiter et de manière uniforme, comme de choses connues. Mais si tu leur demandes ce qu'elles sont elles-mêmes, c'est-à-dire : « Qu'est-ce que l'âme ? » aussitôt elles sont remplies de confusion : les unes diront qu'elles n'en savent rien, d'autres diront qu'elle est du feu, de l'air, un liquide, d'autres quelque autre chose, alors que, certes, si l'âme est l'une de ces choses, elle ne

caetera nullo modo esse possit. Haec ergo multiplicitas sen-
tentiarum quid anima sit eas ignorare demonstrat.

25    Erubescant ergo, quia, tam multa scientes, se nesciunt.
Erubescant, quia de aliis certae, de se ipsis incertae sunt.
Viliora se mirantur, deterioribus innituntur. De quibus
omnibus nec unum capillum in corpore quod gestant facere
possunt.

*

**346.** Non tibi conandum est, ut domini tui, id est filii
Domini tui, quorum servitio ab eorum patre, id est Domino
Deo tuo, deputatus es, quod tu vis, sed quod eis prosit agant.
Te enim ad eorum utilitatem, non eos ad tuam voluntatem
5    inclinare debes, quia non ut praesis, sed ut prosis eis, tibi
commissi sunt.

Sicut et aeger medico, non ut dominetur, sed potius medeatur, committitur. Nec contra aegrum, sed pro aegro, id est contra aegritudinem eius, est medicus. Totamque et sufficientem
10   vindictam pro omnibus quae ab eo patitur, salutem eius habet.
Neque enim ei aliquid imputat, sed ipsi morbo, et ideo plena
est ei ultio : morbi ipsius extinctio.

**347.** « Corripiat me iustus in misericordia », tanquam
condolens mihi quod cecidi ; non in iustitia, tanquam reddens
quod merui. Nam nec ipse sibi vult reddi quod meruit. Aliter,
id est alia intentione si fecerit, iustus non erit. Non enim faciet
5    alii quo indiget, aut quod vult fieri sibi.

**345**,25 Erubescant — nesciunt *om.* MTBP ‖ 26 certae : et *add.* TB ‖
sunt : cogitant TB
**346**,1 est[1] *om.* MTBP ‖ 3 prosit : prosint G ‖ 7 sed : ut *add.* P ‖
9 eius aegritudinem P ‖ 11 ei aliquid : aliud ei P
**347**,3 vult sibi P

---

**345** [1] *Matth.* 5, 36.

peut en aucune façon être les autres. Cette multiplicité d'opinions démontre leur ignorance de ce qu'est l'âme.

Qu'elles rougissent donc de honte, car, sachant tant de
choses, elles ne se connaissent point. Qu'elles rougissent car,
certaines sur d'autres questions, elles demeurent incertaines
sur elles-mêmes. Elles admirent des objets plus vils qu'elles, et
elles s'appuient sur des êtres plus mauvais qu'elles. Et de tout
cela, elles ne peuvent pas même faire un seul cheveu du corps
qu'elles animent [1].

*

**346.** Ne t'efforce pas d'amener tes seigneurs, c'est-à-dire les
fils de ton Seigneur, au service desquels tu as été destiné par
leur Père, le Seigneur ton Dieu, à faire ce que tu veux, mais ce
qui leur est utile. Car tu dois t'incliner devant leur utilité, non
pas les plier à ta volonté. En effet, ils t'ont été confiés, non
pour que tu les commandes, mais pour que tu leur sois utile [1].

Ainsi le malade n'est pas confié au médecin pour subir sa
domination, mais pour être soigné. Et le médecin n'est pas là
contre le malade, mais pour lui contre sa maladie ; il tient sa
guérison pour une revanche totale et suffisante de tout ce qu'il
doit souffrir de sa part. Il ne le rend en effet responsable de
rien, mais le mal lui-même. Aussi trouve-t-il sa pleine revanche
dans l'extinction de la maladie.

**347.** « Que le juste me châtie selon la miséricorde [1] »,
comme souffrant de ma faute avec moi, et non pas selon la
justice en me donnant en retour ce que j'ai mérité. Car lui-même ne veut pas recevoir en retour ce qu'il a mérité. S'il agit
autrement, c'est-à-dire dans une autre intention, il ne sera pas
juste. Car il ne fera pas alors à autrui ce dont celui-ci a besoin
ou ce qu'il veut lui-même se voir accorder [2].

---

**346** [1] Voir notes sur « praesse-prodesse », p. 318, et « prodesse », p. 320.
**347** [1] *Ps.* 140, 5.       [2] *Matth.* 7, 12.

**348.** Mulier quae ob hoc non fornicatur et deserit proprium virum, quia non invenit adulterum diu mansurum, non vitat adulterium, sed quaerit diuturnum. Tu autem ad mali cumu-lum, divaricasti crura mentis tuae omni transeunti, ut vel
5 momentaneis adulteriis fruereris, quia diuturnis vel aeternis non poteras.

\*

**349.** Duobus medicis commissi fuerunt quatuor homines : sanus unus cum aegroto, uni ; et sanus alius cum aegroto alio, alii. Promissaque est merces, pro cura sive recuperandae sive conservandae salutis.
5 Itaque alter eorum fecit susceptis, quicquid pro servanda vel restituenda salute fieri debuit, et tamen mortui sunt. Alter nihil eorum quae fieri debuerunt fecit, et tamen qui sanus erat ita mansit, et qui aeger convaluit. Quis horum mercede dignus est, cuius suscepti ambo mortui sunt, an cuius vivunt
10 et valent ?
Ille sine dubio qui quod debuit fieri pia voluntate fecit, laude et mercede non minus dignus est, quam si illi vive-rent et valerent. Ille vero qui noluit facere quod debuit, poena non minus dignus est, quam si illi mortui essent.

**350.** Non ob hoc committitur aeger medico, ut ei faciat quod vult, sed quod prosit. Nec ut ei dominetur, sed medeatur.

**351.** Alter de duobus medicis dedit aegro quem secreto oderat potionem quam putabat mortiferam, et sanatus est ;

**348**,2 virum *om.* P
**349**,1 *Init.* D *om.* G
**350**,2 ei *om.* MP ‖ sed[2] : ut *add.* MP

---

**348** [1] *Éz.* 16, 15 ; 16, 25. — « Universo dogmati transeunti divaricavit crura mentis suae », THÉOPHILE D'ALEXANDRIE, *Aux évêques d'Égypte en 401 ;* traduit ensuite par S. JÉRÔME, *Ep.* 96, n. 12, *PL* 22, 782. — Item :

**348.** La femme qui ne commet pas le péché et ne quitte pas son mari parce qu'elle ne trouve pas un amant dont l'adultère dure longtemps n'évite pas l'adultère, mais le recherche durable. Or toi, tu as mis le comble à ton mal en écartant les jambes de ton esprit à tout passant [1], pour jouir au moins d'adultères momentanés, à défaut d'adultères durables ou éternels.

\*

**349.** Quatre hommes furent confiés à deux médecins : un bien portant et un malade à l'un d'eux ; un autre bien portant et un malade à l'autre. Promesse fut faite d'un salaire pour les soins à donner en vue de conserver ou recouvrer les santés.

L'un des deux médecins fit donc pour ceux qui lui étaient confiés tout ce qu'il fallait pour leur garder ou leur rendre la santé, et pourtant ils moururent. L'autre ne fit rien de ce qu'il aurait dû faire ; néanmoins le bien portant demeura en bonne santé, et le malade guérit. Lequel des deux mérite le salaire ? Celui dont les clients moururent tous les deux, ou celui dont les clients vivent et se portent bien ?

Sans nul doute, le médecin qui fit tout son devoir avec une volonté compatissante n'est pas moins digne de louange et de récompense que si ses clients étaient vivants et bien portants. Mais celui qui n'a pas voulu faire son devoir n'est pas moins digne de châtiment que si les siens étaient morts.

**350.** Le malade n'est pas confié au médecin pour que celui-ci lui fasse ce qui lui plaît à lui, mais ce qui est utile [1] au malade. Ni pour imposer sa domination à ce dernier, mais pour le soigner.

**351.** Il y avait deux médecins. L'un donna une potion qu'il croyait mortelle à son malade qu'il haïssait en secret, et le

---

« divaricabit pedes suos omni transeunti », S. JÉRÔME, *Ad Eustochium, Ep.* 22, n. 6, *PL* 22, 397.

**350** [1] Voir note sur « prodesse », p. 320.

alter ex multa caritate dedit amico carissimo potum quem putabat salubrem, et mortuus est.

5    Perfecta voluntas, sive bona sive mala, pro opere facto reputabitur ; et sicut pax in terra hominibus bonae voluntatis, ita labor et inquietudo hominibus malae voluntatis. Ita fit saepe, ut qui occidit, sanasse, et qui sanavit, occidisse computetur.

**352.** Duo ergo perficiunt medicum. Voluntas bona, et perfecta scientia. Nam, ut omnes quibus curam impendit sanet, hoc non est eius. Non enim scire quisquam potest, qui desperabiliter, vel qui cum spe salutis aegrotent. Et ideo omni-
5    bus adhibenda est cura, et cum omni benignitate tota in singulis ars exsequenda. Sic enim apud patrem omnium non minus gratiae et praemii pro defunctis, quam pro sanis merebimur.

*

**353.** « Specie tua et pulchritudine tua, intende, prospere procede et regna. » Id est si alienae, id est exteriori, pulchritudini intenderis, non prospere procedes et regnabis, sed servies creaturae potius quam creatori, qui est species et pulchritudo
5    rationalis ac piae mentis.

**354.** Non dicere Pharisaeus debuit : « Deus gratias ago tibi quia non sum sicut caeteri homines, velut etiam hic publicanus », sed : « Non sum sicut soleo. » Haec enim vox proficientis est et Dei gratiam recognoscentis, illa vero superbientis, et
5    de occultis alieni cordis temere iudicantis.

---

**351**,8 qui[1] : quid P ‖ computetur : computatur MP
**352**,3 hoc *om.* MTBP ‖ est *om.* MTBP
**354**,2 homines : hominum MP ‖ hic et *add.* MP ‖ 3 proficientis vox MP ‖ 4 recognoscentis : cognoscentis est P

---

**351** [1] *Lc* 2, 14.
**352** [1] *Éphés.* 4, 6.
**353** [1] *Ps.* 44, 5.
**354** [1] *Lc* 18, 11.

malade guérit. L'autre mû par une grande charité, donna une potion qu'il croyait salutaire à un ami très cher, et celui-ci mourut.

La volonté mise en œuvre, soit bonne, soit mauvaise, sera comptée pour le résultat obtenu. Et comme la paix sur terre sera donnée aux hommes de bonne volonté [1], de même la peine et l'inquiétude aux hommes de mauvaise volonté. Ainsi arrive-t-il souvent que celui qui a tué est considéré comme un sauveur, et celui qui a guéri comme un assassin.

**352.** Deux données font donc un parfait médecin : la bonne volonté et une science parfaite. Car il n'est pas en son pouvoir de guérir tous ceux à qui il dispense ses soins. Nul en effet ne peut savoir quels sont les malades dont la condition est désespérée, et ceux pour qui subsiste l'espoir de guérison. Aussi le médecin doit-il donner ses soins à tous et prodiguer à chacun toutes les ressources de son art avec une bonté parfaite. Ainsi ne mériterons-nous auprès du Père commun [1] pas moins de grâce et de récompense pour ceux qui sont morts que pour ceux qui sont guéris.

\*

**353.** « En ton éclat et ta beauté, sois attentif, marche heureusement et règne [1]. » C'est-à-dire : si tu prêtes attention à une beauté étrangère, extérieure, tu ne marcheras pas heureusement, tu ne régneras pas, mais tu serviras la créature bien plus que le Créateur, qui est l'éclat et la beauté de l'âme raisonnable et sainte.

**354.** Le pharisien n'aurait pas dû dire : « Mon Dieu, je te rends grâces de ce que je ne suis pas comme les autres hommes, ni même comme ce publicain [1]. » Mais : « Je ne suis pas comme j'ai coutume d'être. » Voilà, en effet, le langage de celui qui progresse et reconnaît la grâce de Dieu. Mais l'autre est le langage d'un orgueilleux et d'un juge téméraire des secrets du cœur des autres.

**355.** Quo te ille aut ille vitio contempsit, eodem tu te contemptum tanquam tumidus doluisti, id est superbia. Et quo tua tibi vitio abstulit, eodem tu doluisti ablata, id est amore periturorum.

**356.** Beatus cuius mens solummodo cognitione et amore veritatis movetur sive afficitur, corpus vero ab ipsa tantummodo mente. Ita enim et corpus, a sola veritate movetur. Si enim nullus in mente motus nisi veritatis, nullus in corpore nisi mentis, nullus quoque in corpore esset nisi veritatis, id est Dei.

**357.** Misericors vindicta, si sponsus, sponsam suam adulteram deprehendens, ea tantum subtrahat ei, cum quibus fornicabatur. Quam vero impudica et inverecunda est ipsa, si ad iniuriam id accipiat. Nulla alia fere tibi est causa dolendi, nisi talis, id est de subtractis fornicationibus tuis. Ipsi ergo dolores tui arguunt fornicationes tuas, ita ut non sit opus aliis testibus.

**358.** Haec solet a sponsi oculis, quamlibet inverecunda et impudica mulier abscondere : lacrimas quas pro damnis quae contingunt adultero, et quas pro iniuriis ab adultero sibi irato illatis fundit, ipsas quoque iniurias, similiter et gaudia.

Vide nunc, si id saltem tu ad Deum facias. Si non aperte coram eo damnis adulteri tui, id est mundi huius, luges, prosperis exultas. « Frons ergo mulieris meretricis, facta est tibi. »

*

**359.** In hoc cognoscis ea quae soli Deo debentur, quia exhibita cuicumque rei, nil prosunt. Ut cognitio, amor ad

---

**355**,3 tu *om.* P

**356**,3 enim[1] : etenim P ‖ 4 nullus in mente : esset *add.* M in mente nullus esset P ‖ 5 in corpore *om.* MTB

**357**,4 accipiat : accipiatur P ‖ est *om.* MTBP ‖ tibi est causa dolendi : causa tibi dolendi P

**358**,3 ab : et P

**359**,2 cognitio : agnitio P

**355.** Le vice qui a incité un tel ou un tel à te mépriser est le même qui, en te gonflant d'orgueil, t'a fait souffrir de ce mépris. Et le vice par lequel t'a été enlevé ce à quoi tu tenais, est le même par lequel tu as souffert de cette perte : c'est l'amour des biens qui vont périr.

**356.** Bienheureux celui dont l'âme n'est émue ou affectée que par la connaissance et l'amour de la vérité, et dont le corps ne l'est que par l'âme elle-même. Ainsi le corps, lui aussi, est mû par la seule vérité. Car s'il n'y avait nul mouvement dans l'âme que de la vérité, nul dans le corps que de l'âme, il n'y aurait aucun mouvement dans le corps, sinon de la Vérité, c'est-à-dire de Dieu [1].

**357.** Miséricordieuse vengeance quand l'époux, surprenant l'épouse dans l'adultère, lui enlève seulement les moyens de forniquer. Mais combien impudique et impudente cette femme, si elle prend cela pour une offense. Tu n'as guère toi-même d'autres causes de souffrances que celle-là : la soustraction de tes infidélités. Tes peines mêmes accusent tes infidélités : point n'est besoin d'autres témoins.

**358.** La femme, si impudente et impudique qu'elle soit, a coutume de cacher aux yeux de son mari les larmes qu'elle verse à cause des malheurs arrivés à son amant, et à cause des injures qu'elle reçoit de son complice en colère contre elle ; ces injures elles-mêmes, comme aussi les joies qu'elle éprouve.

Vois maintenant si toi aussi tu fais au moins cela avec Dieu : si tu ne te lamentes pas ouvertement devant lui des dommages qui atteignent ton compagnon d'adultère, c'est-à-dire le monde ; si tu n'exultes pas de ses prospérités. « L'effronterie d'une prostituée est donc devenue la tienne [1]. »

*

**359.** A ceci tu reconnais les hommages dus à Dieu seul : offerts à n'importe quel autre objet, ils ne lui sont utiles en

356 [1] *Jn* 14, 6.
358 [1] *Jér.* 3, 3.

fruendum, admiratio, timor, reverentia, et caetera. Haec enim,
eo ipso quod ei cui exhibentur nil prosunt, ostendunt ei soli
5   deberi, qui nullo eget. Si enim laudari vel cognosci, aut
admirationi esse prodesset, quis non quotidie mercede condu-
ceret tanquam operarios qui hoc sibi exhiberent assidue, ut
sine intermissione proficere posset ? Quae mater filiis suis id
non sine cessatione impenderet ? Quis non vestes, praedia,
10  iumentaque sua, seque ipsum die noctuque laudando, bona
diceret, ut sic ea melioraret ? Nil ergo ista prosunt, cui impenduntur. Qui autem haec exhibet, exhibendo deterior aut
melior efficitur. Si enim amat aut admiratur aut timet id quod
debet, melior, si autem quod non debet, deterior utique fit.
15  Similiter in caeteris.

Quam ergo pius est Dominus, qui nihil a nobis exigit ut
sibi prosit, multumque sibi a nobis serviri reputat, si quod
nobis est utile semper agamus.

**360.** Si imago stercoris ex auro fiat, melior est utique
substantialiter, quam imaginaliter. Substantialiter namque
aurum, imaginaliter vero stercus erit. Si autem angeli imago
auro imprimatur, imaginaliter erit melior, quam substantia-
5   liter. Imaginaliter enim substantia viva, spiritalis ac rationalis. Substantialiter autem, corpus insensatum et sine vita.

Itaque cum mens tua corporeis, mortuis ac perituris cum
amore afficitur, melior utique est substantialiter quam imaginaliter. Substantialiter enim vita est rationalis, ad Dei ima-
10  ginem facta. Imaginaliter vero talis est, qualia sunt ea quibus
intendit ac fruitur. Cum ergo a se ipsa effusa per corporis
sensus in ea tendit, a meliore profecto, id est a substantia viva

359,3 *ante* reverentia *add.* et P ‖ 14 quod : quae P ‖ utique : ubique
P ‖ 16 est *om.* MTBP ‖   17 serviri a nobis MTBP
360,4 melior erit MP ‖ 5-6 rationalis : est *add.* MP ‖ 10 ea *om.* MTBP ‖
12 tendit : intendit P

359 [1] *Matth.* 20, 1.     [2] Voir note sur « prodesse », p. 320.
360 [1] *Gen.* 1, 26-27 ; 9, 6.

rien. Ainsi la connaissance, l'amour de jouissance, l'admiration, la crainte, la révérence, etc. Tous ces témoignages, puisqu'ils ne sont utiles en rien à qui on les adresse, montrent qu'ils sont dus à celui-là seul qui n'en a pas besoin. Si en effet il était utile d'être loué, connu ou admiré, qui n'embaucherait chaque jour, pour un salaire, en quelque sorte des ouvriers [1] pour lui fournir cela assidûment, afin d'en profiter sans relâche ? Quelle mère ne procurerait sans cesse cela à ses enfants ? Qui ne dirait excellents ses habits, ses propriétés, ses troupeaux, et ne louerait jour et nuit sa propre personne, afin de tout améliorer par là ? Tous ces témoignages ne sont donc utiles en rien à qui on les adresse. Mais celui qui les dispense devient par là pire ou meilleur. Car s'il aime, admire ou craint ce qu'il doit, il devient meilleur. Mais s'il le fait à l'égard de qui il ne le doit pas, il devient certainement pire. De même pour les autres témoignages.

Que le Seigneur est donc bon : il n'exige rien lui-même de nous pour en tirer profit [2], et il estime avoir reçu de nous un grand service, quand nous accomplissons toujours ce qui nous est utile.

**360.** L'image d'une ordure faite en or vaut certes mieux pour sa substance que comme image : car sa substance est de l'or, mais c'est l'image d'une ordure. Au contraire l'image d'un ange gravée dans l'or a plus de valeur en tant qu'image que pour la matière dont elle est faite. Car c'est l'image d'un être vivant, spirituel et doué de raison ; mais sa matière est un corps privé de sens et de vie.

Aussi quand ton âme s'éprend d'amour pour des êtres corporels, morts ou périssables, elle vaut certes mieux en substance que dans ces représentations. Car dans son être, elle est douée de vie et de raison, faite à l'image de Dieu [1]. Mais dans ces représentations, elle est semblable aux objets dont elle s'occupe pour en jouir. Quand donc elle se répand hors d'elle-même par les sens du corps et tend vers ces objets, en réalité elle va de ce qui est meilleur, de la substance vivante et douée de

et rationali quod est ipsa, in deteriora tendit. Quantoque id
vehementius agit, tanto deterior efficitur.

15  Cum autem super se ipsam effusa, veritate, id est Deo,
afficitur, melior sane et pretiosior est formaliter quam substantialiter. Substantialiter enim anima, formaliter autem, si dici
fas est, Deus est. « Ego enim dixi : dii estis, et filii excelsi
omnes. » Cum itaque a se ipsa in ipsum tendit, a deteriore in
20  id quo nihil esse melius potest tendit, quantoque id efficacius
agit, tanto melior efficitur.

*

**361.** Eadem miseria est gaudere quemque unde non debet,
quae est et dolere. Alterum tamen, alterius est causa. Stultum
namque gaudium stultam tristitiam parit. Quia enim adultera
perverse de complexu adulteri gaudet, ideo quoque perverse de
5  eius avulsione tristatur. Et quam prave illud, tam prave hoc
est ; quam infeliciter illud, tam infeliciter hoc est.

**362.** Sicut deum nemo ydolatrarum poterat aequalem sibi
facere, vivus enim mortuum fingebat manibus iniquis, ita nec
bonum sive beatitudinem, aut voluptatem aut securitatem, sive
in cibo, sive in potu, sive in vestibus, aut murorum munitio-
5  nibus. Haec enim mortua, sunt a vivis facta. Et omnino pravi
homines nil habent in hac beatitudine quam putant suam,
quod eis possit aequiparari. Nam etiam his quibus contra Dei
praeceptum fruentes abutuntur, nequaquam frui possent, nisi
eis meliores existerent.

**360**,17 dici si MP ‖ 20 melius esse TB
**361**,4-5 perverse de eius avulsione : de eius amissione perverse P
**362**,2 fingebat mortuum MP ‖ 4 in[2] *om.* B ‖ 7 aequiparari : aequipa-
rare M aequiperari B

**360** [2] *Jn* 14, 6.
[3] Dans cette pensée « philosophique », l'emploi que Guigues fait du mot
« formaliter » est remarquablement original pour son époque. C'est déjà
« l'intentionalité » thomiste.

raison qu'elle est elle-même, vers ce qui est inférieur. Et plus elle le fait avec passion, plus mauvaise elle devient.

Par contre, quand elle s'élance au-dessus d'elle-même, saisie par la Vérité, c'est-à-dire par Dieu [2], elle est alors sans aucun doute meilleure et de plus de prix « formellement [3] », que dans sa substance même. Car en sa substance, elle est une âme, mais « formellement », s'il est permis de le dire, elle est Dieu. En effet : « J'ai dit : vous êtes tous dieux et fils du Très-Haut [4]. » Quand donc elle s'élance hors d'elle-même vers lui, elle va de ce qui est inférieur vers ce que rien ne peut dépasser en excellence. Et plus elle le fait avec succès, meilleure elle devient.

*

**361.** Même misère, d'éprouver de la joie ou de la peine d'où on ne le doit pas. Toutefois, l'une est la cause de l'autre. Car une joie insensée engendre une tristesse insensée. Ainsi, parce que la femme adultère goûte une joie perverse dans l'étreinte de son amant adultère, elle éprouve une tristesse perverse d'en être arrachée. Autant cela est détestable, autant ceci l'est aussi. Autant cela est misérable, autant ceci l'est également.

**362.** Aucun idolâtre n'a pu se faire un dieu qui fût son égal, car « le vivant, de ses mains impies, façonnait un mort [1] » ; de même il n'a pu se faire un bien ou une béatitude, une jouissance ou une sécurité, dans le manger ou le boire, dans les vêtements ou dans des murs fortifiés. Ce sont des œuvres mortes faites par des vivants. Et les impies ne trouvent rien qui puisse leur être égalé dans ce qu'ils considèrent comme leur bonheur. En effet, ils ne pourraient nullement jouir de ces objets dont ils abusent dans une jouissance contraire au précepte de Dieu, s'ils ne valaient plus qu'eux.

---

**360** [4] *Ps.* 81, 6 ; *Jn* 10, 34.
**362** [1] *Sag.* 15, 17.

10    Et prorsus, haec est pravitatis humanae summa, meliora se deserere, id est Deum, et vilioribus se intendere, fruendoque eis inhaerere, id est temporalibus.

**363.** Angelos ducit Christus in amplexum sponsi sui, nos avellit ab adultero, id est mundo. Illos fortes et constantes efficit ad fruendum sponso, id est se, nos ad carendum adultero, id est mundo. Illos tenet in specie seu re, nos in fide et

5   spe. Illis perfectum dat gaudium in vera beatitudine, nobis tolerantiam in tribulatione. Illis beatam vitam, nobis autem ut multum pretiosam mortem. Illis vivere sibi, id est Deo, nobis mori mundo. Illis gaudere de suis bonis, nobis dolere de nostris malis. Illis laeta corda, nobis contrita. Illis iustitiam,

10  nobis paenitentiam. Illis finem, nobis initium boni.

**364.** Confidenter iuro, angelos nullum a Deo percepisse munus maius aut dignius, pretiosius sive utilius, et ideo nec optabilius nec pulchrius, caritate. Quis hoc intelligat aut credat ? « Deus enim caritas est » ; et ideo qui maius aliquid

5  aut melius caritate habet, aliquid maius et melius Deo habet.

**365.** Ecce cum pingis aut aliud aliquid tale facis, ad exemplum aspectae aliquando vel praesentis rei alterius hoc facis. Deus autem, ut crearet omnia, quid intuitus est ? Quem solem alium, aut quem alium mundum, aut ubi vidit, ut hunc face-

5  ret ? Per semet ipsum igitur creavit omnia, propria potentia, propria sapientia, propria benignitate, id est misericordia. Nemine iuvante, nemine docente, nemine suadente.

**366.** Oppone duas pilas radio solis, unam de argilla, alteram de cera. Quamvis sit unus ipse radius, non tamen idem

---

**362,**11 se[1] et [2] *om.* MTBP ‖ et *om.* MTBP
**363,**3 fruendum : fruendo P ‖ 7 multum ut M
**364,**3 hoc : homo P
**365,**4 hunc : hoc P

---

**363** [1] Voir note « Liberté », p. 312.      [2] *Ps.* 115, 15.     [3] *Ps.* 50, 19.
**364** [1] *I Jn* 4, 16.

Et sans doute est-ce là le comble de l'impiété des hommes : ils délaissent ce qui est meilleur qu'eux-mêmes, Dieu ; ils aspirent et adhèrent par la jouissance à ce qui est plus vil qu'eux-mêmes, les objets temporels.

**363.** Le Christ conduit les anges aux embrassements de leur Époux ; il nous arrache à l'adultère du monde. Il les rend forts et persévérants pour jouir de l'Époux, c'est-à-dire de lui-même ; nous aussi pour nous libérer de l'adultère du monde [1]. Il les garde dans la vision ou la réalité ; nous dans la foi et l'espérance. Il leur donne une joie parfaite dans la vraie béatitude ; à nous la patience dans la tribulation. A eux la vie bienheureuse, à nous une mort, combien précieuse [2]. A eux de vivre pour lui, c'est-à-dire pour Dieu ; à nous de mourir au monde. A eux de se réjouir dans ses biens ; à nous de souffrir de nos maux. A eux la joie des cœurs, à nous des cœurs contrits [3]. A eux la justice, à nous la pénitence. A eux la perfection du bien, à nous son commencement.

**364.** Je le jure avec confiance : les anges n'ont pas reçu de Dieu un présent plus grand ou plus digne, plus précieux ou plus utile, et donc plus désirable et plus beau, que la charité. Qui peut le comprendre ou le croire ? Car « Dieu est charité [1]. » Aussi celui qui possède quelque chose de plus grand ou de meilleur que la charité possède un être plus grand et meilleur que Dieu.

**365.** Vois : quand tu peins ou fais quelque travail semblable, tu prends pour modèle un autre objet, déjà vu ou présent. Mais Dieu, pour tout créer, qu'a-t-il regardé ? Quel autre soleil, quel autre monde ? Où les a-t-il vus pour faire ceux-ci ? Il a donc tout créé par soi-même, par sa propre puissance, par sa propre sagesse [1], par sa propre bonté, c'est-à-dire par sa miséricorde. Personne ne fut son aide, son maître, son conseiller.

**366.** Expose à un rayon de soleil deux billes, une d'argile, l'autre de cire. Cet unique rayon de soleil ne peut pourtant

**365** [1] *Ps.* 103, 24.

in utraque operari potest, sed secundum praeparationes earum
diversa in eis agit, hanc durans, illam liquans. Neque enim
5  terream liquare, aut ceream durare potest.

Ita et una metalli species, aurum scilicet conspectum a
pluribus, diversos in eis secundum praeparationem mentium
eorum excitat motus. Alius enim accenditur ad rapiendum,
alius ad furandum, alius autem ad pauperibus erogandum. Qui
10  stultus est, dicit beatum eius possessorem. Qui sapiens, luget
amatorem. Nec in bona mente malam, nec in mente mala
bonam voluntatem excitare valet, sed omnino et haec et aliae
seu corporum seu rerum aliarum species sive causae, mentes
humanas secundum praeparationes earumdem movent ; et
15  ideo tota causa malitiarum nostrarum nobis ipsis imputanda
est, non ipsis rebus in quibus peccamus. Ergo nihil aliud nobis
faciunt, nisi probant. Ostendunt enim quales in occulto eramus, non faciunt nos tales.

Quam enim firmo et immobili amore sponsa sponso adhae-
20  reat, aliorum virorum intuitus probat. Si enim bene casta est,
nullius alterius pulchritudine permovetur.

Ita quoque tu, si firmissimo Deo inhaereres affectu, nullius
creaturae illicereris aspectu. Omnia namque haec, tuam erga
Deum quanta sit probant castitatem.

367. Quaero si habeas pro stultis, qui conspecta seu pila
seu arpa sive avicula, seu qualibet alia tali recula, valde
moventur ad concupiscendum. Tu quibus conspectis aut
imaginatis, quantum movearis attende.

*

366,9 alius[1] : et *add*. P ‖ *ante* alius[2] *add*. et P ‖ autem *om*. MTBP ‖
10 ante Qui *add*. Et P ‖ 12 omnino et haec : haec omnino P ‖ 13 seu[1] :
sive TB ‖ 16 ipsis *om*. MTB ‖ 22 firmissimo : firmo MTB

366 [1] « Natura quippe luti et cerae diversa est. Solis vero radius non est
diversus, et tamen cum diversus non sit, diversa sunt quae in luto operatur et
cera, quia uno eodemque sui ignis calore lutum durat, et ceram liquat. Sed

avoir le même effet sur l'une et l'autre : il agit diversement, selon leurs propriétés ; il durcit la première, il liquéfie la seconde [1]. Car il ne peut fondre la bille de terre, ni durcir celle de cire.

De même, le seul aspect d'un métal, celui de l'or, vu par plusieurs personnes, excite en elles des mouvements divers selon les dispositions de leurs âmes. L'une brûle de s'en emparer, une autre de le dérober furtivement, mais une troisième de le donner aux pauvres. L'insensé déclare heureux celui qui le possède. Le sage pleure sur celui qui l'aime. Il ne peut éveiller un mauvais vouloir dans une âme bonne, ni un bon dans une âme mauvaise. Mais cette vue et les autres aspects des corps ou d'autres objets, ou encore d'autres causes, meuvent entièrement les âmes humaines selon les dispositions de celles-ci. Aussi toute la cause de nos méchancetés est-elle imputable à nous-mêmes, non aux choses à propos desquelles nous péchons. Elles ne nous font donc rien d'autre que de nous mettre à l'épreuve ; car elles nous montrent tels que nous étions dans le secret : elles ne nous font pas tels.

La fermeté et la constance de l'amour qui attache l'épouse à son époux sont prouvées par la vue d'autres hommes. Si cette épouse est vraiment chaste, elle ne se laisse troubler par la beauté d'aucun autre homme.

Toi de même : si tu adhérais à Dieu d'un amour très ferme, tu ne serais séduit par la vue d'aucune créature. Et tout cela éprouve la grandeur de ta chasteté à l'égard de Dieu.

**367.** Je le demande : tiens-tu pour sots ceux que la vue d'une bille, d'un petit crampon, d'un oiselet ou de quelque autre objet de ce genre, émeut d'un violent désir ? Pour toi, observe attentivement combien tu es ému par ce que tu vois ou imagines.

*

fortasse hoc in natura luti vel cerae est, non in ipsa solis substantia, quae in naturis diversis videtur operari », S. GRÉGOIRE, *Hom. in Ezechielem,* Lib. II, Hom. 5, par. 10, *PL* 76, 990.

**368.** Si interroges homines quare sint miseri, utrum quia non velint quod sibi sit utile, an quia non habeant quod volunt, respondebunt statim : quia non possunt habere quod volunt. Hoc autem est dicere : « Illuminati quidem sumus, et bene quod nobis utile sit et novimus et amamus, sed infirmamur. » Quod falsum est.

Quis enim saecularium omnium diligit aliquid, quod eum possit facere meliorem ? Nil optant homines, quod non sit vilius ipsis. Et quomodo id quod melius ac pretiosius est et dignius, ex deterioribus et vilioribus et indignioribus possit meliorari ?

**369.** Heu quot sunt qui agunt quod volunt ; quam pauci qui velint quod sibi prosit adeptum. Et tamen quis poterit unquam hoc persuadere filiis Adae ? Quando credent non amare se utilitatem suam, cum parati sint iurare, nihil se sibi mali optare, et omnia quae patiuntur in tot laboribus propter suam utilitatem se tolerare ?

Tanquam si dicas ydolatrae, quia non colit Deum. Statim enim insiliet, iurans se colere Deum, et quanta in eius impendat cultum annumerabit, ipsumque etiam quem colit deum digito demonstrabit. Et tamen non colit Deum, sed quod, errore deceptus, habet pro Deo.

Ita homines sine dubio non utilitatem suam diligunt aut volunt, sed quod errantes utilitatem suam putant. Et ideo quicquid pro re tali aut agunt aut patiuntur, pro utilitate sua agere se putant aut pati.

**370.** Non autem vult aut diligit utilitatem suam, nisi qui Deum diligit. Ipse quippe solus, tota et sola utilitas est humanae naturae. Scriptum vero est, quoniam « qui manet in caritate », id est qui Deum diligit, « in Deo manet et Deus in eo. »

---

**368**,7 omnium *om.* MTBP ‖ 11 meliorari : melioraris B

**369**,1 quot : quod B ‖ 3-4 se non amare P ‖ 4 iurare : iuvare G ‖ nihil : nil MTB

**370**,3 caritate : kartate M

**368.** Quand tu demandes aux hommes pourquoi ils sont malheureux, si c'est parce qu'ils ne veulent pas ce qui leur est utile, ou parce qu'ils n'ont pas ce qu'ils veulent, ils répondront aussitôt : parce qu'ils ne peuvent avoir ce qu'ils veulent. Cela revient à dire : « Nous avons des lumières, nous savons fort bien ce qui nous est utile, et nous l'aimons, mais nous sommes faibles. » Ce qui est faux.

Qui, en effet, parmi tous les gens du siècle, aime ce qui pourra le rendre meilleur ? Les hommes ne souhaitent rien qui ne soit plus vil qu'eux-mêmes. Et comment ce qui est meilleur, plus précieux et plus digne, pourrait-il être amélioré par ce qui est inférieur, de moindre valeur ou de plus indigne ?

**369.** Hélas ! Combien font ce qu'ils veulent ! Combien peu veulent ce qui leur serait utile [1] ! Et cependant, qui pourra jamais persuader de cela les fils d'Adam ? Quand admettront-ils qu'ils n'aiment pas leur propre utilité, alors qu'ils sont prêts à jurer qu'ils ne souhaitent pour eux rien de mauvais et qu'ils supportent pour leur utilité tout ce qu'ils ont à souffrir parmi tant de travaux ?

C'est comme si tu disais à un idolâtre qu'il n'adore pas Dieu. Il bondira aussitôt, jurant qu'il adore Dieu, et fera le compte de tout ce qu'il dépense pour son culte, puis il montrera du doigt l'objet qu'il adore comme dieu. Et pourtant, il n'adore pas Dieu, mais ce que, dans l'illusion de son erreur, il tient pour Dieu.

Ainsi, sans aucun doute, les hommes n'aiment pas ou ne veulent pas leur utilité, mais ce que, par erreur, ils croient leur être utile. Aussi estiment-ils accomplir ou supporter pour leur utilité tout ce qu'ils font et souffrent pour cet objet-là.

**370.** Or seul veut et aime son utilité celui qui aime Dieu. Car Dieu lui-même est la seule et totale utilité de la nature humaine [1]. Or il est écrit : « Celui qui demeure dans la charité, c'est-à-dire qui aime Dieu, demeure en Dieu, et Dieu en lui [2]. »

**369** [1] Voir note sur « prodesse », p. 320.
**370** [1] *Id.*     [2] *I Jn* 4, 16.

5 Talis ergo est utilitas humana, ut eam nisi qui habet diligere nemo possit, et quae a dilectore suo non possit omnino seiungi.

**371.** Hoc ergo ipsum quod dicunt homines diligere se quidem utilitatem suam — quis est enim qui hoc non sit etiam iurare paratus — sed eam non habere, hoc inquam ipsum, testimonium est eos aliud diligere, non ipsam suam utilitatem.
5 Nihil enim aliud homini faciendum, ut utilitatem suam habeat, nisi diligere. Sed ipsi homines conantur assidue facere eam quasi non sit, sicut pagani Deum.

Nam si Deus solus utilitas hominum est, quo carere non potest nisi qui eum nequaquam diligit, non facienda utique
10 est cum sit aeterna, sed tantum diligenda.

Hoc solum prorsus est totius miseriae nostrae causa, quod scilicet utilitatem nostram aut non cognoscimus et amamus, aut non quantum vel sicut cognoscenda et amanda est cognoscimus et amamus.

\*

**372.** Considera veprem, quomodo hic natus, quocumque extenderit ramos, statim figat radices. Ita anima tua, multis cespitibus fixis amoris radicibus tenacissime inhaeret. Primum huic corpori, dehinc caeteris. Haeret etiam et innititur, opinionibus hominum et favoribus.
5 **373.** Rememora modos cognoscendi Deum, per considerationem creaturae de signis institutis, sicut sunt cruces, voces et caetera, et de naturalibus, ut rubor subitus in facie, vel pallor, et caetera. Quorum quaedam corporalium, quaedam vero spiritalium signa sunt rerum.
5 **374.** Voluntas et potestas sine sapientia, et sine potestate insania, simul est et tortura. Insania est enim velle quod non

**370**,5 nisi eam B
**371**,11 est *om.* MTBP ‖ 13 cognoscenda : agnoscenda P
**372**,4 innititur : innitur G ‖ 5 favoribus : hominum *add.* P
**373**,4 corporalium : corporalia P
**374**,1 et potestas *om.* MTBP

Telle est donc l'utilité pour l'homme : nul ne peut l'aimer, sinon celui qui la possède. Et elle ne peut absolument pas être séparée de celui qui l'aime.

**371.** Quand donc les hommes déclarent aimer certes leur utilité — et qui ne serait prêt à en faire même le serment ? — mais ne pas la posséder, je dis : voilà bien la preuve qu'ils aiment autre chose et non leur propre utilité. Car l'homme n'a rien d'autre à faire pour posséder son utilité que de l'aimer. Mais ces hommes s'efforcent assidûment de la faire eux-mêmes comme si elle n'existait pas : ainsi les païens pour leur dieu.

Car si Dieu seul est l'utilité des hommes, lui dont ne peut être privé que celui qui ne l'aime pas, cette utilité ne peut être produite, puisqu'elle est éternelle ; elle peut seulement être aimée.

Voilà bien la seule cause de toute notre misère : nous ne connaissons pas et n'aimons pas notre utilité, ou nous ne la connaissons pas et ne l'aimons pas autant ni comme elle doit être connue et aimée.

\*

**372.** Regarde le buisson d'épines : né ici, partout où il étend ses rameaux, il enfonce aussitôt ses racines. Ainsi ton âme s'attache avec la plus grande ténacité aux nombreuses mottes de terre où elle a fixé les racines de son amour. D'abord à ce corps-ci, puis aux autres. Elle s'attache aussi et s'appuie à l'opinion des hommes et à leurs faveurs.

**373.** Rappelle-toi les manières de connaître Dieu en considérant les créatures : à partir de signes établis, comme les croix, les paroles, etc., et à partir de signes naturels, comme la rougeur subite d'un visage ou la pâleur, etc. Certains de ces signes le sont pour des réalités corporelles, d'autres pour des réalités spirituelles.

**374.** La volonté et la puissance, sans la sagesse, et la folie sans la puissance, sont en même temps une torture. Folie, en

debes ; tormentum, non posse quod velis. Voluntas et potestas
sine sapientia, frenesis est soluta, crassans in propriam necem
5  quam primum, dein caetera perimens.

**375.** Agri, parietes, domus, prata, saltus, vineae, et caetera
mundi huius debent optare, ut tu id est Guigo, possis implere
quod vis. His enim expedit. Nam eorum desideras et elaboras
meliorationem, aut addendo quae necessaria aut utilia sunt,
5  aut eadem ipsa mutando in melius.

Tu vero, id est Guigo, non debes optare ut fiat quod vis.
Non enim vis aut elaboras tuam meliorationem, id est huius
animae ac corporis, sive addendo vere utilia, sive haec eadem
in melius demutando, sed totam aut fere totam intentionem
10  tuam ad experiendum per sensus corporis alienas qualitates
impendis, et quicquid earum.

＊

**376.** De duabus rebus non visis, quam firmius credis, cum
ambae narrantur, et ambas aeque possibiles iudicas ? Eam
quae ab his quos maioris auctoritatis, id est veraciores esse
credis narratur, praesertim si plures sunt. Quae autem res
5  plures aut maioris auctoritatis habet testes, quam vita et mors
aeterna ? Omnia enim martyria, abstinentiae ac labores,
studiaque in dictis et factis omnium electorum a mundi principio his attestantur, id est quicquid humani generis electum est.
Nihil ergo, melius et firmius credere debes. Sed vide si hoc
10  facis.

**377.** Attende, quomodo temporalia sint a Deo petenda.
Dominus Christus ait : « Pater si vis, transfer a me calicem

---

**374**,4 crassans : grassans MP
**375**,4 aut² : et MTBP ‖ 5 eadem : ea MTBP ‖ 8 ac : et B
**376**,1 *litt. init. picta* GMTBP, *in eadem linea* G, *in altera linea* MTBP ‖
quam : vel quamquam P ‖ 4 sunt : sint MP ‖ 9 debes *om.* P ‖ hoc :
homo P

effet : vouloir ce que tu ne dois pas ; tourment : ne pas pouvoir ce que tu veux. La volonté et la puissance sans la sagesse sont une frénésie déchaînée qui va rapidement à sa propre perte, et tuera ensuite tout le reste.

**375.** Les champs, les murs, les maisons, les pâturages, les forêts, les vignes et les autres biens de ce monde doivent souhaiter que toi, Guigues, tu puisses accomplir ce que tu veux, car cela leur est utile. En effet, tu désires leur amélioration et tu y travailles, soit en ajoutant le nécessaire et l'utile, soit en les transformant en mieux.

Mais toi, Guigues, tu ne dois pas souhaiter que s'accomplisse ce que tu veux. Car tu ne veux pas ton amélioration, c'est-à-dire celle de cette âme et de ce corps, soit en procurant des accroissements vraiment utiles, soit en changeant en mieux ces accroissements mêmes. Tu dépenses au contraire toutes ou presque toutes les forces de ton âme à faire par tes sens corporels l'expérience des qualités des objets étrangers et de tout ce qui les concerne.

*

**376.** Deux événements te sont racontés, que tu n'as pas vus ; tu les juges tous deux également possibles. Lequel crois-tu le plus fermement ? Celui qui t'est rapporté par des gens dont tu crois plus grandes l'autorité et la véracité, surtout s'ils sont plusieurs. Quelle chose a des témoins plus nombreux et de plus grande autorité que la vie et la mort éternelles ? Tous les martyrs, les renoncements et les travaux, le zèle déployé en paroles et en actes par tous les élus depuis le commencement du monde témoignent en leur faveur, autrement dit, toute l'élite du genre humain. Il n'est donc rien que tu ne doives mieux croire, ni plus fermement. Mais vois : le fais-tu ?

**377.** Considère comment doivent être demandés à Dieu les biens temporels. Le Seigneur Christ a dit : « Père, si tu le veux,

hunc. » Sic dicito tu in omnibus bonis temporalibus adipiscendis, malis evitandis, et ex toto cordis affectu adde quod sequitur : « Verumtamen non sicut ego volo, sed sicut tu. »

**378.** Attende, quomodo a corpore in animam, et ab anima in corpus, alternent passiones. Vulnus in corpore, tristitiam gignit in anima. Tristitia vero ipsum corpus corrugat ac contrahit, et plerumque in lacrimas liquefacit.

**379.** Interrogat anima quid sit anima, tanquam si albedo interroget quid sit albedo. Erubescat ergo non nosse se, cum tot alia norit, nihilque sibi sit se ipsa praesentius.

**380.** Cum gaudemus unde et bruta, id est de luxuria ut canes, de voracitate sicut porci, et caetera, anima nostra fit similis animabus illorum, et non horremus. Ego autem mallem corpus habere canis quam animam. Et tamen si corpus nostrum in tantam canini corporis transiret similitudinem, in quantam animae caninae similitudinem anima nostra per luxuriam transit, quis nos ferret, quis non horreret ? Melius autem ac tolerabilius esset, corpus nostrum in bestiam commutari, anima in sua dignitate, id est Dei imagine, permanente, quam, corpore manente humano, animam fieri bestialem.

Et haec utique mutatio tanto est horribilior et plus flenda, quanto anima praeminet corpori. Unde David : « Nolite, ait, fieri sicut equus et mulus, quibus non est intellectus. » Non enim de corporis hoc similitudine, ne sit ridiculum, dici putandum est.

**381.** Facilius est bonum facere quam bene, id est sicut faciendum est, facere, id est qua intentione. Fit enim plerumque opus caritatis sine caritate, velut cum corripitur proximus, ex contumelia vel odio. Cum vero id ipsum nobis fit, quia non habemus carum, non possumus credere ex caritate

**377**,3 Sic : Si P
**380**,1 gaudemus : congaudemus P ‖ 3 animabus : animalibus G ‖ 4 habere corpus canis P ‖ 11 est *om.* MTBP

**377** [1] *Mc* 14, 36 ; *Lc* 22, 42.    [2] *Matth.* 26, 39.

éloigne de moi ce calice [1]. » Dis de même, toi aussi, pour tous les biens temporels à obtenir, tous les maux à éviter. Et avec tout l'amour de ton cœur, ajoute ce qui suit : « Cependant, non pas comme je le veux, mais comme tu le veux [2]. »

**378.** Vois comment les souffrances alternent, du corps sur l'âme, et de l'âme sur le corps. Une blessure du corps engendre la tristesse dans l'âme. Mais la tristesse crispe et contracte le corps lui-même, et très souvent le fait fondre en larmes.

**379.** L'âme demande : « Qu'est-ce que l'âme ? » Comme si la blancheur demandait : « Qu'est-ce que la blancheur ? » Qu'elle rougisse donc de ne pas se connaître, elle qui sait tant d'autres choses et à qui rien n'est plus présent qu'elle-même.

**380.** Quand nous nous réjouissons des mêmes objets que les bêtes, de la luxure comme les chiens, de la voracité comme les porcs, etc., notre âme devient semblable à la leur, et nous n'en avons pas horreur. Pour moi, je préférerais avoir le corps d'un chien que son âme. Et pourtant, si notre corps en arrivait à ressembler autant au corps d'un chien que notre âme devient par la luxure semblable à la sienne, qui n'en aurait horreur ? Il serait pourtant meilleur et plus tolérable que notre corps soit transformé en bête et que notre âme demeure dans sa dignité d'image de Dieu, plutôt que l'âme devienne celle d'une bête, le corps restant celui d'un homme.

Et certes un tel changement est d'autant plus horrible et déplorable que l'âme est supérieure au corps. Aussi David dit-il : « Ne devenez pas comme le cheval et le mulet, qui n'ont pas d'intelligence [1]. » On ne peut penser, en effet, que cette parole est dite de la ressemblance du corps. Ce serait ridicule.

**381.** Il est plus facile de faire le bien que de le bien faire, c'est-à-dire comme il le faudrait faire, à savoir, quant à l'intention. Le plus souvent, une œuvre de charité est faite sans charité, ainsi quand on corrige son prochain par mépris ou par haine. Quand la même chose nous est faite, nous ne pouvons

**380** [1] *Ps.* 31, 9.

fieri nobis. Sicut freneticus non credit ex caritate se ligari, uri, secari, quia horret hoc.

**382.** Difficile credunt homines, ex caritate fieri quod sibi molestum est.

\*

**383.** Pone duos ydolatras, quorum alter gaudet stare ydola sua, et vigere, alter maeret corruisse, et tristis est. Quid, rogo, est miserius aut nequius, huius gaudium, an illius maestitia ? Nonne utrumque detestandum, utrumque infelicissimum ?
5 Illi tamen perversa tristitia non inesset, nisi perversum gaudium praecessisset. Ergo ipsum gaudium detestabilius, quia et ipsum perversum ac malum est, et animum corrumpendo, perversae tristitiae, et tam perversae quam perversum est ipsum, praeparat. Error itaque multo detestabilior. Nisi enim
10 ille praecessisset, nec perversum gaudium nec perversa tristitia secuta fuisset.

**384.** Sic igitur non minus dolendum, pro eo qui gaudet temporalium adeptione, quam qui dolet amissione. Uterque enim una febre vexatur, id est amore mundi.

**385.** Non minus ergo misericorditer aufert Deus ista temporalia, quam tribuit.

\*

**386.** Quod si esset aliquis sapientissimus vir, et divinitus sciens occulta hominum, et quid unicuique esset profuturum, hic itaque, si esset, non minus exerceret misericordiam suam auferendo ista, id est temporalia, quam impendendo, ne scili-
5 cet eis abutendo homines stulti, fierent deteriores.

---

383,2 vigere : rogo *add.* P || rogo : ergo P || 6 gaudium : an illius mestitia ? *add.* M || 7 ac : presumat *add.* P

---

**386** [1] Voir note sur « prodesse », p. 320.

croire que c'est par charité, parce que nous ne l'aimons pas. Ainsi le fou ne croit pas qu'on le ligote, qu'on lui applique un cautère, qu'on l'ampute par charité, car il a cela en horreur.

**382.** Les hommes admettent difficilement que soit fait par charité ce qui les importune.

*

**383.** Prends deux idolâtres : l'un se réjouit que ses idoles soient debout et vigoureuses ; l'autre se désole que les siennes soient tombées et il en est triste. De la joie de l'un ou de la tristesse de l'autre, quelle est, je le demande, la plus lamentable et la plus mauvaise ? Ne sont-elles pas détestables l'une et l'autre ? Très funestes toutes deux ? Le second pourtant n'aurait pas éprouvé cette tristesse perverse, si une joie perverse ne l'avait précédée. La joie elle-même est donc plus détestable, car elle est une perversité et un mal, et parce qu'elle corrompt l'âme, la préparant ainsi à une tristesse perverse, et aussi perverse qu'elle-même. C'est pourquoi l'erreur est bien plus détestable encore ; car si elle n'avait pas existé d'abord, ni une joie perverse, ni une tristesse perverse ne s'en seraient ensuivies.

**384.** Par suite, il faut de même plaindre autant celui qui se réjouit d'avoir acquis des biens temporels, que celui qui se désole de les avoir perdus. Car une même fièvre les tourmente tous deux : l'amour du monde.

**385.** Dieu n'enlève donc pas ces biens temporels avec moins de miséricorde qu'il ne les donne.

*

**386.** S'il existait un homme très sage, connaissant par un don divin les secrets des hommes et ce qui serait utile [1] à chacun, cet homme, s'il existait, n'exercerait pas moins sa miséricorde en retirant tous ces objets, les biens temporels, qu'en les accordant, et cela afin que les insensés ne deviennent pas pires en abusant d'eux.

Sic etiam misericordius ac benignius, si sciret futura aliquis, fortasse posset aliquem occidere, quam conservare. Nam o si uno saltem die ante quam scelus illud excogitasset, mortuus esset Iudas. Sed hoc tamen nequaquam concedendum, quia quales quique futuri sint ignoratur, et spes bona de omnibus est habenda.

Quod et si non esset, id est si ex toto desperatum de illorum esset salute, non tamen tollendi de medio essent. Hoc enim faciunt mali bonis in hoc mundo, quod in fornace facit ignis auro. Impius itaque vivit pio.

Et cum olim melius illi esset, non solum diu vixisse, sed nec natum, sicut in evangelio de Iuda dicitur, fuisse, non tamen moritur, ut Domino in purgando per tribulationis ignem iustum, nesciens famuletur. « Virga enim, ait Dominus, furoris mei Assur. » Ipse vero non intellexit.

Non ergo penitus disperdenda est virga, quamdiu puer restat, qui indigeat disciplina. « In patientia enim vestra, ait Dominus, possidebitis animas vestras » ; et : « De bona, inquit, terra, attulit fructum in patientia. » Haec autem qualis est sine tribulatione, quandoquidem « tribulatio patientiam operatur », ut simus perfecti ?

Irreprehensibiliter ergo et utiliter in hoc saeculo potestas est penes malos, ut, dum eis iusti subduntur, tribulentur, purgentur, probentur, coronentur. Et qui hinc indignatur, indignetur uvas aut olivas prelo subditas, et triticum flagellis. Quid enim rogo, cui supponendum fuit, prelum uvis et olivis ; an uvae et olivae prelo ?

\*

**386**,7 aliquem posset P ‖ 8 uno : una P ‖ 9 hoc : homo P ‖ 22 indigeat : indigeant P ‖ In : Im G ‖ enim *om.* MP ‖ 29 indignatur : indignantur M

**386** [2] *Prov.* 27, 21 ; *Sag.* 3, 6.
[3] « Impius namque pio vivit », S. AUGUSTIN, *De vera religione*, Cap. XXVII, par. 50, *PL* 34, 144.

De même, si un homme connaissait l'avenir, il pourrait peut-être montrer plus de miséricorde et de bonté en tuant quelqu'un qu'en le laissant en vie. Oh ! si Judas était mort, un jour au moins avant de concevoir son crime ! Mais pourtant, cela ne pourrait jamais être permis, car nous ignorons ce que chacun deviendra, et il faut avoir bon espoir pour tous.

Si même un tel espoir n'existait pas et s'il fallait désespérer tout à fait de leur salut, il ne faudrait cependant pas les faire disparaître. Car en ce monde, les mauvais font pour les bons ce que le feu fait pour l'or dans le creuset [2]. Par suite, l'impie vit pour celui qui est pieux [3].

Et comme autrefois, il eût été meilleur pour tel homme, non seulement de n'avoir pas vécu longtemps, mais même de n'être pas né, comme il est dit de Judas dans l'Évangile [4]. Cependant cet homme ne meurt pas, afin de servir à son insu le Seigneur, en purifiant le juste par le feu de l'épreuve. En effet, dit le Seigneur, « Assur est le bâton de ma colère [5] ». Mais lui ne le comprit pas [6].

Il ne faut donc pas supprimer entièrement le bâton, tant que reste un enfant qui pourrait avoir besoin de correction [7]. En effet, le Seigneur dit : « Vous posséderez vos âmes dans la patience [8] », et il a dit de la bonne terre : « Elle a produit du fruit dans la patience [9]. » Mais que serait celle-ci sans la tribulation, puisque « la tribulation produit la patience [10] », afin que nous soyons parfaits [11] ?

Il n'y a donc rien à redire et il est même utile qu'en ce monde le pouvoir soit aux mains des mauvais : ainsi les justes, tant qu'ils leur sont soumis, sont persécutés, purifiés, éprouvés, couronnés. Qui s'en indignerait doit aussi s'indigner de voir les raisins et les olives soumis au pressoir et le froment au fléau. Je le demande : fallait-il soumettre le pressoir aux raisins et aux olives, ou bien les raisins et les olives au pressoir ?

*

[4] *Matth.* 26, 24.     [5] *Is.* 10, 5.     [6] *Is.* 10, 7     [7] *Prov.* 23, 13.
[8] *Lc* 21, 19.     [9] *Lc* 8, 15.     [10] *Rom.* 5, 3.     [11] *Jac.* 1, 4.

**387.** In cuiuscumque rei adeptione non debes tibi gaudere, nec alii. « Diliges enim proximum tuum, sicut te ipsum. »

**388.** In cuiuscumque rei adeptione non debes alicui congaudere, in eius ei non debes amissione condolere. Verbi gratia. Non debes congaudere adulterae voto suo potienti ; quare nec condolere, privatam se talibus deploranti.

\*

**389.** Duo homines tibi commissi sunt. Unus aeger, sed sanabilis ; alter sanus, sed aegrotabilis. Cui maior adhibenda est cura, sano an aegroto ? Nonne tantumdem curandum et elaborandum, ne aegrotet ille, quantum ut convaleat iste,
5 praesertim cum omnes sani magis sint aegrotabiles quam aegroti sanabiles ? De nullo tamen aegro desperare, de nullo sano securus esse debes. Scriptum quippe est : « Ne laudaveris hominem in vita sua. Nescis enim quid crastina pariat dies. » Similiter dici potest et debet : Ne vituperaris hominem
10 in vita sua ; nescis enim quid crastina pariat dies.

\*

**390.** Scire, Deo iuvante, qualis omnis humana anima esse debeat potes. De nulla autem qualis sit, perfecte nosse potes, nec de tua ipsa. Debet enim omnis anima rationalis ex toto devota erga Deum esse, quia scriptum est : « Diliges Dominum Deum tuum ex toto corde tuo », et caetera. Erga proximum vero benigna. Nam sequitur : « et proximum sicut teipsum ». Et haec est tota et sola perfectio eius et salus ;

**387**,1-2 In — ipsum *om.* MTBP
**388**,4 condolere *legi non potest in* G
**389**,6 aegro *om.* P ‖ 8 pariat : pariet P ‖ 9 et debet *om.* P
**390**,4 Dominum *om.* TB ‖ 7 est *om.* TB

---

**387** [1] *Matth.* 19, 19 ; 22, 39.
**389** [1] *Prov.* 27, 1 ; *Sir.* 11, 2.30.

**387.** Tu ne dois pas te réjouir pour l'acquisition de n'importe quelle chose, ni non plus pour un autre. Car « tu aimeras ton
prochain comme toi-même [1]. »

**388.** Tu ne dois pas te réjouir avec un autre de n'importe
quelle chose obtenue, et tu ne dois pas non plus en déplorer
avec lui la perte. Par exemple : tu ne dois pas te réjouir avec
une femme adultère qui réalise son désir. C'est pourquoi tu ne
dois pas partager sa peine quand elle pleure d'en être privée.

*

**389.** Deux hommes t'ont été confiés : l'un malade, mais
guérissable, l'autre bien portant, mais qui peut devenir malade.
Auquel dois-tu donner plus de soins, à l'homme en santé ou au
malade ? Ne dois-tu pas donner tes soins et t'employer tout
autant à prévenir la maladie pour l'un, à la guérir pour l'autre ? D'autant plus que tous les bien portants sont davantage
menacés de maladie que les malades susceptibles de guérison.
Toutefois ne désespère d'aucun malade et ne sois rassuré au
sujet d'aucun homme en bonne santé. Car il est écrit : « Ne fais
pas l'éloge d'un homme tant qu'il vit : tu ne sais pas ce que
demain enfantera [1]. » De même on peut et on doit dire : Ne
condamne pas un homme tant qu'il vit, car tu ne sais pas ce
que demain enfantera.

*

**390.** Tu peux savoir, Dieu aidant, ce que doit être toute âme
humaine. Mais tu ne peux savoir parfaitement d'aucune ce
qu'elle est, pas même de la tienne. Toute âme raisonnable, en
effet, doit être tout entière dévote envers Dieu, car il est écrit :
« Tu aimeras le Seigneur ton Dieu de tout ton cœur, etc. » Et
bonne envers le prochain, car il est dit ensuite : « et ton
prochain comme toi-même [1] ». Telle est sa seule et entière
perfection, son salut. Et nul autre sentiment ne devrait

**390** [1] *Matth.* 22, 37-39 ; *Lc* 10, 27.

neque ullus alius affectus cor hominis movere deberet, nisi
ista quasi bina dilectione. Haec enim omnium actionum et
10   motionum humanarum, spiritalium sive corporalium, tota et
sola causa esse deberet, usque ad minimum oculi nutum, vel
digiti motum. Sed quis ad haec tam idoneus ? Nitendum est
tamen.

Opera autem divinae devotionis haec sunt. Contemplatio,
15   oratio, meditatio, lectio, psalmodia, sacrorum mysteriorum
actio. Quorum omnium finis, nosse et amare Deum.

Opera fraternae dilectionis, sunt ista. Non imputatio peccatorum, interventio, sacramentorum impensio, verbum, exemplum, disciplina ; insuper etiam corpori necessaria benigne
20   praestita, ut cibus, potus, vestis, domus, medela, sepultura,
et si quid aliud. Verbum porro, aut doctrinae est aut exhor-
tationis, id est suasionis, aut consolationis, aut correptionis,
aut increpationis.

*

**391.** Duo sunt quae iustum probant, sive demonstrant.
Actio corporalis, et passio. Non enim quia panem pauperi
porrexit, vel aliquid aliud tale fecit, aut quia iniuriosum
aliquid aequanimiter toleravit, ideo iustus est, sed potius quia
5   iustus erat, ideo ista potuit ; id est haec iustum non fecerunt,
sed iustus ea. Nam et si nihil horum per corpus agat vel
patiatur, non minus iustus erit, sicut in futuro saeculo.

Ideo enim iustus est quia illam sibi et aliis vitam exoptat,
in qua nihil horum agere aut pati necesse sit, sublatis omnibus
10   humanis erroribus et infirmitatibus.

*

**390,**12 haec : hoc P ǁ tam *om.* P ǁ 16 finis : est *add.* P ǁ 19-20 praestita
benigne M
**391,**2 pauperi panem MP ǁ 3 aliquid *om.* P ǁ fecit tale MP ǁ 8 vitam
et aliis P

---

**390** [2] S. Augustin, *Sermo 103 et 104.* Se lisait à Matines, au jour de
l'Assomption, *PL* 38, 613-618 (illustration du double amour).

mouvoir le cœur de l'homme, hormis cet amour, double[2] en quelque sorte. Il devrait être en effet la cause totale et unique de toutes les actions et de tous les mouvements humains, spirituels ou corporels, jusqu'au moindre clin d'œil ou à un mouvement du doigt. Mais qui en est à ce point capable ? Il faut pourtant s'y efforcer.

Or les œuvres de la dévotion envers Dieu sont : la contemplation, la prière, la méditation, la lecture, la psalmodie, la célébration des mystères sacrés. Toutes ont pour fin la connaissance et l'amour de Dieu.

Et les œuvres de l'amour fraternel sont : ne pas imputer les péchés, l'intercession, la distribution des sacrements, la parole, l'exemple, le châtiment ; en outre, procurer avec bonté le nécessaire au corps : nourriture, boisson, vêtements, maison, remèdes, sépulture et toutes autres choses. Quant à la parole, elle est d'enseignement ou d'exhortation, c'est-à-dire persuasion, consolation, correction ou réprimande.

*

**391.** Deux témoignages prouvent et révèlent le juste : sa façon d'agir et de souffrir physiquement. Le juste n'est pas tel pour avoir tendu un morceau de pain à un pauvre, ou fait une autre action de ce genre, ou bien encore pour avoir supporté une injure avec égalité d'âme[1]. Mais bien plutôt, il a pu faire ces actions parce qu'il était juste. Ces actions n'ont donc pas fait le juste, mais le juste les a faites. Même s'il n'a pas accompli ou souffert tout cela avec son corps, il n'en sera pas moins juste. Ainsi dans le siècle futur.

Il est juste, en effet, parce qu'il désire vivement, pour lui et pour les autres, cette vie dans laquelle il ne sera plus nécessaire de faire ou de souffrir rien de tout cela, car toutes les erreurs et les faiblesses humaines auront disparu.

*

391 [1] « Fortitudo molestias aequanimiter sustinens », S. Augustin, *Sermo 150*, nº 9, *PL* 38, 812

**392.** Vide quid sit accepisse hominem potestatem faciendi quod velit, cum nihil velit nisi inutile aut perniciosum. Nonne hoc est stulto puero sublatam esse disciplinam, concessa licentia tempus inaniter consumendi, aut frenetico se ipsum interfi-
5  cere volenti, quibus vinctus erat vincula esse dempta ?

**393.** « Qui fingis laborem in praeceptum », sicut figulus lutum in ollam, id est de ipso labore facis mihi praeceptum, ut mente fugiam ea in quibus laboro. Non enim laborarem, nisi a te recessissem. Quia « propter iniquitatem corripuisti homi-
5  nem. » At ego perversus, non iniquitatem pro qua verberor, sed virgas ipsas desidero amoveri. Non autem deberet animus meus esse contra verbera, sed contra causam eorum, id est iniquitatem.

**394.** Vide quanti est filiis Adae posse quod volunt, et quam parvi quid velint, tanquam non possint falli. Attende iterum quot et quantos labores sustineant pro incerta spe, imo certissima desperatione, id est pro his quae possunt non provenire,
5  et cum provenerint, necesse est ea perire. Non enim veniunt mansura, sed necessario transitura.

**395.** « Non estis, ait Dominus, vos qui loquimini, sed spiritus Patris vestri qui loquitur in vobis. » Ita dic ex toto corde de omnibus operibus bonis, omnibus hominibus bonis. Id est : non estis vos qui porrigitis panem pauperi, quando bene, id est
5  simpliciter hoc facitis, sed spiritus patris vestri qui porrigit in vobis. Sola quippe caritate bene fit et hoc, et caetera similia, quae « diffusa est in cordibus nostris, per Spiritum Sanctum qui datus est nobis ».

**392**,2 aut : atque MTBP
**394**,4 his : ad *add.* TB ‖ 6 mansura : mensura P

---

**393** [1] *Ps.* 93, 20.      [2] *Sir.* 33, 13.      [3] *Ps.* 38, 12.

**392.** Vois quelle est pour l'homme la conséquence d'avoir reçu le pouvoir de faire sa volonté, lui qui ne veut rien que d'inutile et de pernicieux. Autant avoir enlevé toute discipline à un petit sot, en lui permettant de gaspiller en vain son temps ; ou avoir enlevé au dément qui veut se tuer les liens qui l'enchaînaient.

**393.** « Toi qui donnes au travail la forme d'un précepte [1] », comme le potier donne à la glaise celle d'une poterie [2], c'est-à-dire toi qui me fais de la peine elle-même un précepte, pour que je m'évade par l'esprit de ce qui est pour moi source de peine. En effet, je n'aurais pas de peines à endurer, si je ne m'étais éloigné de toi. « Tu as puni l'homme à cause de l'iniquité [3]. » Et moi, pervers, je désire voir écarter, non point l'iniquité pour laquelle je suis frappé, mais les verges mêmes. Or mon esprit ne devrait pas s'opposer aux coups, mais à leur cause, c'est-à-dire à l'iniquité.

**394.** Vois quel prix attachent les fils d'Adam à pouvoir ce qu'ils veulent, et combien peu ils réfléchissent à leurs vouloirs, comme s'ils ne pouvaient se tromper. Considère quels labeurs et combien grands ils supportent pour un espoir incertain, bien plus pour un désespoir très certain, c'est-à-dire pour des buts qui peuvent ne pas arriver et qui périront certainement, s'ils arrivent. Car ils ne viennent pas pour durer, mais nécessairement pour passer.

**395.** « Ce n'est pas vous, dit le Seigneur, qui parlez, mais l'Esprit de votre Père qui parle en vous [1]. » Dis cela de tout ton cœur, au sujet de toutes les œuvres bonnes, à tous les hommes bons. En d'autres termes : ce n'est pas vous qui tendez un pain au pauvre, quand vous le faites bien, c'est-à-dire avec simplicité, mais l'Esprit de votre Père offre ce pain en vous. En effet, cette action et d'autres semblables ne sont bien accomplies que par la seule charité, « et celle-ci est répandue dans nos cœurs par l'Esprit-Saint qui nous a été donné [2] ».

---

**395** [1] *Matth.* 10, 20.        [2] *Rom.* 5, 5.

**396.** Ecce contristatus et conturbatus quereris de illo aut illo, quod contumeliosa et odio plena, tibi dixerit verba. Doles ergo, aut talia tibi, aut tali mente esse locutum. Bene omnino, si propter eius utilitatem doles. Non enim hoc ei expedit. Si autem propter te, prave. Nil enim tam sanctum ac bonum tam sancte ac bene dicere potuisset, quod esset utilius tibi, quam haec erunt, si bene eis utaris.

Sive enim bona sive mala, bene vel male quis dicat tibi, vel faciat tibi, talia tibi erunt, qualiter usus eis fueris. Sibi autem qui fecit aut dixit, talia erunt, quali ea voluntate fecit aut dixit. Sicut enim mentitur iniquitas sibi tantummodo non tibi, si non consentias et si redarguas, ita omnia mala facit sibi ac dicit, id est ad perniciem suam, si pie et compatienter non consentias, sed redarguas.

Ei ergo qui malum tibi fecit aut dixit dolere debes, non tibi, cui etiam aliena mala in bonum, si bene eis utaris, cedent, et tantum in bonum, quam bene eis uteris. Ergo et tantum in malum, quam male uteris eis, sive mala sint sive bona, quae facta vel dicta tibi sunt, « quoniam diligentibus Deum omnia cooperantur in bonum. » In tantum omnia, ut etiam mala aliena. Odientibus autem Deum, e contra omnia cooperantur in malum ipsorum, et in tantum omnia, ut etiam bona.

Totam igitur querelam, in te ipsum male utentem verte. Nam et si re vera mala sunt, quae facta aut dicta tibi sunt, tibi certe mala esse nullo modo poterunt, nisi eis male utaris. Sic nec bona, bona, nisi bene usus eis fueris.

---

**396,**7 eis bene MTBP ‖ 10 dixit aut fecit P ‖ 12-13 sibi facit P ‖ 13 et : ac MTBP ‖ 15 tibi[1] *om.* TB ‖ dixit : dicit P ‖ 16 mala : cooperantur *add.* TB ‖ 16-17 cedent — uteris *om.* TB ‖ 19 tibi dicta MP ‖ 20-21 aliena mala MTBP ‖ 22 ut : vel P ‖ 26 eis usus M

---

**396** [1] *Ps.* 26, 12.

**396.** Vois : attristé et abattu, tu te plains d'un tel ou d'un tel parce qu'il t'a dit des paroles outrageantes et remplies de haine. Tu souffres donc ou de ces paroles ou de l'esprit dans lequel il les a dites. Très bien, si tu es peiné dans son intérêt, car son action n'est pas à son avantage. Très mal, si c'est à cause de toi-même. Il ne pouvait en effet dire aucune parole aussi sainte et aussi bonne, d'une manière aussi sainte et bonne, qui eût été plus utile pour toi que ces propos le seront, si tu en fais un bon usage.

En effet, si quelqu'un te dit ou te fait du bien ou du mal, d'une manière bonne ou mauvaise, cela sera tel pour toi selon l'usage que tu en auras fait. Mais pour celui qui aura dit ou fait cela, il en sera selon l'intention dans laquelle il aura agi ou parlé. « L'iniquité ne se ment qu'à elle-même [1] », et non à toi, si tu n'y consens pas et la repousses. Ainsi, il se fait et se dit à lui-même tous ces maux, pour sa propre perte, si toi, avec piété et compassion, tu ne consens pas et tu repousses.

Tu dois donc avoir de la peine pour celui qui t'a dit ou fait du mal, non pour toi, à qui même les maux d'autrui tourneront à bien, si tu en fais un bon usage, et d'autant plus que tu en feras meilleur usage. Par suite, le mal ou le bien qui t'aura été fait ou dit ne sera pour toi un mal que dans la mesure où tu en auras fait mauvais usage, car « pour ceux qui aiment Dieu, tout coopère au bien [2] » : à ce point tout, que même le mal d'autrui. Mais pour ceux qui haïssent Dieu, tout coopère à leur mal, et à ce point tout, que même le bien.

Retourne donc toute la plainte contre toi-même, qui fais mauvais usage de ces propos. Car, même si ce qu'on t'a fait ou dit est en réalité un mal, il ne le sera certainement en aucune façon pour toi, à moins que tu n'en fasses mauvais usage. De même le bien ne sera pour toi un bien que si tu en fais bon usage.

**396** [2] *Rom.* 8, 28.

**397.** Volens Dominus corporalia et temporalia ista delere vel ferire, praedicit et praeclamat id se facturum, ut scilicet subtrahamus nos ab illis, ne simul pereamus vel feriamur.

**398.** Bonus medicus, eadem voluntate, id est desiderio sanandi, admovet aegris amara et dulcia, sicut mel et absinthium, dura et mollia, aspera et suavia. Non enim admovet aliqua, quia amara aut aspera sunt, quod esset crudelitatis, sed
5 quia salubria sunt, quod est caritatis.

**399.** Anima humana tam diu iuste cruciatur, quam diu potest cruciari, id est quam diu amat aliquid praeter Deum. Deum enim, nolens amittere nequit. Dimittere ergo eum potest, non amittere. Nemo enim laeditur, nisi a se ipso.

**400.** Sicut puer de exigua argilla non minus rotundas et pulchras pilas quam de magna massa facit, ita iustus ac sapiens, non minus iustum et Deo placitum opus de exigua substantia, quam de multis copiis facit. Recordare duo minuta
5 viduae, et calicem aquae frigidae.

**401.** Cum una sis ex creaturis Dei sicut quaelibet istarum, id est formarum corporearum, et omnibus illis incomparabiliter nobilior ac pretiosior, cur magis eis obnoxius es, quam ipsae tibi ? Cur earum desiderio flagras amplius quam ipsae
5 tui ? Cur te eis propius ingeris, quam ipsae tibi ? Cur sine illis esse non potes, sicut sine te illae ? Tu utique prodesse potes illis, non illae tibi, sicut ydolatra ydolo, non ydolum ydolatrae prodest.

\*

**397**,2 vel ferire *om.* P ‖ 3 illis : ipsis P
**398**,1 Bonus : Bona P
**400**,3 et : ac P

---

**397** [1] *Gen.* 19, 15-17.
**399** [1] « Te nemo amittit, nisi qui dimittit ; et qui dimittit, quo it, aut quo fugit, nisi a te placido ad te iratum ? », S. Augustin, *Confessiones* 4, 9, *PL* 32, 699. — Sur l'impossibilité de fuir Dieu, voir aussi : *Enarratio in Psalmos, in Ps. 30,* enarratio 2, sermo 1, par. 8, *PL* 36, 234 ; et *in Ps. 74,* par. 9, *PL* 36, 952.
[2] « Nemo laeditur nisi a seipso. » C'est le titre d'un traité de S. Jean

**397.** Le Seigneur, voulant détruire ou frapper les êtres corporels et temporels, prévient et clame d'avance qu'il le fera, pour que nous nous séparions d'eux et ne périssions pas ou ne soyons pas frappés avec eux [1].

**398.** Le bon médecin applique aux malades des remèdes amers et doux, comme le miel et l'absinthe, durs et mous, âpres et agréables, toujours dans la même intention, le même désir de guérir. Il n'en utilise pas certains pour leur amertume ou leur âpreté : ce serait cruauté ; mais parce qu'ils sont salutaires, et c'est charité.

**399.** L'âme humaine est tourmentée à bon droit aussi longtemps qu'elle peut l'être, c'est-à-dire tant qu'elle aime quelque chose en dehors de Dieu. Car nul ne peut perdre Dieu, s'il ne le veut pas. Il peut le congédier, mais non le perdre [1] : nul n'est blessé, que par soi-même [2].

**400.** Comme l'enfant ne modèle pas des billes moins rondes et moins jolies avec un peu d'argile qu'avec une grande quantité, de même l'homme juste et sage ne fait pas moins une œuvre juste et agréable à Dieu avec peu de moyens qu'à grands frais. Souviens-toi des deux petites pièces de la veuve [1] et du verre d'eau fraîche [2].

**401.** Tu es l'une des créatures de Dieu, comme n'importe laquelle de celles-ci, c'est-à-dire des formes corporelles [1], et tu es incomparablement plus noble et plus précieux qu'elles toutes. Pourquoi dépends-tu plus d'elles que celles-ci de toi ? Pourquoi brûles-tu plus de désir pour elles que celles-ci à ton égard ? Pourquoi t'occupes-tu d'elles plus intimement qu'elles de toi ? Pourquoi ne peux-tu demeurer sans elles, alors qu'elles peuvent demeurer sans toi ? Certes, tu peux leur être utile, mais elles ne peuvent l'être pour toi : ainsi l'idolâtre est utile à l'idole, mais non l'idole à l'idolâtre.

\*

CHRYSOSTOME, *PG* 52, 459-480. Guigues l'a lu dans une ancienne version : voir *Journal of Theol. Studies,* XIX (1918), p. 325.

**400** [1] *Lc* 21, 2.      [2] *Matth.* 10, 42.

**401** [1] Voir note sur les formes, p. 315.

**402.** Cum aliquid propter aliud appetitur, sicut absinthium
pro salute, aut abhorretur, sicut mel plerumque timore morbi,
in altero enim praesens de amaritudine tristitia spe futuri
de salute gaudii sponte admittitur, in altero praesens de dul-
core iucunditas timore futuri de morbo doloris horretur, cum
hoc, inquam, fit, non ipsum appetitur aut horretur, sed id
propter quod appetitur aut horretur. Tolle enim lucrum sanita-
tis, quis non horrebit absinthium ? Tolle timorem morbi, quis
non appetat favum ?

Ita plerumque odio habent homines iniquitatem, furtum
scilicet aut adulterium, non propter ipsam, sed propter poenam
quae comitatur eam, utpote opprobrium hominum. Tolle enim
opprobrium hominum, mox placebit furtum et adulterium.
Haec videtur esse ex parte causa, quod a talibus horretur
opprobrium hominum.

**403.** Omnis homo sentit naturaliter qualem voluntatem
habeat erga ea quae diligit aut veneratur, et qualem erga
ea quae contemnit aut odit. Ob hoc itaque perversi quique
amari et venerari ab hominibus appetunt, ut ea quae his quos
diligunt homines et venerantur praestare solent, accipiant. Et
ideo contemni et odio haberi ab hominibus horrent, ne his
privati, quaecumque contemptis et exosis irrogari solent incur-
rant.

**404.** Cum aliquis dolet se commisisse furtum, ob hoc quia
incurrit inde opprobrium hominum, non eum paenitet furtum
fecisse, sed dolet opprobrium incurrisse. Nec horret aut
malum ducit peccare, sed puniri.

Iustis autem non aliud est peccare, et aliud puniri. Ipsum
utique peccatum atrocissimam poenam ducunt, et ideo nul-

---

**402**,2 aut : at P ǁ 12 hominum *om*. MTBP ǁ 14 videtur esse ex parte :
ex parte videtur P ǁ esse *om*. MTBP
**403**,1-2 habeat voluntatem MTP ǁ 6 ab *om*. P ǁ horrent : orrent P
**404**,1 se dolet MTB

---

**402** [1] *Ps.* 21, 7.

**402.** Une chose peut être désirée en vue d'une autre, comme l'absinthe pour la santé, ou repoussée avec horreur, ainsi souvent le miel par crainte de maladie. Dans le premier cas, la tristesse présente causée par l'amertume est acceptée de bon gré dans l'espoir de la joie future de la guérison. Dans le second cas, le présent agrément donné par la douceur est détesté par crainte de la souffrance future de la maladie. Puisqu'il en est ainsi, je dis : ce n'est pas cet objet même qui est désiré ou détesté, mais ce pour quoi il est désiré ou détesté. Ôte en effet le gain de la santé, qui n'aura l'absinthe en horreur ? Enlève la crainte de la maladie, qui ne désirera le rayon de miel ?

Ainsi, le plus souvent, les hommes haïssent l'iniquité, comme le vol ou l'adultère, non pour elle-même, mais pour la punition qui l'accompagne, le déshonneur devant les hommes [1]. Ôte en effet ce déshonneur public, aussitôt plairont le vol et l'adultère. Telle paraît en être en partie la raison : de tels gens ont en horreur le déshonneur public.

**403.** Tout homme perçoit naturellement quel est son vouloir à l'égard de ce qu'il aime ou vénère, ou bien à l'égard de ce qu'il méprise ou hait. Aussi les méchants, quels qu'ils soient, désirent-ils être aimés et vénérés des hommes, afin de recevoir les témoignages rendus habituellement par ceux-ci aux objets de leur amour et de leur vénération. C'est pourquoi ils ont horreur d'être méprisés et haïs par les hommes, de peur que, privés de ces témoignages, ils n'encourent les peines ordinairement infligées à ceux qui sont méprisés et détestés.

**404.** Quand un homme se désole d'avoir commis un vol à cause du déshonneur encouru de ce fait devant les hommes [1], il ne regrette pas d'avoir volé, mais d'avoir encouru cet opprobre. Il n'a pas horreur de pécher et ne le tient pas pour un mal, mais d'être puni.

Mais, pour les justes, il n'est pas différent de pécher et d'être puni. Ils tiennent assurément le péché pour le plus atroce des

**404** [1] *Ps.* 21, 7.

lam iniquitatem impunitam posse esse, eo quod iniquitas ipsa
magna poena sit, nihilque peius ea cuique valeat irrogari ; et
idcirco ipsam prae omnibus malis cavendam ac fugiendam
10  censent, etiam si nihil aliud mali eam sequatur.

*

**405.** Qui amore mundanorum putat se Deum diligere, fallitur. Iam enim non solum non diligit, sed insuper odit. Amicitia
enim mundi huius, inimica est Deo ; et qui voluerit amicus
esse saeculi huius, inimicus Dei constituetur.

**406.** « Omnes Dei gentium daemonia » ; tui autem, ne id
saltem. Nam daemonia vitae rationalis sunt, licet erraticae,
nunquamque non futurae. Ea vero quibus tu frueris ac iumen-
ta, mortua sunt ac necessario peritura, et nec uni vivo porco
5  possunt omnia adaequari, nedum daemoni, id est angelo,
quamvis perverso.

**407.** Sicut qui vult lateres facere, plateam praeparat ubi
eos interim ponat, non utique ibi remansuros, sed, cum siccati
fuerint, alibi transferendos, et ita platea illa nullis specialiter
lateribus parata est, sed omnibus aequaliter qui faciendi sunt.
5      Ita hunc locum humanae habitationis creandis hominibus
et alibi peracto suo tempore transferendis, fecit Deus. Et sicut
figulus alios aufert, ut noviter facti in eorum succedant
locum, ita Deus morte tanquam translatione priorum, succes-
suris praeparat locum. Stultus ergo et insanus est, qui in platea
10  cordis amore inhaeret, et non potius quo sit transferendus
hinc, semper sollicitus meditatur.

**406,**3 non *om.* P
**407,**1 *litt. init. picta in altera linea* MP ǁ 6 fecit : facit P ǁ 11 sollicitus
semper MP

---

**405** [1] « Amicitia enim huius mundi, fornicatio est abs te », S. AUGUSTIN,
*Confessiones,* I, 13, n° 2, *PL* 32, 670.
 [2] *Jac.* 4, 4.
**406** [1] *Ps.* 95, 5.

châtiments. Aussi nulle iniquité ne peut rester impunie, puisque l'iniquité elle-même est un grand châtiment, et rien de pire qu'elle ne peut être infligé à un homme. C'est pourquoi les justes estiment qu'on doit se garder de l'iniquité et la fuir plus que tous les maux, même si aucun mal ne devait s'ensuivre.

*

**405.** Qui croit aimer Dieu en aimant les choses du monde se trompe. Car non seulement déjà il ne l'aime pas, mais bien plus il le hait : en effet, l'amitié de ce monde est ennemie de Dieu [1], et qui aura voulu être ami du siècle présent sera rendu ennemi de Dieu [2].

**406.** « Tous les dieux des nations sont des démons [1]. » Or les tiens ne sont même pas cela. Car les démons ont une vie douée de raison, bien qu'égarée, et qui ne cessera jamais d'être. Mais les objets dont tu jouis comme les bêtes sont morts et nécessairement destinés à périr. Tous ensemble ne peuvent même pas être égalés à un porc vivant, moins encore à un démon qui est un ange quoique perverti.

**407.** Celui qui veut faire des briques prépare une aire où il les déposera provisoirement ; non certes pour qu'elles restent là, mais pour les transférer ailleurs quand elles seront sèches. Et ainsi cette aire n'est préparée pour aucune brique en particulier, mais indifféremment pour toutes celles qui seront fabriquées.

De même Dieu a fait ce lieu d'habitation humaine pour tous les hommes qu'il voulait créer, puis transférer ailleurs, leur temps révolu. Et comme le potier enlève des briques pour que prennent leur place celles qui sont nouvellement fabriquées, de même Dieu, transférant en quelque sorte les premiers par la mort, prépare la place pour leurs successeurs. Celui qui s'attache à cette aire par l'amour de son cœur est donc sot et insensé : il n'a pas soin de méditer plutôt sans cesse sur le lieu où il doit être transféré d'ici.

Nec iniustum aut austerum videri lateribus debet, cum hinc transferuntur. Nam hac intentione positi fuerunt. Neque videbitur, nisi his qui se hinc non cogitant necessario transferendos, qui commune et nulli proprium sed innumerabilibus futuris communiter deputatum, insana cupiditate tanquam suum vindicant proprium.

Vide in hac eadem re aliam insaniam, nihilo minorem. Cum enim hi lateres fere omnes eiusdem sint quantitatis, vix tamen eorum ullus unius tantum spatio contentus est, imo, eiectis aut confractis quot potest, multorum laterum uni sibi vendicat locum.

**408.** Vide quia aversus a Deo intrasti hunc mundum, inhiante ore ad omnia praeter ipsum.

**409.** Vide quam miser es. Undique enim experiris creaturas illaqueantes te falsis blanditiis, et perturbantes horroribus. Omnibus autem subiceris propter vile carnis gestamen, cui adesse vel deesse possunt. Et utinam, tantum propter carnis amarentur necessitatem. Nam plerumque amore eorum nec huic carni parcis, dum aut salubria, quia minus iocunda, respuis, aut noxia, quia iocunda, libenter admittis.

**410.** Qualem thesaurum, quem sorunculi, pulices, pediculi, muscaeque exterminant. Si itaque est verum quod dicis : « Portio mea Domine », aut haec, id est temporalia, tibi necessaria non sunt, aut haec tua tibi non sufficit portio. Quotiens autem aliquid aliud desideras, hoc clamas, quod aut eum non habes, aut tibi ipse non sufficit.

**411.** Vide quanto deterior es bestiis. Illae satiatae, ab eo quod reliquum est caeteras non arcent ; tu nec satur rapere et coacervare desistis.

---

**407**,12 iniustum : inustum G
**408**,1 aversus : adversus P
**409**,7 admittis : amittis P
**410**,4 tibi portio non sufficit M portio tibi non sufficit P
**411**,1 *litt. init. picta in altera linea* MP

---

**410** [1] Voir note sur les souffrances, p. 324.     [2] *Ps.* 118, 57.

Les briques ne doivent pas trouver injuste ni sévère d'être transférées ailleurs. Car c'est pour cela qu'elles avaient été posées là. Ainsi jugeront tous, sauf ceux qui ne pensent pas devoir être transférés d'ici, et qui, dans leur cupidité insensée, revendiquent en propre comme leur un bien commun n'appartenant à aucun d'entre eux, mais destiné en général aux innombrables créatures à venir.

Vois dans ce même fait une autre folie, non moindre : ces briques, en effet, sont presque toutes de la même dimension. Il n'en est pourtant presque pas une qui se contente de l'espace suffisant pour une ; bien plus, rejetant et cassant autant de briques que possible, elle revendique pour elle seule la place de beaucoup d'autres.

**408.** Vois : tu es entré dans le monde, détourné de Dieu, bouche bée devant tout sauf lui.

**409.** Vois combien tu es misérable. Car tu fais de toutes parts l'expérience de créatures qui te dressent des pièges par leurs caresses trompeuses et te troublent par leurs horreurs. Or tu te soumets à toutes à cause du vil fardeau de la chair, auquel elles peuvent être présentes ou absentes. Et plaise au ciel qu'elles soient aimées seulement en raison des nécessités du corps ! Car le plus souvent, c'est par amour pour elles que tu n'épargnes pas ce corps, soit en repoussant ce qui est salutaire, comme moins agréable, soit en admettant volontiers ce qui est nuisible, comme agréable.

**410.** Quel est ce trésor que souriceaux, puces, poux et mouches [1] exterminent ? Si ce que tu dis est vrai : « Vous êtes ma part, Seigneur [2] », ou les biens temporels ne te sont pas nécessaires, ou cette part, la tienne, ne te suffit pas. Or chaque fois que tu désires autre chose que Dieu, tu proclames que tu ne le possèdes pas, ou qu'il ne te suffit pas.

**411.** Vois combien tu es pire que les bêtes. Celles-ci, une fois rassasiées, n'écartent pas les autres de leurs restes. Toi, même assouvi, tu ne cesses pas de rafler et d'amasser.

**412.** Quot voluptates temporales et quam vehementes, totidem et tam validos diaboli laqueos devitas. Quot tribulationes praesertim pro veritate fugis, totidem medicinalia remedia spernis.

**413.** Coaptare aliquid sicut cibum aut potum tantummodo ut plus delectet, diabolo est cooperari in perniciem nostram, et acuere eius gladium, quo facilius et altius nostra possit viscera penetrare. Quanto enim his amplius delectamur, tanto gravius
5 et profondius vulneramur.

**414.** Capras olentes propter lac, apes propter mel et ceram, amurcam propter oleum, racemos propter vinum, fimum propter frumentum diligis. Cum itaque propter temporalia diligis Deum, ipsum habes pro capra, pro ape, pro amurca, pro race-
5 mis, pro fimo ; temporalia vero pro lacte, melle, vino, oleo, frumento.

**415.** Pudeat dilexisse, non pigeat perisse necessario peritura.

\*

**416.** Indue eum prius, quem iudicare vis aut corripere, et sicut tibi expedire senseris si ita sis, sic ei facito. « In qua enim mensura mensus fueris, in eadem remetietur tibi, et in quo iudicio iudicaveris, in eodem iudicaberis. » Nam et Christus prius
5 induit hominem quam iudicaret.

**417.** Gaudeat quis invenisse se locum, ubi spe mercedis non transitoriae laboret, et ad hoc vocet quos diligit. Quid igitur ? Propter Deum, bonum faciendum est homini.

**413**,1 *litt. init. picta in altera linea* M
**414**,3-4 Deum propter temporalia diligis MTBP
**416**,4 iudicaveris : iudicaberis MT iudicabis BP

**412** [1] *I Tim*. 3, 7 ; 6, 9 ; *II Tim*. 2, 26.
**413** [1] *Deut*. 32, 41.

**412.** Autant tu évites de jouissances temporelles, et combien véhémentes, autant tu évites de pièges du démon [1], et combien puissants. Autant tu fuis d'épreuves, surtout celles qui sont pour la cause de la vérité, autant tu méprises des remèdes salutaires.

**413.** Arranger quelque chose, comme un mets, un breuvage, uniquement pour le rendre plus délectable, c'est coopérer avec le diable pour notre ruine et aiguiser son glaive [1] pour qu'il puisse pénétrer plus facilement et plus profondément dans nos entrailles. Plus ample, en effet, est la jouissance prise en ces objets, plus graves et plus profondes sont nos blessures.

**414.** Tu aimes pour leur lait les chèvres qui sentent mauvais, les abeilles pour le miel et la cire, le marc d'olives pour l'huile, les raisins pour le vin, le fumier pour le froment. Aussi quand tu aimes Dieu pour des biens temporels, tu le tiens pour une chèvre, une abeille, du marc d'olives, du raisin, du fumier, mais les biens temporels pour du lait, du miel, du vin, de l'huile, du froment.

**415.** Éprouve de la honte d'avoir aimé ce qui doit nécessairement périr ; n'aie aucun regret de l'avoir vu périr.

*

**416.** Revêts-toi d'abord de celui que tu veux juger et reprendre, puis fais-lui ce qui te semblerait expédient pour toi si tu étais à sa place. « Selon la mesure avec laquelle tu auras mesuré, il te sera fait mesure à toi, et selon le jugement que tu auras porté, tu seras jugé [1]. » Car le Christ lui aussi a d'abord revêtu l'humanité, avant de la juger.

**417.** Que se réjouisse celui qui a trouvé un endroit où il peut travailler avec l'espérance d'une récompense non éphémère, et qu'il appelle à cela ceux qu'il aime. Pourquoi donc ? C'est pour Dieu qu'il faut faire du bien aux hommes.

**416** [1] *Matth.* 7, 2.

**418.** Vana gloria nec utile facias, sicut de ferro cultrum. Nec ergo illi, qui pro illa laborat. Noli gloriari in his : quod est perfecta a malo declinatio. Ille solus vere gloriari debet et potest in operibus suis, qui nil, ut sibi prosit, agit, id est Deus.

**419.** Quam diu aliquid alicui propter tuam utilitatem facis, non id ei, sed tibi facis.

**420.** Qualem erga te Deum et homines voluntatem habere vis, quantumcumque aut quomodocumque offendas, talem aliis exhibe, quantumcumque aut quomodocumque delinquant.

**421.** Sicut per similitudinem ac pacem consistunt, ita per dissimilitudinem et discordiam cuncta intereunt.

**422.** Quanto tunica tua veterior ac laceratior est, tanto minoris est tibi, quicquid ei contingit. Cur non similiter de carne tua facis ?

**423.** Propitius sit tibi Deus, ne inveniat ubi requiescat pes mentis tuae, ut, saltem coacta, o anima mea, redeas ad arcam, sicut columba Noae.

**424.** Laesa a filio mater, non requirit in vindictam laesuram eius, eo quod hanc quoque suam deputet. Quare si quis, eam ulcisci volens, laedat filium, non putandus est ei fecisse vindictam, sed iterasse laesionem.

5    Ita debet esse omnis christianus, ad omnes homines. Misereri scilicet, certissimas sui causas doloris desiderantis, id est peritura.

*

**419**,2 tibi : ipsi *add.* P
**420**,1 *litt. init. picta in altera linea* MP ‖ voluntatem *om.* M ‖ 2 talem : te *add.* P
**421**,1 consistunt : existunt P
**424**,4 laesionem : lesuram MTBP

---

**418** [1] Voir note sur « prodesse », p. 320.
**421** [1] « Concordia parvae res crescunt, discordia maximae dilabuntur », Salluste, *De bello Jugurthino,* cap. 10.

**418.** Ne fais pas par vaine gloire même ce qui est utile, comme un couteau avec du fer ; ni non plus en faveur de celui qui travaille pour elle. Ne te glorifie pas en cela : ce sera te détourner parfaitement du mal. Celui-là seul doit et peut se glorifier dans ses œuvres, qui ne fait rien pour sa propre utilité [1], c'est-à-dire Dieu.

**419.** Aussi longtemps que tu fais quelque chose à un autre pour ta propre utilité, tu ne le fais pas pour lui, mais pour toi.

**420.** Témoigne aux autres, quelles que soient la grandeur et la nature de leurs fautes, les dispositions mêmes que tu veux rencontrer de la part de Dieu et des hommes à ton égard, quelles que soient la grandeur et la nature de tes offenses.

**421.** De même que tout se maintient par la ressemblance et la paix, tout périt par la dissemblance et la discorde [1].

**422.** Plus ton vêtement est vieux et déchiré, moins t'importe ce qui lui arrive. Pourquoi ne fais-tu pas de même pour ton corps ?

**423.** Que Dieu te soit favorable et ne permette pas que le pied de ton esprit trouve où se reposer .! Ainsi, ô mon âme, par contrainte du moins, tu reviendras à l'arche, comme la colombe de Noé [1].

**424.** Une mère, blessée par son fils, n'exige pas, comme vengeance, une blessure pour celui-ci. Car elle considérerait cette blessure comme également sienne. Si donc quelqu'un blessait son fils pour la venger, elle n'estimerait pas avoir été vengée, mais avoir reçu une nouvelle blessure.

Ainsi doit être tout chrétien, envers tous les hommes. C'est-à-dire qu'il doit prendre en pitié celui qui désire les causes les plus certaines de sa propre souffrance, à savoir les biens périssables.

\*

**423** [1] *Gen.* 8, 8-9.

**425.** Hoc quod vis abscondere, id est peccatum tuum, improba, et iam non erit quod abscondere debeas. Delere enim illud potes, abscondere non potes. « Nihil enim opertum quod non reveletur, nec occultum quod non sciatur. » Quare ergo morbum mavis celare, quam sanare ? Quomodo morbos tui corporis libenter aliis, ut compatiantur, ostendis, et si nolunt credere, miserum te habes, augeturque dolor, sed et ipsis irasceris, ita de animae aegritudinibus facito.

**426.** In futuro saeculo sancti, ubicumque esse voluerint, erunt, quia nusquam alibi esse volent, nisi ubi erunt. Non enim locus Deum, sed Deus locum dabit. Cognitio vero et amor dabit Deum. Deus autem ista. Quare Deus Deum dabit. Mutatio quippe loci, aut necessitate fit, aut voluptate. Sed qui Deum habuerit, nil usquam utilius, nil delectabilius poterit invenire. Cur ergo de loco in locum mutari velit, non video.

**427.** Sicut iam praeterita, ita futura, utpote necessario peritura, transisse computa, et sic vide quid tibi remaneat. Aut enim Deus, aut nihil est sciri, putari, dici bonum.

**428.** Ecce elige ex his quod tibi prosit, si te amas. Si enim bene scires naturam ac potentiam opinionis humanae vel favoris, nunquam vel exigue pro eis laborares, aut gauderes, aut contristareris. Nil enim prosunt, cui impenduntur. Sed, sicut colores et caeterae formae corpora vel res quibus insunt deturpant aut decorant, ita haec, id est favor et opinio humana, mentes ipsas quas inficiunt et quibus insunt, decorant aut deturpant, et ipsis aut prosunt aut obsunt.

---

**425**,4 nec : et MTB ‖ sciatur : reveletur T
**426**,1 *litt. init. picta* GMTBP, *in altera linea* MP, *in eadem linea* GTB ‖ ubicumque *iter.* T ‖ esse *om.* MTB ‖ 4 dabit. : dabit ? *(sic)* TB
**428**,7-8 deturpant aut decorant M ‖ 8 et : aliis *add.* P

---

**425** [1] *Matth.* 10, 26. — « Et tibi quidem Domine, cuius oculis nuda est abyssus humanae conscientiae, quid occultum esset in me, etiamsi nollem confiteri tibi », S. AUGUSTIN, *Confessiones*, Lib. X, cap. 2, *PL* 32, 779.
**426** [1] Voir note sur « prodesse », p. 320.

**425.** Réprouve ce que tu veux cacher : ton péché. Et tu n'auras plus rien à cacher. Car tu peux le détruire, mais non le cacher : « Il n'est rien de voilé qui ne soit révélé, rien de caché qui ne soit un jour connu [1]. » Pourquoi donc veux-tu cacher une maladie, plutôt que la guérir ? Tu montres volontiers aux autres les maux de ton corps, pour obtenir leur compassion. S'ils ne veulent pas te croire, tu te trouves malheureux, ta souffrance augmente ; tu t'irrites même contre eux. Fais de même pour les maladies de l'âme.

**426.** Les saints, dans le siècle futur, seront partout où ils voudront, car ils ne voudront être nulle part ailleurs que là où ils seront. Ce n'est pas, en effet, le lieu qui donnera Dieu, mais Dieu qui donnera le lieu. Or la connaissance et l'amour donneront Dieu. Mais c'est Dieu qui les donnera. Aussi Dieu donnera-t-il Dieu. Or un changement de lieu se fait, soit par nécessité, soit par plaisir. Mais qui aura Dieu ne pourra rien trouver nulle part de plus utile [1] et de plus délectable. Pourquoi voudrait-il passer d'un lieu à un autre ? Je ne le vois pas.

**427.** Comme les événements du passé, compte aussi ceux de l'avenir, qui périront nécessairement, comme déjà passés. Et vois alors ce qui te reste. Ou c'est Dieu, ou rien ne peut être connu, estimé ou appelé bon.

**428.** Voici : si tu t'aimes toi-même, choisis ce qui t'est utile [1], parmi ces divers objets. En effet, si tu connaissais bien la nature et la puissance de l'opinion et de la faveur des hommes, jamais tu ne travaillerais pour elles, si peu que ce soit, et tu n'aurais à leur sujet ni joie, ni tristesse. Car elles ne sont utiles en rien pour qui les reçoit. Mais comme les couleurs ou les autres formes [2] enlaidissent ou embellissent les corps ou autres objets auxquels elles sont attachées, de même l'opinion et la faveur des hommes embellissent ou enlaidissent les âmes qu'elles imprègnent et habitent : ainsi elles leur sont utiles ou préjudiciables.

---

**428** [1] Voir note sur « prodesse ».
[2] Voir note sur les formes, p. 315.

Quid enim profuit soli aut lunae, quod eos pagani deos
10 putaverunt ? Aut quid eis, quod tu eos creaturas esse cognoscis, obest ? Quod si etiam stercora esse putares, quid eis
noceret ?

Quare, sicut naturam et potentiam illius vel illius herbae
sive ligni, ita harum rerum scrutare. Facile enim, adiuvante
15 Deo, id poteris, ex tuis opinionibus vel favoribus caetera
metiendo.

**429.** « Adhaerere Deo bonum est » : tibi utique, non illi.
Elongari itaque ab eo malum est, similiter tibi, non illi. Cur
igitur times, si quod tibi expedit eligis, vitasque quod obest ?
Nam nec hoc potes per te. « Libera me, ait Iob, et pone me
5 iuxta te. »

*

**430.** Vide ne propter opus hominis, contemnas opus Dei.
Opus enim hominis, homicidium est, adulterium est, et
caetera talia. Opus vero Dei, ipse homo.

Qui diligit aliquid, sicut domum aut aliquid eiusmodi,
5 materiam quoque unde illud fieri possit amat, ligna scilicet
aut lapides. Omnis ergo qui bonos diligit, malos, eo quod
nunquam aliunde boni fiant, diligat necesse est. Cur enim non
ames id unde potest angelus fieri, si illud diligis unde sciphus
fieri possit ? Scriptum namque est de hominibus : « Erunt
10 aequales angelis Dei. »

**431.** Si quem odisse debes, neminem ita ut te. Nemo enim
tantum nocuit tibi.

---

**429**,2 ab eo : ab ab eo a Deo *(sic)* P ‖ 3 igitur : ergo P
**430**,1-2 contemnas — hominis *om.* P ‖ 4 eiusmodi : huiusmodi MP ‖
7 necesse est diligat P

---

**428** [3] *Phil.* 3, 8.

A quoi cela a-t-il servi au soleil et à la lune d'avoir été considérés comme des dieux par les païens ? En quoi cela leur serait-il préjudiciable que tu les saches simples créatures ? Et si tu les considérais comme de l'ordure [3], en quoi cela leur nuirait-il ?

C'est pourquoi il te faut scruter la nature et la puissance de ces objets, comme tu le fais pour telle plante ou arbre. Tu le pourras facilement, avec l'aide de Dieu, en mesurant d'après tes propres opinions ou faveurs celles des autres.

**429.** « Adhérer à Dieu est un bien [1] » : pour toi, certes, non pour lui. S'éloigner de Dieu est donc un mal : pour toi de même, non pour lui. Pourquoi alors crains-tu, si tu choisis ce qui t'est utile et évites ce qui te nuit ? Car tu ne peux même pas cela par toi-même. « Délivre-moi, dit Job, et place-moi près de toi [2]. »

\*

**430.** Regarde : ne méprise pas l'œuvre de Dieu à cause de l'œuvre de l'homme. Car l'œuvre de l'homme, c'est l'homicide, l'adultère, et autres choses semblables. Mais l'œuvre de Dieu, c'est l'homme lui-même.

Celui qui aime un objet, comme une maison par exemple, ou quelque autre bien de ce genre, aime aussi la matière dont cet objet a pu être fait : le bois, la pierre. Donc celui qui aime les bons doit nécessairement aimer les mauvais, puisque les bons ne peuvent jamais être tirés d'ailleurs. Pourquoi n'aimerais-tu pas ce dont on peut faire un ange, puisque tu aimes ce dont on peut faire une coupe ? En effet, il est écrit au sujet des hommes : « Ils seront pareils aux anges de Dieu [1]. »

**431.** Dois-tu haïr quelqu'un ? Personne autant que toi-même, car personne ne t'a nui autant.

**429** [1] *Ps.* 72, 28.        [2] *Job* 17, 3. — Voir note « Liberté », p. 312.
**430** [1] *Lc* 20, 36.

**432.** Duobus modis principalibus, illicite haeres creaturis. Aut enim tanquam infirmus inniteris eis tanquam fulturis quibusdam, aut frueris eis tanquam laetificantibus.

**433.** Quamvis multa sint et diversa quae homo homini facere debet, non tamen multis aut diversis voluntatibus fieri debent, sed una tantummodo, id est caritate consulendi.

**434.** Alii amant et sentiunt Deum, id est iustitiam et veritatem in semet ipso, id est in Deo ; alii in hominibus veracibus et iustis.

**435.** Nisi contempseris quicquid possunt homines, vel adversando vel adiuvando, non poteris contemnere eorum affectus, id est odia vel amores ; quare nec opiniones malas aut bonas.

**436.** Non habere temporalia, sed habitis bene uti, optandum est. « Qui enim festinat ditari, sicut dicit Scriptura, non erit innocens. »

**437.** Cum unicuique rei nihil vicinius sit se ipsa, et nihil magis praesto, mirum valde est, quod anima humana aliud aliquid melius aut familiarius quam se ipsam nosse potuerit. Si quis enim in manu cultrum aut aliud aliquid tenens, quaerat id
5 ipsum, movet utique risum omni cernenti. Quid autem tam ad manum est animae quam ipsa sibi ? Quid ergo ei scibilius esse se ipsa potest ? Aut quomodo potest nosse quicquam, si se non novit ?

**438.** Vide quomodo vendis amorem et caeteros affectus animi tui ad obolatas et nummatas, sicut in taberna vinum. Rursus attende qualiter emas opiniones et amores ac caeteros affectus sive motus humanorum animorum, ad obolatas et
5 nummatas, sicut in taberna vinum.

\*

**434**,2 semet ipso : seipso MTBP
**436**,2 festinat *iter.* M || sicut dicit Scriptura *om.* MP
**437**,2-3 aliquid aliud MTBP || 6 ei : sibi *add.* MP

---

**436** [1] *Prov.* 28, 20.

**432.** Tu t'attaches indûment aux créatures, surtout de deux manières. Car, ou tu t'appuies sur elles comme un infirme sur des béquilles, ou tu en jouis comme si elles te donnaient de la joie.

**433.** Nombreuses et diverses sont les choses que l'homme doit faire pour l'homme. Cependant il ne doit pas les accomplir avec des intentions nombreuses et diverses, mais avec une seule : une charité serviable.

**434.** Les uns aiment et connaissent Dieu, c'est-à-dire la Justice et la Vérité, en lui-même, c'est-à-dire en Dieu ; les autres dans les hommes véridiques et justes.

**435.** A moins de dédaigner la puissance des hommes comme adversaires ou comme auxiliaires, tu ne pourras dédaigner leurs sentiments ; c'est-à-dire leurs haines ou leurs amours, et par suite, pas non plus leurs opinions, mauvaises ou bonnes.

**436.** Il ne faut pas souhaiter la possession de biens temporels, mais le bon usage de ceux que l'on possède. Car, dit l'Écriture : « Celui qui se hâte de s'enrichir ne sera pas innocent [1]. »

**437.** A tout être, rien n'est plus proche et davantage disponible que lui-même. Il est donc très surprenant que l'âme humaine puisse connaître quelque autre être mieux et plus intimement qu'elle-même. Si quelqu'un, en effet, tient en sa main un couteau ou un autre objet et le cherche, il provoque certainement les rires de tous ceux qui le voient. Or, que l'âme a-t-elle autant à portée de sa main, sinon elle-même ? Que peut-elle mieux connaître, sinon elle-même ? Ou comment peut-elle connaître quoi que ce soit, si elle ne se connaît pas ?

**438.** Vois comment tu vends l'amour et les autres sentiments de ton âme pour une obole ou un denier, comme on vend le vin dans un cabaret. Et remarque la façon dont tu achètes les faveurs, les amours et les autres sentiments ou mouvements des âmes humaines, pour une obole ou un denier, comme on achète le vin au cabaret.

\*

**439.** Cum quis mare ingreditur navigaturus, timent omnes qui diligunt eum et flent, cum tamen fere unum solum ex hoc ei periculum videatur imminere, id est naufragium.

Quanto magis pro eo qui mundum istum ingreditur, quod fit, cum nascitur quisque, timendum est ac dolendum. Fieri enim potest, ut mare ingrediens pericula evadat marina ; impossibile est vero, ut mundum intrans, pericula evadat mundana. Quae quot sint corporalia, ut modo de spiritalibus taceatur, quis enumeret ? Quam diu itaque vivimus, non duo ex his aut tria, sed universa timemus, per aliquod eorum necessario morituri. Melius ergo nobis esset, unum ex omnibus pati, caetera non timere, quam cum desperatione evadendi, omnia formidare.

Ubi videnda est infelicitas hominum. Cum enim volunt pericula fugere, periculis se reservant. Qui enim putatur febrem evasisse, paralisi aut podagrae, aut alicui aliorum morborum est reservatus cruciandus et occidendus ; et de uno periculo duo aut plura ei facta sunt.

**440.** Scarabaeus cuncta dum supervolat intuens, nil pulchrum aut sanum sive durabile eligit, sed sicubi stercora iacent foetentia, eis protinus insidet, spretis tot pulchris.

Ita animus tuus, caelum terramque et quae in eis magna ac pretiosa sunt intuitu pervolans, nulli adhaeret, contemptisque omnibus, vilia multa ac sordida quae cogitanti occurrunt, libens amplectitur. Erubesce ex his.

**441.** Primum opus medici est in cura suscepti aegroti, indagare et perscrutari infirmitatem ipsam. Secundum vero opus est, cognito morbo congruentia remedia adhibere.

**442.** Si tu beatus es qualitates corporum ac formas experiendo, sicut calida et frigida, dulcia et acida, quanto beatiora

**439**,1 navigaturus : navigantura P ‖ 5 dolendum. : dolendum ? *(sic)* TB ‖ 14 infelicitas : felicitas TB ‖ 18 duo aut *om.* MTBP
**440**,1 *litt. init. picta in altera linea* MP ‖ 7 amplectitur : amplectentur T

**442** [1] Voir note sur les formes, p. 315.

**439.** Quand un homme prend la mer pour une traversée, tous ceux qui l'aiment sont dans la crainte et versent des larmes. Pourtant, il ne semble guère menacé que d'un seul danger, le naufrage.

Combien plus faut-il craindre et pleurer pour celui qui entre en ce monde, ce qui arrive à chaque naissance. Car il peut arriver que celui qui embarque échappe aux périls de la mer. Mais il est impossible que, venu au monde, on échappe aux périls du monde. Qui pourrait faire le compte des dangers corporels, pour ne rien dire maintenant des dangers spirituels ? Tant que nous vivons, nous les craignons, non seulement deux ou trois, mais tous, devant nécessairement mourir par l'un d'eux. Il serait donc meilleur pour nous de souffrir d'un seul entre tous, et de ne pas craindre les autres, que de les redouter tous sans espoir d'échapper.

On voit bien là l'infortune des hommes. Voulant fuir les dangers, ils se réservent pour les dangers. Qui est censé avoir échappé à la fièvre, se trouve destiné à la paralysie ou à la goutte, ou à une autre des maladies, pour être tourmenté et tué. Au lieu d'un seul danger, deux ou plusieurs lui sont advenus.

**440.** Le scarabée regarde tout dans son survol, et ne choisit rien de beau, de sain, ni de durable ; mais partout où gisent des excréments malodorants, il se pose aussitôt sur eux, dédaignant tant de belles choses.

Ainsi ton esprit parcourt du regard le ciel et la terre, et tout ce qui s'y trouve de grand et de beau, mais ne s'attache à aucun de ces objets. Il les dédaigne tous et embrasse avec plaisir beaucoup d'objets vils et sordides qui se présentent à sa pensée. Rougis de cela.

**441.** La première tâche du médecin, dans le traitement du malade qui lui est confié, est de dépister et scruter avec soin le mal lui-même. La deuxième tâche, une fois connue la maladie, est d'appliquer les remèdes convenables.

**442.** Si tu es heureux de connaître par expérience les propriétés et les formes [1] des corps, comme le chaud et le froid,

sunt ipsa, quae hoc ipsum sunt. Maius est enim esse aliquid,
quam affici illo. Nam quantum ad calidi naturam, plus est
ipsum calidum, quam affici ipso. Unde si bonum est tibi affici
illo, melius est esse illud.

**443.** Alia praecipiuntur a Deo, quia utilia sunt, ut est :
« Dilige Dominum Deum tuum ex toto corde tuo », et caetera.
Sic enim beatitudo ipsa praecepta est. Alia autem quia praecipiuntur, utilia sunt, ut est : « De ligno scientiae boni et mali ne
comedas. » Hoc enim non quia per se utile esset, praeceptum
esse videtur, sed ut in eo obedientiam disceret homo. Nam et si
id utile non erat, Deo tamen subiectum et obedientem esse,
utilissimum erat. E contra vero, et si non erat de illo ligno
edere perniciosum, erat tamen repugnare Deo mortiferum.

**444.** Qui dolet aut irascitur amisso aliquo temporali, eo
ipso se dignum qui amitteret ostendit. Similiter qui accepto
convitio irascitur aut dolet, ipso se dignum fuisse demonstrat.
Tantum enim vellet laudari, quantum noluit convitiari.

**445.** Gaudia carnalia non dubitas necessario peritura, et
ideo nequaquam optanda. Unde aut nil omnino desiderandum
est, aut solis inhiandum aeternis.

**446.** Quantum distat cultor creatoris a cultore creaturae,
tantum distat amator creatoris ab amatore creaturae. Amare
autem dico ad fruendum et ad innitendum, non ad consulendum.

*

**443**,3 enim : ipsa *add.* P ‖ 8-9 edere de illo ligno MT edere de ligno illo
BP

**444**,4 noluit : voluit P

**445**,1 *litt. init. picta in altera linea* MP ‖ 2 nil : nichil MTBP ‖ 3 est
*om.* MTBP ‖ solis : est *add.* MTB ‖ inhiandum : est *add.* P

**446**,3 ad[2] *om.* MTBP ‖ non ad: et TB ‖ consulendum : consolandum P

───────────

**443** [1] *Matth.* 22, 37 ; *Lc* 10, 27.　　[2] *Gen.* 2, 17.

**445** [1] « Quid inter haec, fratres carissimi, nisi relinquere omnia debemus,
curas mundi postponere, *solis desideriis aeternis inhiare ?* Sed haec paucis

le doux et l'amer, combien plus heureux ces objets mêmes, qui sont tels. Car l'être d'une chose l'emporte sur l'impression qu'elle produit. Prenons la nature du chaud. La chaleur elle - même est plus que l'agrément qu'elle donne. Par suite, s'il est bon pour toi de la ressentir, il est encore meilleur d'être chaleur.

**443.** Dieu donne certains commandements parce qu'ils sont utiles, par exemple : « Aime le Seigneur ton Dieu de tout ton cœur, etc. [1]. » C'est le bonheur lui-même qui nous a été ainsi ordonné. Mais d'autres sont utiles parce qu'ils ont été prescrits, par exemple : « Ne mange pas de l'arbre de la science du bien et du mal [2]. » En effet, cela ne semble pas ordonné parce que de soi utile, mais pour que l'homme apprenne par là l'obéissance. Car même si cette action n'avait pas d'utilité pour lui, il lui était pourtant très utile d'être soumis à Dieu et obéissant. Au contraire, si manger de cet arbre ne lui était pas néfaste, pourtant, résister à Dieu était mortel pour lui.

**444.** Qui se désole ou s'irrite de la perte d'un objet temporel montre par là qu'il méritait de le perdre. De même qui s'irrite ou se désole d'avoir reçu un outrage montre par là même qu'il le méritait. Car il voudrait autant la louange qu'il a refusé l'outrage.

**445.** Tu ne doutes pas que les plaisirs charnels périront nécessairement. Aussi ne sont-ils nullement souhaitables. Par conséquent, ou ne rien désirer du tout, ou aspirer ardemment aux seuls biens éternels [1].

**446.** Autant celui qui rend un culte au Créateur est éloigné de celui qui rend un culte à la créature, autant celui qui aime le Créateur est loin de celui qui aime la créature. J'entends « aimer » au sens de « jouir » et de « prendre appui sur », non pas au sens de « venir en aide ».

*

data sunt », S. GRÉGOIRE, *Hom. in Evang.* Lib. II, Hom. 36, n° 10, *PL* 76, 1272.

**447.** Si nihil melioratur nisi prius vituperatum, tunc qui non vult vituperari, non vult utique meliorari. Scriptum est enim : « Qui odit increpationes, insipiens est. Qui autem adquiescit increpationibus, possessor est cordis. »

**448.** Uno fere solo merito desidera favorem hominum et assensum, id est cum eisdem ipsis ad verum vis consulere bonum. Sicut bonus ac pius medicus in quibusdam rebus aegri favorem desiderat et assensum, non sane ad suam, sed ad ipsius utilitatem aegroti. Verum enim bonum et verum malum nulli unquam fieri aut irrogari valet invito.

**449.** Cum vera salus hominis nil aliud sit quam id velle, id est amare quod debet, et tantum velle, id est amare quantum debet ; e contra verum malum nil aliud est, quam non velle, id est amare quod debet, aut non tantum velle, id est amare quantum debet.

**450.** Contemptus aut parvi habitus doluisti, hoc ipso contemnendum ac parvi habendum fuisse, et ideo iure id factum demonstrans. Nisi enim contemnendus et parvi habendus fuisses, contemni aut parvi haberi nequaquam timuisses aut doluisses. Hoc enim ipso solo vel maxime contemnendus et parvi habendus es, quod id times aut doles. Prorsus, prorsus non timet vilis haberi nec contemni, nisi vilis ac contemni dignus.

**451.** Cum omnia feceris et dixeris sive bona sive mala, ut hanc vitam non amittas, ut haec caro non occidatur nec dissipetur, numquid hoc ullo modo poteris obtinere ? Numquid non inevitabili necessitate moritura est cito, et deterius aut turpius a vermibus, quam ab ullis posset hominibus dissipanda ?

Numquid enim modo eorum aliqui vivunt, qui temporibus martyrum timore mortis Dominum negaverunt ? Numquid

---

**448**,5 enim *om.* MTBP
**450**,2 ac : aut B ‖ id iure MP
**451**,1 *litt. init. picta in altera linea* MP ‖ 3 ullo : nullo P ‖ 4 aut : ac MTBP

**447.** Si rien ne peut devenir meilleur sans reproches préalables, celui qui refuse le reproche ne veut certes pas s'améliorer. Car il est écrit : « Qui déteste la réprimande est stupide [1]. Qui écoute les avertissements est le maître de son cœur [2]. »

**448.** Il est presque une seule raison pour laquelle tu puisses désirer la faveur et l'approbation des hommes : quand tu veux les aider, eux, en vue d'un vrai bien. Ainsi le médecin bon et dévoué désire dans certains cas la sympathie et la confiance de son malade, non certes pour son propre avantage, mais pour celui de son patient. Car un vrai bien et un vrai mal ne peuvent jamais être faits ou imposés à quelqu'un contre son gré [1].

**449.** Le véritable salut de l'homme consiste uniquement à vouloir, c'est-à-dire aimer, son devoir, et à le vouloir ou aimer autant qu'il le doit. Inversement, le vrai mal est uniquement pour lui de ne pas vouloir, c'est-à-dire de ne pas aimer, son devoir, ou de ne pas le vouloir ou l'aimer autant qu'il le doit.

**450.** Tu as souffert d'être méprisé ou traité avec peu d'égards. Tu as démontré par là même que tu devais être méprisé et traité sans égards ; cela t'est donc arrivé à bon droit. Car si tu ne l'avais pas mérité, tu n'aurais en aucune façon redouté et souffert d'être méprisé ou traité avec peu d'égards. C'est bien surtout pour cela seul que tu le crains et en souffres, que tu dois être méprisé et dédaigné. Vraiment, vraiment, ne craint d'être avili et méprisé que celui qui est digne de l'être.

**451.** Quand tu auras tout fait ou tout dit, en bien ou en mal, pour ne pas perdre cette vie, pour que ton corps ne soit ni tué, ni détruit, pourras-tu l'obtenir de quelque manière ? Ne mourra-t-il pas bientôt par une nécessité inéluctable, ne sera-t-il pas détruit de pire et plus hideuse façon par les vers, qu'il pourrait l'être jamais par les hommes ?

Quelques-uns vivent-ils encore de ceux qui, au temps des martyrs, ont renié le Seigneur par crainte de la mort ?

---

**447** [1] *Prov.* 12, 1.    [2] *Prov.* 15, 32.
**448** [1] Voir note « Liberté », p. 312.

non et ipsum quem negaverunt, id est Dominum, et ipsa
10  propter quae negaverunt, id est vitam hanc et quae ad eam
pertinent, omnia perdiderunt ? Aliquid consolationis videretur, si Deo amisso, id saltem propter quod amisit, homo
retinere potuisset.

**452.** Utinam tam facile discerneres amanda a non amandis,
quam facile alba a non albis. Attende diligenter.

**453.** Hic homo dedit pro laudibus hominum omnia sua, ille
pro voluptate ventris et gutturis. Quis horum peius operatus
est ? Hoc quidem nescio ; sed scio, alterum porcina, alterum
diabolica voluntate actum.

\*

**454.** Quamvis sciat nutrix parvulum accepto passere
laetaturum, cavet tamen summopere ne accipiat, ac tanto
magis, quanto magis eum inde laetaturum existimat.

Certe omnes homines, et se et quos amant, gaudere exop-
5   tant. Cur ergo id nutrix puero non solum non optat, sed
insuper tanquam magnum malum ne habeat cavet ? Certe vult
eum gaudere. Cur ergo id unde gavisurum scit subtrahit ? Cur,
nisi quia futuram tristitiam attendit, cuius esse causam, istam
novit esse laetitiam ? Scit enim profecto, tanto post haec gra-
10  viorem tristitiam animum pueri subiturum, quanto vehementius gaudium tale praecesserit, ex quantitate praesentis utique
laetitiae, futurae tristitiae metiens magnitudinem.

In quo facto quid nobis aliud mulier ista suggerit faciendum, nisi omnia illa gaudia quae subsequuntur lamenta,
15  tanquam pestem venenumque vitanda, nec attendendum quid
suavitatis habeant in praesenti dum assunt, sed quid amaritu-

---

**454,**1 *litt. init. picta* GMTBP, *in altera linea* MP, *in eadem linea* GTB ‖
10 subiturum : subituram MTBP ‖ 11-12 laetitiae utique P

---

**452** [1] Marc-Aurèle, *Pensées*, II, 13.

N'ont-ils pas tout perdu, et le Seigneur même qu'ils renièrent, et cela même pour quoi ils le renièrent, c'est-à-dire cette vie et ce qui s'y rapporte ? Il semblerait peut-être y avoir quelque consolation si, en perdant Dieu, l'homme pouvait du moins garder ce pour quoi il l'a perdu.

**452.**   Plaise à Dieu que tu distingues ce qu'il faut aimer de ce qu'il ne faut pas aimer aussi facilement que le blanc de ce qui n'est pas blanc [1]. Fais soigneusement attention.

**453.**Cet homme a donné tout son avoir pour les éloges des hommes ; cet autre pour les plaisirs du ventre et de la bouche. Qui des deux a le plus mal agi ? Je n'en sais certes rien ; mais je sais que l'un s'est conduit comme un porc, l'autre avec une volonté diabolique.

*

**454.** La nourrice sait que le petit sera dans la joie si on lui donne un passereau ; elle veille pourtant avec le plus grand soin à ce qu'on ne le lui donne pas, et d'autant plus qu'elle pense qu'il s'en réjouira davantage.

Certes tous les hommes souhaitent la joie pour eux et pour ceux qu'ils aiment. Pourquoi donc cette nourrice ne la souhaite-t-elle pas pour l'enfant, mais veille en outre à ce qu'il ne l'ait pas, comme si c'était un grand mal ? Elle veut certainement la joie de l'enfant. Pourquoi lui soustraire alors ce dont elle sait qu'il se réjouirait ? Pourquoi, si ce n'est qu'elle est attentive à la tristesse future dont elle sait que cette joie sera cause ? Elle le sait en effet fort bien : l'âme de l'enfant éprouvera ensuite une peine d'autant plus grande que la joie précédente aura été plus vive. Elle mesure la grandeur de la tristesse à venir à celle de la joie présente.

Par cette action, que nous suggère de faire cette femme, sinon d'éviter comme peste et poison toutes les joies que suivent des pleurs ? Et aussi de ne pas prêter attention à leur douceur présente, tant qu'elles sont là, mais à l'amertume que

dinis generent in nobis cum abeunt ? Talia sunt omnia temporalia gaudia.

Cur non ergo vineam possidendam, pratum, domum
20 speciosam, agrum, cur non aurum argentumque, cur non opiniones hominum laudesque ac caetera similia, eadem causa provida cautela devitem ?

O quis dabit decrepito puero et tamen stulto, id est humano generi toto orbe diffuso, quamdam magnam, quandam sapien-
25 tissimam ac potentissimam nutricem, quae tali cura ac sollicitudine subtrahat ei vel revocet eum a gaudiis, quae futurorum semina sunt dolorum ?

Sed unde tantus in toto orbe gemitus fletuum, nisi quia haec nutrix piissima et potentissima nunquam cessat sive per
30 semetipsam seu aliter, humano generi causas dolorum, id est temporalia, tanquam passerem puero auferre, aut non dare ?

**455.** Quid denique episcopi aut sacerdotes, caeterique nutricis huius vicarii, docendo, monendo, promittendo, minando, communicando, aut etiam excommunicando, omnemque curam exercendo, aliud faciunt, nisi stultum puerum istum a
5 perniciosis gaudiis revocare ?

Hinc est enim etiam hic motus inter episcopum nostrum et comitem. Comes enim puer est. Episcopus vero, piae nutricis vices gerit. Passer, est res de qua contendunt. Sed puer iste, robore corporis et fautorum multitudine contumax,
10 nutrice contempta utpote debili morbis ac senio, perniciosis fruitur gaudiis, dolente ipsa tanto amplius, quanto eum amplius diligit, non quod invideat eius gaudio, sed quod hinc secuturos dolores consideret.

Prorsus, mundi dolores puerorum sunt, amissis passeribus
15 dolentium.

*

**454**,20 cur[2] : cum T ‖ 22 provida : providenda P ‖ 24 quamdam *om.*
MP

**455**,1 *litt. init. picta in altera linea* M ‖ 2 nutricis : nutrices MP ‖
3-4 omnemque curam exercendo *om.* MTBP ‖ 10 contempta nutrice
MTBP ‖ 11-12 amplius eum P

leur absence fera naître en nous. Telles sont toutes les joies temporelles.

Pourquoi alors n'éviterai-je pas pour la même raison et avec une prévoyance prudente, de posséder une vigne, un pré, une maison spacieuse, un champ ? Pourquoi ne pas éviter l'or et l'argent, la faveur des hommes et leurs éloges, et autres joies semblables ?

Oh ! qui donnera à cet enfant décrépit et pourtant insensé qu'est le genre humain, répandu dans l'univers entier, une grande, une très sage et très puissante nourrice, qui lui enlève les joies ou l'en retire, avec un pareil soin ou une même sollicitude, quand ces joies sont les semences de souffrances futures ?

Mais d'où vient ce grand gémissement de pleurs dans l'univers entier, sinon de ce que cette nourrice très bonne et très puissante ne cesse jamais, par elle-même ou autrement, de soustraire au genre humain, ou de ne pas lui donner les causes des souffrances, c'est-à-dire les biens temporels, tout comme le passereau enlevé à l'enfant ?

**455.** Que font enfin les évêques ou les prêtres et les autres lieutenants de cette nourrice, sinon de retirer cet enfant insensé des joies pernicieuses, quand ils enseignent, avertissent, promettent, menacent, reçoivent dans la communion ou même en excluent, quand ils exercent toute leur charge ?

De là vient la querelle actuelle entre notre évêque et le comte. Le comte, en effet, c'est l'enfant. Et l'évêque joue le rôle de la fidèle nourrice. Le passereau est l'objet de leur querelle. Mais cet enfant, fier de la force de son corps et du nombre de ses partisans, méprise la nourrice, affaiblie par la maladie et l'âge, et il jouit des joies pernicieuses. Et la peine de celle-ci est d'autant plus grande qu'elle l'aime davantage. Non pas qu'elle soit jalouse de sa joie, mais parce qu'elle a en vue les souffrances qui résulteront de là.

Oui, vraiment : les souffrances du monde sont celles des enfants, affligés pour des passereaux perdus !

*

**456.** Quare vis amari ab hominibus ? Utique ut assint mihi, id est huic vitae meae. Ergo quia sentis te infirmum, et eorum violentiae succumbere paratum. Quasi dicas : « Si voluerint homines, moriar ; si voluerint, vivam. » Quod falsum est. Necessario enim morieris, sive illi velint, sive nolint. Quid enim ages, ut non moriaris ?

Ergo optas magna de te vel bona opinari homines, ut te ament aut timeant. Ament autem aut timeant, ut prosint, vel non obsint. E contra metuis, abhorres, parva de te vel mala opinari homines, ne oderint, aut contemnant, aut ne noceant, aut certe, ut non prosint.

Hoc autem totum propter ipsam experientiam tuae infirmitatis atque debilitatis, quam contraxisti a Deo recedendo, et infirmis atque instabilibus inhaerendo atque innitendo. Si enim non sentires eorum vilitatem atque infirmitatem, non timeres pro eis neque doleres. Sed times pro eis ac doles, cum videlicet pereunt aut auferuntur. Ergo cognoscis et sentis eorum vilitatem et infirmitatem. Quapropter nullam omnino potes excusationem praetendere, quod ea diligis, aut eis inniteris.

Mirum autem valde est, alicuius rei infirmitatem sentire, et tamen inniti ei, vilitatem nosse, et amare sive mirari. Dum ergo propter ea doles aut metuis, duo in te, quae simul posse esse non viderentur, esse demonstras, id est et nosse te et sentire eorum infirmitatem ac vilitatem, et tamen amare ea, et inniti eis. Nam si horum alterum non inesset tibi, id est si aut non amares aut non nosses eorum vilitatem, nullo modo pro eis doleres pereuntibus.

*

**456,**1 *litt. init. picta* GMTBP, *in altera linea* MP, *in eadem linea* GTB ‖ 14 atque[2] : et MTBP ‖ 23 quae : quo P ‖ posse *om.* M ‖ 25 vilitatem : utilitatem P ‖ 26 si[2] *om.* P ‖ 27 nosses : nosse TB

**456.** Pourquoi veux-tu être aimé des hommes ? « Certainement pour qu'ils me viennent en aide [1], à cette vie qui est la mienne. » Tu te sens donc faible et prêt à succomber à leur violence. Comme si tu disais : « Si les hommes le veulent, je mourrai ; s'ils le veulent, je vivrai. » C'est faux. Car tu mourras nécessairement, qu'ils le veulent ou non. Que feras-tu, pour ne pas mourir ?

Tu souhaites donc que les hommes aient de toi une grande ou bonne opinion, afin de t'aimer ou de te craindre. Mais qu'ils t'aiment ou te craignent pour t'être utiles ou ne pas te causer de dommages. A l'inverse, tu redoutes, tu abhorres que les hommes aient de toi une piètre ou mauvaise opinion et ainsi te haïssent ou méprisent, ou encore te nuisent ou du moins ne soient pas utiles pour toi.

Or tout cela provient de l'expérience de ta faiblesse et de ton impuissance, contractées en t'éloignant de Dieu, en t'attachant et t'appuyant à des êtres faibles et instables. Si, en effet, tu ne sentais pas leur bassesse et leur faiblesse, tu ne craindrais et ne souffrirais rien à leur sujet. Mais tu crains et tu souffres pour eux, quand ils périssent ou te sont enlevés. Tu connais donc et tu ressens leur bassesse et leur faiblesse. Aussi ne peux-tu faire valoir absolument aucune excuse pour l'amour ou le repos que tu mets en eux.

Mais il est fort surprenant de sentir la faiblesse d'une chose et de s'appuyer néanmoins sur elle, de connaître sa bassesse et pourtant de l'aimer ou de l'admirer. Quand donc tu souffres ou crains pour elle, tu montres en toi deux sentiments dont la coexistence ne semblerait pas possible : tu sais et tu ressens la faiblesse et la bassesse de ces choses, et cependant tu les aimes et tu t'appuies sur elles. En effet, si l'un ou l'autre de ces sentiments n'était pas en toi, c'est-à-dire ou si tu n'aimais pas, ou si tu ne connaissais pas leur bassesse, tu ne souffrirais en aucune façon de leur perte.

*

**456** [1] Voir note sur « prodesse », p. 320.

**457.** Muneribus multis ac precibus flectitur medicus, ut aegrotanti corporaliter et periclitanti sua praecepta dignetur imponere. Deus vero, cum nec remuneratus nec rogatus sponte monuerit, praeceperit, aeterna morte periclitantibus, contemnitur.

Quid quaeso fieret, si non nostras nobis, sed suas praeciperet utilitates ? Quod si male est aegro non facienti quae medicus homo praecepit, poterit esse bene, Dei medici praecepta contemnenti ? Et si est salus hominis facienti praecepta, perire poterit, Dei iussa sequenti ?

**458.** Praeceptum hominis, necessario periturae carni temporaliter consulentis qui saepe fallitur, magno emitur pretio, magno completur labore et cruciatu. Dei autem praeceptum aeternae animae ad aeternam salutem consulentis, qui falli nequit, gratis oblatum contemnitur, et is per quem offertur iniuriis afficitur.

**459.** Proponit edicta potestas saecularis, non hominum consulens utilitati, sed propriae serviens voluntati, et timentur in tantum, ut ea vix audeat vel occulte aliquis violare.

Dei autem edicta, non ad eius utilitatem, sed ad nostram tantum proposita salutem, nec timentur quasi potentis, nec amantur ut consulentis, in tantum ut publice violentur, et qui violant glorientur.

\*

**460.** Qualem mercedem retribuit Deus angelis, quia serviunt ei ? Numquid qualem Iudaeis, id est terram lacte et

---

**457**,1 litt. init. picta GMTBP, in altera linea MP, in eadem linea GTB ‖ 7 aegro est B

**459**,4 utilitatem eius P ‖ 6 ut[1] : quasi MP

**460**,1 Litt. init. picta GMTBP, in altera linea MP, in eadem linea GTB ‖ angelis Deus M

---

**457** [1] « Ipse se interimit qui praecepta medici observare non vult », S. Augustin, Tractatus XII in Iohannem, cap. III, n° 12, PL 35, 1490.

**457.** A force de cadeaux et de prières, on fléchit le médecin, pour qu'il daigne prescrire ses ordonnances à celui dont le corps est malade et la vie en danger. Mais on méprise Dieu quand, sans être rémunéré ou imploré, il donne spontanément avertissements et préceptes à ceux qui sont en danger d'une mort éternelle.

Que se passerait-il donc, je vous le demande, s'il nous ordonnait, non ce qui sert nos intérêts, mais les siens ? S'il est mauvais pour un malade de ne pas suivre les prescriptions d'un médecin [1] qui est un homme, comment pourrait-ce être un bien de mépriser les commandements de ce médecin qui est Dieu ? Et si le salut est assuré à celui qui observe les prescriptions d'un homme, pourra-t-il périr celui qui suit les commandements de Dieu ?

**458.** On achète à grand prix et on accomplit avec de grands efforts et des souffrances le précepte d'un homme qui accorde un soin temporel à un corps nécessairement destiné à périr, et qui souvent se trompe. Mais on méprise le précepte gratuitement offert par Dieu, qui vient en aide à une âme éternelle pour son salut éternel, et qui ne peut se tromper, et on adresse des injures à celui qui offre ce don.

**459.** Le pouvoir séculier édicte des lois, non avec le souci d'être utile aux hommes, mais au service de son propre dessein. Ces lois sont tellement redoutées qu'à peine quelqu'un ose les enfreindre, fût-ce en secret.

Au contraire les lois de Dieu ne sont pas promulguées pour son utilité, mais seulement pour notre salut. Et elles ne sont pas redoutées comme celles d'un homme puissant, ni aimées comme celles d'un conseiller. C'est au point qu'elles sont publiquement violées et que les violateurs s'en glorifient.

*

**460.** Quelle récompense Dieu donne-t-il aux anges pour leur service ? Est-ce celle des Juifs : une terre où coulent le lait

melle manantem ? Quare ergo serviunt ei ? Quia bonum est eis, adhaerere ei.

Si enim homo, mortali adhuc et fragili carne circumdatus, Deo potuit dicere : « Quid mihi est in caelo, et a te quid volui super terram ? » et : « Mihi adhaerere Deo bonum est », quanto magis angeli id ipsum dicere possunt ?

**461.** Iudaeis ergo id quod summum est homini, solumque appetendum, cultus videlicet Dei, tanquam labor gravis a Deo iniunctum fuit. Id vero quod est vilissimum, et valde homini contemnendum, id est temporalia, pro mercede promissum.

Christiani e contra : quicquid Iudaeis pro mercede promissum vel datum est, id est temporalia iubentur tanquam stercora conculcare, et quod pro labore eis est iniunctum, id est colere Deum, amare.

\*

**462.** Vide, quibus rebus adhiberi debeat studium emendationis. Non enim summis atque perfectis, quia illa proficere nequeunt. Sed nec desperatis et omnino infimis, quia nec illa unquam proficient. Ergo mediis, id est eis quae necdum tam bonae sunt, ut non restet quo possint proficere, nec tam malae, ut emendationem non queant admittere.

**463.** Attende quomodo quia non probasti ex toto corde subiectus esse Deo, subiectus es etiam pediculis et sorunculis.

\*
\*\*

**464.** Nullam rem cernis, quae non in suo genere naturalem quamdam pulchritudinem habeat atque perfectionem. Quae

**460**,3 manantem : fluentem TBP
**461**,1 homini : bonum *add.* P ‖ 3 est : fuit MP ‖ 7 eis *om.* MTBP
**462**,1 *litt. init. picta* GMTBP, *in altera linea* MP, *in eadem linea* GTB ‖ 5 ut : et P

**460** [1] *Deut.* 6, 3 ; 11, 9 ; 26, 9 ; etc.     [2] *Ps.* 72, 25.     [3] *Ps.* 72, 28.
**463** [1] Voir note sur les souffrances, p. 324.

et le miel [1] ? Pourquoi donc le servent-ils ? Parce que leur bonheur est de s'attacher à lui.

Si en effet un homme, encore enveloppé d'une chair mortelle et fragile, a pu dire à Dieu : « Qu'y a-t-il pour moi dans le ciel, et qu'ai-je voulu sur terre, hormis toi [2] ? » et : « C'est pour moi un bien d'être attaché à Dieu [3] », combien plus les anges peuvent-ils dire les mêmes paroles.

**461.** Dieu a donc enjoint aux Juifs comme une lourde tâche ce qui est le sommet pour l'homme et le seul objet digne de son désir : le culte de Dieu. Mais ce qui est le plus vil et le plus misérable pour l'homme leur a été promis comme récompense, à savoir les biens temporels.

Par contre, aux chrétiens : ils ont l'ordre de fouler aux pieds comme de l'ordure ce qui a été promis ou donné aux Juifs comme récompense, les biens temporels ; et ils ont ordre d'aimer le culte de Dieu, qui avait été enjoint aux Juifs comme un labeur.

*

**462.** Vois à quoi tu dois appliquer ton effort d'amendement : non pas à des situations supérieures et parfaites, car là, le progrès n'est plus possible. Ni à celles qui sont désespérées et tout à fait basses : car ici non plus, il n'y aura jamais de progrès. Donc aux situations moyennes, c'est-à-dire à celles qui ne sont pas encore tellement bonnes qu'il ne reste plus matière à progrès, ni si mauvaises qu'elles ne puissent admettre une amélioration.

**463.** Considère comment tu es soumis aux poux et aux souriceaux [1] pour ne pas t'être montré de tout cœur soumis à Dieu.

**
*

**464.** Tu ne vois aucun être qui n'ait, en son genre, une certaine beauté et perfection naturelle. Si elle fait défaut ou est

cum deest, aliquo imminuta modo, iure tibi displicet. Ut verbi
gratia, si hominem naso truncum contingat videre, statim
5    improbas. Sentis enim, quid ei desit ad perfectionem naturalem
humanae faciei. Ita est in omnibus rebus, usque ad folium
urticae, vel cuiuslibet herbae.

Quis vero neget, humanam mentem naturalem quamdam
ac propriam habere pulchritudinem, atque perfectionem ?
10    Quae utique, in quantum adest ei, merito approbatur, in
quantum deest, iuste vituperatur.

Huius itaque pulchritudinis atque perfectionis quantum
tuae menti desit, adiuvante Deo considera, atque hoc impro-
bare non cesses.

**465.** Quae est ergo naturalis animae pulchritudo ? Devo-
tam esse erga Deum. Et quantum ? « Ex toto corde, et ex tota
anima, et ex tota mente, et ex omnibus viribus. » Adhuc per-
tinet ad eamdem pulchritudinem, benignam esse erga proxi-
5    mum. Quantum ? Usque ad mortem.

Quod si hoc non fueris, cuius erit damnum ? Dei quidem
nullum, proximi fortasse aliquod, tuum autem sine dubio
summum. Naturali enim pulchritudine ac perfectione privari,
nulli rei non potest esse damnosum. Nam si rosa desistat
10    rubere, vel lilium bene olere, damnum quidem mihi non-
nullum esse videbitur, voluptates huiusmodi diligenti ; sed
eis, id est rosae et lilio, multo maius multoque infestius,
naturali ac propria pulchritudine viduatis.

**466.** Rationalis creaturae vera perfectio est, unamquamque
rem tanti habere, quanti habenda est. Tanti autem habenda est
quanti est. Nam pluris vel minoris eam habere, errare est.

**464**,4 naso : queso P ‖ 13 hoc : homo P
**465**,1 *litt. init. picta in altera linea* MP ‖ 4 erga *om.* B ‖ 6 hoc : homo
P ‖ fueris : fuerit MTBP
**466**,1 *litt. init. picta* GMTBP, *in altera linea* MP, *in eadem linea* GTB

diminuée de quelque manière, cela te déplaît à bon droit. Par exemple, s'il t'arrive de voir un homme au nez mutilé, tu éprouves aussitôt un sentiment de désapprobation. Tu ressens, en effet, ce qui lui manque pour la perfection naturelle d'un visage humain. Il en est ainsi de tout, jusqu'à la feuille d'une ortie ou de n'importe quelle plante.

Qui donc nierait que l'âme humaine a une certaine beauté [1] et perfection naturelle propre ? Dans la mesure où celle-ci existe, on l'estime avec raison ; dans la mesure où elle manque, le blâme est juste.

Considère avec l'aide de Dieu combien cette beauté et cette perfection manquent à ton âme, et ne cesse point de le réprouver.

**465.** Quelle est donc la beauté [1] naturelle de l'âme ? Être vouée à Dieu. — Et combien ? — « De tout son cœur, de toute son âme, de tout son esprit et de toutes ses forces [2]. » En outre, cette même beauté implique la bonté à l'égard du prochain. — Combien ? — Jusqu'à la mort [3].

Si tu n'as pas vécu ainsi, qui en subira le dommage ? Dieu ? Aucun. Le prochain ? Peut-être un peu. Mais toi ? Sans aucun doute, le plus grand. Car pour nul être la perte de sa beauté et de sa perfection naturelle ne peut être sans dommage. Si la rose cessait d'être rose et le lis de sentir bon, cela semblerait être un certain dommage pour moi qui aime les plaisirs de ce genre. Mais pour eux, la rose et le lis, privés de leur beauté naturelle et propre, le dommage serait beaucoup plus grand et plus fâcheux.

**466.** La vraie perfection de la créature douée de raison est d'estimer chaque chose autant qu'elle doit l'être. Or elle doit être estimée selon la valeur de son être, car l'estimer plus ou moins qu'elle n'est, c'est faire erreur.

---

**464** [1] Voir note sur la méditation finale, p. 309.
**465** [1] *Id.*
[2] *Lc* 10, 27.        [3] *Jn* 15, 13 ; *Phil.* 2, 8.

Porro omnis res naturaliter aut supra ipsam, aut iuxta
ipsam, aut infra est. Supra Deus, iuxta proximus, infra
caetera.

Deum itaque tanti debet habere, quanti habendus est. Tanti
autem habendus est, quantus est. Tanti vero eum quantus est
habere non poterit, nisi quantus est noverit. Sed quantus sit,
non nisi a se ipso nosci perfecte poterit. Quantum enim
nostram eius essentia, tantum nostram eius de se ipso vincit
notitia. Unde sicut essentiae eius nostra collata nihil est, ita
notitiae eius de se, si nostra comparetur, caecitas et ignorantia est. Sola igitur eius de se perfecta ac sibi aequalis
notitia est. Unde Dominus : « Nemo novit Patrem, nisi
Filius. »

Sicut ergo sola eius de se sibi perfecta cognitio, ita sola
eius de se aequalis et par est ex toto dilectio. Solus quippe se,
quia perfecte quantus est novit, perfecte quantus est diligit.

*

**467.** Redi nunc ad illam diffinitionem, quam in principio
posuisti. Subtilius enim inspecta, non rationali creaturae, sed
tantum Deo convenire convincitur. Nam ut caetera tacean-
tur, se ipsum, sicut ostensum est, non nisi ipsemet tantum, ex
toto quantus est, et novit et diligit.

Quae ergo creaturae rationalis perfectio ? Ea scilicet, ut
omnia, et superiora id est Deum, et aequalia id est proximum,
et inferiora id est spiritus brutos et caetera, tanti habeat,
quanti a se, id est a creatura rationali, habenda sunt. Quanti
autem habenda sint, sic collige.

*

**466**,4-5 aut iuxta ipsam *om.* P ‖ 10 Quantum : *legi non potest in* P ‖
13 de se eius P ‖ 19 novit : *legi non potest in* P ‖ perfecte : perfectus P
**467**,4 sicut : ut P ‖ 9 |habenda|: habendi MP ‖ 10 sic : sicut P

Or chaque être se situe par nature au-dessus, à côté, ou au-dessous de cette créature douée de raison. Au-dessus : Dieu ; à côté : le prochain ; au-dessous : tous les autres êtres.

Elle doit donc estimer Dieu aussi grand qu'il doit l'être. Car il doit être regardé selon sa grandeur. Or elle ne pourra l'estimer selon sa grandeur que si elle connaît celle-ci. Mais lui seul peut connaître parfaitement combien il est grand. Autant, en effet, son être l'emporte sur le nôtre, autant la connaissance qu'il a de lui-même l'emporte sur la nôtre. Par suite, comme notre être, comparé au sien, n'est rien, de même notre connaissance, comparée à celle qu'il a de lui-même, n'est qu'aveuglement et ignorance. Seule donc la connaissance qu'il a de lui est parfaite et égale à lui. Ainsi le Seigneur a dit : « Personne n'a connu le Père, hormis le Fils [1]. »

Par conséquent, comme seule la connaissance qu'il a de lui - même est parfaite devant lui, de même seul l'amour qu'il a pour lui-même est totalement égal et semblable à lui. Seul il s'aime parfaitement selon sa grandeur, car seul il la connaît parfaitement.

\*

**467.** Reviens maintenant à la définition que tu as proposée au début. Examinée en effet avec plus de pénétration, il est clair qu'elle ne convient pas à la créature douée de raison, mais à Dieu seul. Car, pour ne rien dire des autres êtres, lui, et lui seul, comme nous l'avons vu, se connaît et s'aime tout à fait autant qu'il est grand.

Quelle est alors la perfection de la nature douée de raison ? Celle-ci : estimer tous les êtres comme ils doivent l'être par elle, créature douée de raison, c'est-à-dire les supérieurs, Dieu, les égaux, le prochain, les inférieurs, les animaux sans raison et tout le reste [1]. Or, combien il faut les estimer, examine-le ainsi.

\*

**466** [1] *Matth.* 11, 27.
**467** [1] Voir note sur la méditation finale, p. 310.

**468.** Deo nihil praefertur, nihil aequatur, nihil pro media, vel pro tertia, vel pro quantacumque usque in infinitum parte comparatur. Nihil ergo pluris, nihil tanti, nihil pro media, vel pro quantacumque usque in infinitum parte habeat. Nihil
5 plus, nihil tantum, nihil pro parte aliqua, ad comparationem illius diligat.

Hinc ipse Dominus : « Dilige Dominum Deum tuum ex toto corde tuo, et ex tota anima tua, et ex omni mente tua, et ex omnibus viribus tuis. » Hoc est : nihil aliud ad fruendum et
10 ad innitendum diligas. Habes de superioribus.

**469.** Aequales autem naturaliter, id est quantum ad naturam attinet, sunt omnes homines. Omnes itaque tanti habere debet, quanti se. Ergo sicut se superioribus, id est Deo, in dilectione nec praeferre nec aequare, nec ulla debet ex parte
5 comparare, ita nec ullum hominum.

Et sicut saluti suae nihil ex inferioribus aut praeferre aut aequare, aut ulla ex parte comparare debet, ita nec saluti cuiuslibet hominis. Et quicquid pro sua sempiterna salute facere vel pati debet, id ipsum totum facere vel pati debet, pro
10 sempiterna salute cuiuslibet hominis.

Hinc enim ait Dominus : « Dilige proximum tuum, sicut te ipsum. » Habes de mediis.

**470.** Inferiora vero sunt, quaecumque post spiritum rationalem sunt, id est sensualis vita, communis cum pecoribus, et quae vegetat corpus, communis cum herbis et arboribus, ac substantia corporis cum formis et qualitatibus, cum metallis
5 communis et lapidibus. Sicut itaque nihil plus quam superiora, nihil tantum, nihil in comparatione eorum debet diligere, ita

---

**468**,2 vel[1] : nihil *add.* P ‖ 4 in *om.* P ‖ 5 ad *iter.* G
**470**,1 sunt vero M ‖ 6 eorum : horum P

---

**468** [1] *Lc* 10, 27.
**469** [1] *Matth.* 22, 39 ; *Lc* 10, 27.
**470** [1] Voir note sur les formes, p. 315.

**468.** Rien ne peut être préféré à Dieu, rien ne peut lui être égalé ; rien, ni pour la moitié, ni pour le tiers, ni pour la moindre part infiniment petite, ne peut lui être comparé. Que la créature douée de raison n'estime rien davantage, rien autant, rien pour la moitié, rien pour la moindre part infinitésimale. Qu'elle n'aime rien davantage en comparaison de lui, rien autant, rien pour une petite part.

Aussi le Seigneur lui-même dit-il : « Aime le Seigneur ton Dieu de tout ton cœur, et de toute ton âme, et de tout ton esprit, et de toutes tes forces [1]. » Ce qui veut dire : tu n'aimeras rien d'autre pour en jouir ou t'y reposer. Voilà pour les êtres supérieurs.

**469.** Tous les hommes sont égaux par nature, c'est-à-dire selon leur essence. Aussi la créature douée de raison doit-elle les estimer tous autant que soi. Donc, comme elle ne doit pas se comparer pour la moindre part, ou se préférer en amour, ni s'égaler aux êtres supérieurs, c'est-à-dire à Dieu, elle ne le fera non plus pour aucun homme.

Et comme à son propre salut elle ne doit rien préférer, égaler ou comparer pour la moindre part, des êtres inférieurs, elle ne le fera pas non plus pour le salut de n'importe quel homme. Et tout ce qu'elle doit faire ou souffrir pour son salut éternel, elle doit le faire ou le supporter pour le salut éternel de tout homme.

En effet, dit le Seigneur : « Aime ton prochain comme toi-même [1]. » Voilà pour les êtres intermédiaires.

**470.** Or les êtres inférieurs sont tous ceux qui viennent après l'âme douée de raison : à savoir la vie des sens qui lui est commune avec les animaux, la vie végétative du corps, commune avec les plantes et les arbres, enfin la substance du corps avec ses formes [1] et ses propriétés, qu'elle partage avec les métaux et les pierres. Comme la créature douée de raison ne doit rien aimer plus que les êtres supérieurs, rien autant, rien en comparaison, de même elle ne doit rien considérer comme moindre que les êtres inférieurs, rien comme aussi

nihil minoris quam inferiora, nihil tam parvi, nihil in comparatione eorum pro quantacumque usque in infinitum parte
vile debet habere.

10 Et hoc est quod scriptum est : « Nolite diligere mundum,
nec ea quae in mundo sunt ». Habes de inferioribus.

**471.** Habebit itaque talis, superiora ad gaudium, aequalia
ad consortium, inferiora ad servitium. Devotus erit ad Deum,
benignus ad proximum, sobrius ad mundum. Dei servus,
hominis socius, mundi dominus. Sub Deo constitutus, erga
5 proximum non elatus, mundo non subditus. Redigens inferiora ad utilitatem mediorum, ad honorem superiorum. Nec
impius nec blasphemus nec sacrilegus ad superiora ; nec elatus
nec invidus nec iracundus ad aequalia ; nec curiosus nec
flagitiosus ad inferiora. Nihil ab inferioribus, nihil ab aequa-
10 libus, sed totum a superioribus suscipiens. A superioribus
impressus, inferiora imprimens ; a superioribus motus, inferiora movens ; a superioribus affectus, inferiora afficiens ;
superiora sequens, inferiora trahens ; ab illis possessus, ista
possidens ; ab illis in eorum similitudinem redactus, ista in
15 sui similitudinem redigens.

\*

**472.** Ad hanc perfectionem in hac vita tendimus, quam
tamen non nisi in futura perfecte obtinebimus. Hanc toto tunc
plenius obtinebimus, quanto nunc ferventius affectamus.

Nullus tunc erit motus in mente, nisi a Deo ; nullus in
5 corpore, nisi ab anima. Atque ita nec in anima nec in corpore,
ullus nisi a Deo.

472,4 motus erit P

---

470 ² *I Jn* 2, 15.

petit, rien en comparaison d'eux jusqu'à la plus minime partie
à l'infini.

C'est cela que dit l'Écriture : « N'aimez pas le monde, ni ce
qui est dans le monde [2]. » Voilà pour les êtres inférieurs.

**471.** Qui sera tel aura donc les êtres supérieurs pour sa joie,
les êtres ses égaux pour ses compagnons, les êtres inférieurs
pour son service. Il sera dévot envers Dieu, bon pour le
prochain, sobre à l'égard du monde. Serviteur de Dieu, compagnon de l'homme, seigneur du monde. Placé au-dessous de
Dieu, sans orgueil à l'égard du prochain, sans sujétion au
monde. Il ramène les êtres inférieurs à l'utilité des êtres intermédiaires, à la gloire des êtres supérieurs. Ni impie, ni blas-
phémateur, ni sacrilège à l'égard des êtres supérieurs ; ni arro-
gant, ni jaloux, ni emporté à l'égard des êtres ses égaux ; ni
curieux, ni vicieux à l'égard des êtres inférieurs. Il n'accepte
rien des êtres inférieurs, rien de ses égaux, mais tout des êtres
supérieurs. Marqué de l'empreinte des êtres supérieurs, il
imprime la sienne sur les êtres inférieurs ; mû par les êtres
supérieurs, il meut les inférieurs ; saisi par les êtres supérieurs,
il saisit les inférieurs ; suivant les êtres supérieurs, il entraîne à
sa suite les inférieurs. Possédé par les premiers, il possède les
seconds ; ramené par les uns à leur propre ressemblance, il
ramène les autres à sa propre ressemblance [1].

\*

**472.** Telle est la perfection vers laquelle nous tendons en
cette vie. Nous ne l'obtiendrons cependant parfaitement que
dans la vie future. Et nous l'obtiendrons alors avec d'autant
plus de plénitude que nous la recherchons dès maintenant avec
plus de ferveur.

Nul mouvement alors dans l'âme qui ne vienne de Dieu ; nul
dans le corps qui ne vienne de l'âme. Et ainsi, ni dans l'âme, ni
dans le corps, nul mouvement qui ne vienne de Dieu.

**471** [1] Voir note sur la méditation finale, p. 310.

Non erit peccatum, id est perversitas voluntatis, nec poena peccati, corruptio videlicet et dolores, et interitus carnis.

Nuda mens nudae adhaerebit veritati, nullis verbis, nullis
10 sacramentis, nullis similitudinibus ut eam percipiat indigens, aut exemplis. Ibi enim « non docebit vir fratrem suum dicens : cognosce Deum. Omnes enim a minimo usque ad maximum scient me, dicit Dominus. » Nam : « Omnes erunt docibiles Dei. »

\*

**473.** Has virtutis sive iustitiae lineas, etiam nunc id est in hac mortali vita, si valde munda esset anima, per semet ipsam in ipsa veritate atque sapientia Dei videret.

Videret etiam non solum se, id est animam humanam
5 immortalem atque aeternam fore, sed etiam carnem suam talem in resurrectione futuram. Nam et eamdem resurrectionem, ibidem id est in Deo Verbo et sapientia, clare conspiceret.

Sed quia hoc non poterat propter immunditiam suam,
10 addita est Verbo mens humana, quae ipsum Dei Verbum plenissime suscipiens, eique omnino conformis atque consimilis, eoque solo tota et ex toto impressa, sicut scriptum est : « Pone me sicut signaculum super cor tuum », in eius utique similitudinem tota redacta, sicut ad sigilli similitudinem cera redi-
15 gitur, ipsum nobis in se ipsa videndum sciendumque exhiberet.

Sed nos ita caeci eramus, ut non solum Dei Verbum, sed nec humanam animam videre possemus. Idcirco additum est etiam corpus humanum.

---

**472,**7 perversitas : perversus P || 13 Nam : Et MTBP || erunt omnes BP
**473,**1 *litt. init. picta* GMTBP, *in altera linea* MP, *in eadem linea* GTB || virtutis : virtutes T || 12 solo : sola P

---

**472** [1] Voir note sur la méditation finale, p. 310.

Il n'y aura plus ni péché, c'est-à-dire perversité de la volonté, ni peine pour le péché, c'est-à-dire corruption, souffrances et destruction de la chair.

L'esprit nu s'attachera à la vérité nue [1]. Il n'aura besoin d'aucun discours, d'aucun sacrement, d'aucune image, d'aucun exemple pour la saisir. Là, en effet, « l'homme n'instruira plus son frère en lui disant : connais Dieu. Car tous me connaîtront, dit le Seigneur, du plus petit au plus grand [2]. Et tous seront enseignés par Dieu [3]. »

*

**473.** Si l'âme était très pure, elle verrait ces règles de la vertu et de la justice, dès maintenant dans cette vie mortelle et par elle-même, dans la vérité et la sagesse mêmes de Dieu.

Elle verrait en outre que non seulement elle, âme humaine, sera immortelle et éternelle, mais sa chair aussi dans la résurrection. En effet, elle contemplerait clairement cette même résurrection, là aussi, en Dieu Verbe et Sagesse.

Mais comme elle ne le pouvait à cause de son impureté, une âme humaine fut adjointe au Verbe. Cette âme reçut dans toute sa plénitude le Verbe même de Dieu ; elle lui devint en tout conforme et ressemblante et reçut tout entière et totalement de lui seul son empreinte, ainsi qu'il est écrit : « Pose-moi comme un sceau sur ton cœur [1]. » Amenée donc tout entière à la ressemblance du Verbe, comme la cire à la ressemblance du sceau, elle allait nous faire voir et connaître en elle-même le Verbe lui-même.

Mais nous étions à ce point aveugles que non seulement nous ne pouvions voir le Verbe de Dieu, mais pas même son âme humaine. C'est pourquoi un corps humain lui fut aussi adjoint.

---

[2] *Jér.* 31, 34.       [3] *Jn* 6, 45.
**473** [1] *Cant.* 8, 6.

**474.** Pone enim haec tria : Dei Verbum, humanam mentem, humanum corpus. Si primum videre possemus, non indigeremus secundo. Quod si saltem secundum videremus, non indigeremus tertio.

5 Sed quia nec primum nec secundum, id est nec Dei Verbum nec humanam mentem videre poteramus, additum est tertium, id est corpus humanum. Atque ita « Verbum caro factum est et habitavit » nobiscum in exterioribus nostris, ut vel sic nos introduceret aliquando ad interiora sua.

**475.** Anima itaque rationalis habens carnem, addita est Verbo Dei, quae per ipsam carnem, quicquid nobis docendis, corrigendis, necessarium erat, doceret, faceret, pateretur. In illa sola perfecte fuerunt quae superius tractavimus, id est 5 devotio ad Deum, benignitas ad proximum, sobrietas ad mundum.

Nihil enim Deo praetulit, nihil aequavit, nihil pro parte aliqua comparavit. Nihil plus dilexit, nihil tantum, nihil pro quantacumque parte ad comparationem illius. Unde ait : 10 « Voluntatem eius », id est Patris, « facio semper. »

Proximum vero perfecte, sicut se ipsum dilexit. Nulli enim ex his quae infra se, id est infra rationalem mentem erant pepercit, sed omnia ad utilitatem proximi convertit. Et vitam, scilicet sensualem, et eam quae carnem vegetat, et ipsam car-15 nem. Nam et dolores pro nobis sustinuit acerrimos, contra vitam sensualem, et mortem contra vitam vegetabilem, et vulnera contra ipsam carnem.

Ad mundum autem tantam sobrietatem tantumque habuit contemptum, ut non habuerit Filius hominis ubi caput recli-20 naret.

**474**,3-5 non indigeremus — secundum *om.* P ‖ 8 nos *om.* TB
**475**,1 *litt. init. picta in altera linea* MP ‖ 4 sola *om.* MTBP ‖ perfecte : perfectissime MTBP ‖ 7 enim *om.* MP ‖ 11 perfecte : perfectissime MTBP ‖ 14 vegetat carnem MP ‖ 16 vitam[2] *om.* P ‖ 18-19 contemptum habuit MTBP ‖ 19 ubi : saltem *add.* MTBP ‖ caput : capud B

**474** [1] *Jn* 1, 14.

**474.** Prends ces trois réalités : le Verbe de Dieu, son âme humaine, son corps humain. Si nous pouvions bien voir la première, nous n'aurions pas besoin de la seconde. Si nous pouvions au moins voir la seconde, nous n'aurions pas besoin de la troisième.

Mais comme nous ne pouvons voir ni la première, ni la seconde, c'est-à-dire ni le Verbe de Dieu, ni son âme humaine, la troisième a été ajoutée : son corps humain. Et ainsi : « Le Verbe de Dieu s'est fait chair et il habita [1] » avec nous, dans notre monde extérieur, afin de nous introduire, au moins ainsi, un jour, dans son domaine intérieur.

**475.** C'est pourquoi une âme raisonnable, pourvue d'un corps charnel a été adjointe au Verbe de Dieu. Par ce corps même de chair, elle enseignerait, accomplirait, souffrirait tout ce qui était nécessaire pour nous instruire et nous corriger. En elle seule exista parfaitement ce que nous avons exposé plus haut : la dévotion envers Dieu, la bonté pour le prochain, la sobriété à l'égard du monde.

Car elle n'a rien préféré, rien égalé, rien comparé à Dieu, même pour la moindre part. Elle n'a rien aimé davantage, rien autant, rien si peu que ce soit en comparaison de lui. Aussi a-t-elle dit : « Je fais toujours sa volonté, c'est-à-dire celle du Père [1]. »

Quant au prochain, elle l'a aimé parfaitement, comme soi-même. Elle n'a rien épargné, en effet, de ce qui était au-dessous d'elle, âme douée de raison, mais elle a tout dirigé vers l'utilité du prochain : et la vie des sens, et la vie végétative de la chair, et le corps lui-même. Car elle a supporté pour nous les douleurs les plus atroces : celles qui s'opposent à la vie des sens, et la mort contre la vie du corps, et les blessures contre la chair elle-même.

A l'égard du monde, elle a usé d'une telle sobriété et d'un tel éloignement que le Fils de l'homme n'a pas eu où reposer sa tête [2].

**475** [1] *Jn* 8, 29 ; 6, 38.   [2] *Matth.* 8, 20.

Nihil ab inferioribus, nihil a mediis, sed totum a superioribus, id est a Dei Verbo, cui ad unitatem personae coniuncta est, suscepit.

25 Non sacramentis, non verbis, non exemplis, sed Dei tantummodo Verbi praesentia, et docta ut intelligeret, et accensa est ut amaret.

Per eam nobis ipsum Dei Verbum et Sapientia, tripliciter, id est sacramentis, verbis et exemplis, quid agendum, quid tolerandum, et propter quid esset ostendit.

*

**476.** Non enim sequi debebat homo nisi Deum, nec poterat nisi hominem. Assumptus est igitur homo, ut dum sequitur quem potest, sequatur et quem debet.

5 Item non proderat conformari nisi Deo, ad cuius imaginem factus est, nec poterat nisi homini. Itaque Deus factus est homo, ut dum conformatur homini cui potest, conformetur et Deo cui prodest.

## EXPLICIT

**476,**4 proderat : poterat P

---

**476** [1] *Gen.* 1, 26 ; 9, 6.
[2] Voir notes sur « prodesse », p. 320, et sur la méditation finale, p. 311.

Elle n'a rien reçu des êtres inférieurs, rien des êtres intermédiaires, mais tout des êtres supérieurs, c'est-à-dire du Verbe de Dieu auquel elle était unie dans une unité personnelle.

Elle ne fut enseignée afin de comprendre, et enflammée afin d'aimer, ni par des signes sacrés, ni par des discours, ni par des exemples, mais uniquement par la présence du Verbe de Dieu.

Par elle, le Verbe même et la Sagesse de Dieu nous a montré sous une triple forme, par des sacrements, des paroles et des exemples, ce qu'il faut faire, ce qu'il faut supporter, et la fin pour laquelle il le faut.

\*

**476.** Car l'homme ne devait suivre que Dieu, mais ne pouvait suivre qu'un homme. L'humanité a donc été assumée, afin que l'homme, en suivant Celui qu'il peut suivre, suive Celui qu'il doit suivre.

De même, il n'était utile à l'homme que de se modeler sur Dieu, à l'image de qui il a été fait [1], mais il ne pouvait devenir conforme qu'à un homme. Aussi Dieu s'est fait Homme, afin que les hommes, en se modelant sur cet Homme, comme cela leur est possible, deviennent conformes à Dieu, comme cela leur est utile [2].

FIN

# NOTES SUR LES SOURCES
# DE QUELQUES THÈMES

### Sources de la grande méditation finale
### sur le mystère de l'Incarnation
### (Pensées 464 à 476)

*Pensées 464 et 465 :*

Ces deux pensées parlent de la « beauté naturelle de l'âme » et cette réflexion est le point de départ de la grande méditation finale.

Cette beauté de l'âme a été un thème cher à S. Grégoire de Nysse, dans ses homélies sur le Cantique des Cantiques : « Au début, la nature humaine était d'or... puis elle est devenue noire et décolorée à cause du vice... » Mais « elle a récupéré sa beauté en s'approchant de la vraie beauté dont elle s'était éloignée » (*Homilia IV in Cantica Canticorum, PG* 44, 831). « Notre ressemblance avec les ténèbres a été transformée en une forme de beauté » (*Hom. II, PG* 44, 790). « La bonté de l'époux, par l'union avec lui, a rendu l'âme belle » (*Hom. II, PG* 44, 791). « La nature humaine ne devient pas belle avant d'avoir approché de la beauté et d'avoir reçu la forme de l'image de la divine beauté » (*Hom. V, PG* 44, 867).

« Le Verbe dit à l'âme : tu es devenue belle, toi qui as approché de ma lumière, acquérant par cette approche une communion à ma beauté » (*Hom. IV, PG* 44, 834). « L'épouse des Cantiques dit que sa beauté est conforme à l'exemple du Christ, après qu'elle a récupéré la beauté première de sa nature, qui avait été ornée à l'image et à la ressemblance de la première, unique et vraie beauté » (*Hom. XV, PG* 44, 1094). « La beauté de l'image est la beauté même de l'archétype, et l'archétype se voit clairement dans son image » (*Hom. V, PG* 44, 867).

Très peu de temps après Grégoire de Nysse, S. Cyrille d'Alexandrie, commentant un verset de l'*Évangile de Jean* (1, 12), parle de cette beauté que nous récupérons grâce à notre adoption comme fils de Dieu par le Christ :

« Le Fils donne aux hommes, par sa puissance, d'être ce qu'il est en lui seul par propriété de nature... Autrement, nous ne pourrions échapper à la corruption, nous qui portons l'image du terrestre, si la beauté de son image céleste n'était imprimée en nous parce que nous sommes appelés à l'adoption des fils de Dieu... En effet, ayant ainsi récupéré l'ancienne beauté de nature, ... nous surmonterons les maux qui nous sont venus de la prévarication » (*In Ioannis Evangelio*, Lib. I, ad Jn 1, 12, *PG* 73, 154.)

*Pensée 467 (note[1])* :

Cette phrase reprend une réflexion de S. Augustin, qui divise les êtres en trois groupes :

« Le Seigneur a placé au-dessous de toi les choses dont tu t'occupes, car il t'a constitué au-dessous de lui. Si tu adhères à l'Être Supérieur, tu domines les inférieurs ; mais si tu t'éloignes de l'Être Supérieur, les inférieurs se changeront pour toi en supplice. Il en est ainsi, mes frères : l'homme a reçu un corps, comme à son service ; ayant Dieu comme Seigneur, le corps comme serviteur ; ayant au-dessus de soi le Créateur, au-dessous ce qui fut créé sous lui ; l'âme raisonnable, constituée en un lieu intermédiaire, a reçu pour loi d'adhérer à l'Être Supérieur, de gouverner l'inférieur. Elle ne peut régir l'inférieur, si elle n'est conduite par le Supérieur. Entraînée par l'inférieur, elle a donc quitté le bien meilleur. Celui qui n'a pas voulu être gouverné par celui qui le conduisait, ne peut plus conduire celui qu'il gouvernait » (*Enarratio in Psalmum 145*, n° 5, *PL* 37, 1887).

*Pensée 472 (note [1])* :

L'expression « Nuda mens, nudae adhaerebit veritati » paraît être inspirée de S. Augustin : « J'estime que tu connaîtras ceci : quelqu'un est d'autant moins revêtu de la lumière de la vérité, qu'il lui semble s'être davantage retiré de la vérité nue... » (*Epistola CCXLII, Ad Elpidium*, n° 5, *PL* 33, 1054).

*Pensée 476 :*

La source immédiate est un texte de S. Augustin :

Augustin :

« Et nondum erant homines qui Deum viderunt in homine, nec poterant videre nisi hominem ; nec tamen spem suam ponere debent in homine. Quid ergo fieret ? Homo hominem videre potest, homo hominem sequi non debet. Deus sequendus erat qui videri non poterat : homo sequendus non erat qui videri poterat. Ut ergo exhiberetur homini, et qui ab homine videretur, et quem homo sequeretur, Deus factus est homo. »

(*Sermo CCCLXXX pour la Nativité de S. Jean-Baptiste, PL* 39, 1676).

Guigues :

« Non enim sequi debebat homo nisi Deum, nec poterat nisi hominem. Assumptus est igitur homo, ut dum sequitur quem potest, sequatur et quem debet. Item non proderat conformari nisi Deo ad cuius imaginem factus est, nec poterat nisi homini. Itaque Deus factus est homo, ut dum conformatur homini cui potest, conformetur et Deo cui prodest. »

(476).

Guigues a eu comme point de départ de sa réflexion ce texte de S. Augustin, mais, comme toujours, il ne l'a pas suivi servilement. Son travail personnel s'est exercé dans sa direction habituelle : approfondir l'idée, tout en veillant à user d'une formulation brève et dense. Il y a dans l'*assumptus homo* et dans le *conformari* un enrichissement de l'idée donnée par S. Augustin : se conformer au Christ est plus profond que de le suivre seulement.

Comme le mystère de l'Incarnation est au centre de notre foi, il n'est pas étonnant de voir plusieurs Pères de l'Église revenir à diverses reprises sur la même vérité, pour l'exprimer en termes voisins.

Voici d'abord quelques autres textes de S. Augustin :

« Quia homo ad beatitudinem sequi non debebat nisi Deum, et sentire non poterat Deum ; sequendo Deum hominem factum, sequeretur simul et quem sentire poterat, et quem sequi debebat » (*De Trinitate,* Lib. VII, cap. 3, n° 5, *PL* 42, 938).

De même dans le *Sermo XII in Natale Domini,* n. 1, *PL* 39, 1997, mais ici la rédaction est beaucoup moins proche.

De même encore dans des apocryphes, longtemps attribués à S. Augustin : *Sermo CXXVII, PL* 39, 1997, et aussi : *Sermo CCCLXXI*, cap. 2, 2, *PL* 39, 1660. Ce dernier texte apocryphe a joué un rôle notable, car il a été utilisé par S. Thomas dans la *Somme,* en IIIa, q.1, a.2.

Mais bien avant S. Augustin, d'autres Pères avaient fait des réflexions toutes semblables à celles que devait reprendre Guigues dans sa *Pensée* **476** sur ce thème de l'Incarnation. Nous n'en citerons que deux :

Il faut nommer en premier lieu, dès le IIe siècle, S. Irénée dans son *Adversus Haereses,* par exemple au Livre III, 18, 2 et 19, 2 (*Irénée de Lyon : Contre les hérésies, SC* 211, p. 345 et 375) ; puis dans les derniers mots de la Préface du Livre V, où nous trouvons cette belle formule : « Le Verbe de Dieu, Jésus-Christ notre Seigneur, à cause de son surabondant amour, s'est fait cela même que nous sommes pour faire de nous cela même qu'il est. » (*SC* 153, p. 15. — Même thème dans tout le Chapitre 1 qui suit.)

On peut citer ensuite S. Athanase, dans son beau traité *De Incarnatione Verbi* (§ 9 : *PG* 25, 112 ; § 13 : *PG* 25, 120, et § 54 : *PG* 25, 192. Voici le dernier de ces textes : « Le Verbe s'est fait homme pour nous faire dieux ; il s'est montré lui-même dans un corps visible, pour que nous recevions la connaissance du Père invisible. »)

Bien plus tard, et très peu avant Guigues, en 1098, S. Anselme de Cantorbéry a traité ce même thème dans une belle page de son *Cur Deus homo* (Lib. II, cap. 7, dans *PL* 158, 404, ou dans *SC* 91, p. 366).

Mais la source certaine immédiate de la pensée **476** de Guigues demeure S. Augustin, comme le montre l'identité d'une partie des termes employés.

## Liberté — Libération

Un verset de S. Jean (8, 32) est la source et la clé de tout ce qui concerne la vraie libération de l'homme :

« Et veritas liberabit vos. »

« Et la vérité fera de vous des hommes libres. »

Ce verset est sous-jacent à plusieurs des pensées de Guigues sur le thème de la liberté, surtout à la pensée **11** : Seul Dieu-Vérité nous a libérés des amours, des haines, des craintes causées par des douleurs périssables.

Une vingtaine de pensées touchent d'une manière ou d'une autre à cette grande question de la liberté. Plusieurs d'entre elles se détachent, comme nous le savons, sur un arrière-plan de stoïcisme, ce dernier visant à la libération de l'homme ; mais elles christianisent ce thème. Voici un résumé de l'ensemble des réflexions de Guigues sur ce point :

Les choses temporelles entravent notre liberté, en nous rendant esclaves (**233**).

Celui qui se dit pécheur, étant en accord avec Dieu-Vérité, sera libéré (**16**).

Pour garder paix et bonheur, il faut s'éloigner des attraits temporels et se convertir à Dieu (**145, 296**).

Pour ne pas pécher, il faut garder la liberté de la volonté (**232**).

L'homme, par l'effort de sa volonté, peut demeurer libre contre ce qu'on veut lui faire (**448**).

L'adversité libère notre amour pour Dieu (**25**) ; par exemple, une simple fièvre (**26**).

Pour être libre, ne se laisser ni séduire, ni contraindre ; en cela seul on est libre (**187, 297**).

Rester libre de toute convoitise, grâce à une charité sans limites (**276**).

Notre charité pour le prochain libère celui-ci de son manque de charité (**97**).

Le vrai libérateur, c'est Dieu : il nous libère en retranchant en nous les liens de l'amour du monde (**298, 363**).

A ceux qui sont libres, point n'est besoin de libérateur (**91**).

Ce dernier texte veut dire, dans la pensée de Guigues, que ceux qui sont devenus libres par leur union à Dieu-Vérité n'ont plus besoin d'autre libérateur que ce Dieu qu'ils possèdent et en qui ils sont devenus merveilleusement libres de toutes les attaches et faiblesses humaines. C'est ce que constate la pensée **429** :

Il est bon d'adhérer à Dieu... Libère-moi, Seigneur, et place-moi près de toi.

En cette union avec Dieu tout proche est le plein achèvement de la libération de l'homme. Et elle est l'œuvre de Dieu lui-même, seul libérateur.

« Et la Vérité fera de vous des hommes libres. »

### Le poème du monde
### Les syllabes qui passent

L'idée selon laquelle la course du monde est un poème modulé par le Seigneur, et dont les syllabes passent tour à tour, brisant ainsi des attaches indues de notre part, a sa source principale dans ce texte de S. Augustin :

« Dans l'amour même des biens temporels, les hommes ne veulent pas voir disparaître l'objet de leur amour, et ils sont aussi absurdes que le chantre d'un beau poème qui voudrait entendre perpétuellement une même syllabe » (*De vera religione,* cap. 22, *PL* 34, 140).

Cette idée a séduit Guigues, et il y revient à plusieurs reprises dans les pensées **33, 34, 149, 181, 239.** Ces pensées sont parmi les plus belles du recueil, tant pour la profondeur de la réflexion que pour la beauté de la forme. Guigues a certainement trouvé ce thème dans S. Augustin qui, lui aussi, avait une prédilection pour cette belle image. Voici encore sur ce sujet deux autres textes de S. Augustin, certainement connus de Guigues :

« Un discours bien composé est certes beau, bien que dans ce discours les syllabes et tous les sons passent, comme naissant et mourant à leur tour » (*De natura boni,* cap. 8, *PL* 42, 554).

« Dieu, nous le savons, donne un cours très harmonieux et parfaitement ordonné à toutes les choses temporelles transitoires, parmi lesquelles sont aussi la naissance et la mort des animaux. Mais nous ne pouvons sentir cela ; si nous le pouvions, nous serions charmés d'une ineffable délectation. Ce n'est pas en vain que le prophète divinement inspiré avait dit à ce sujet : ″Celui qui déploie en bon ordre l'armée des astres ″ (*Is.* 40, 26). Par suite la musique, c'est-à-dire la science et l'art de bien moduler, a été donnée par la largesse divine, même aux mortels ayant une âme raisonnable, comme le rappel d'une grande chose. Si l'homme, en composant un poème, sait quelle durée attribuer à tel ou tel mot, pour que le chant coure et passe avec une très grande beauté, à mesure que les sons s'évanouissent et se succèdent, combien davantage Dieu, dont la sagesse, par laquelle il a tout créé, surpasse de loin tous les arts, ne permettra d'omettre, pour les êtres qui naissent et meurent, aucun des espaces de temps qui concernent les parcelles de ce monde comme des syllabes ou des mots, dans cet admirable cantique des choses passagères, tantôt plus bref, tantôt plus prolongé, selon que l'exige la modulation connue et fixée auparavant par lui. Je dirais cela, même de la feuille d'un arbre et du nombre de nos cheveux ; combien plus de la naissance et de la mort d'un homme, dont la vie temporelle ne s'étend pas sur une durée plus brève ou plus longue que Dieu, l'ordonnateur des temps, ne sait devoir être en accord avec la juste disposition de tout l'univers » (*Liber de origine animae — Lettre à saint Jérôme — PL* 22, 1131).

Guigues n'avait-il pas présent à l'esprit ce texte admirable, quand il écrivait en un de ces parfaits raccourcis dont il a le secret :

« Comme une syllabe dans un poème, chaque chose occupe, dans le train de ce monde, sa part de lieu et de temps... » **(181)**.

## Les « formes »

Une vingtaine de « Pensées », dispersées comme toujours, concernent la question des « formes », ces qualités des corps qui produisent des images dans l'esprit et engendrent par là des attaches fort gênantes pour la vie d'union à Dieu. Chaque fois que cette question est abordée par Guigues, on sent qu'elle est à bon droit pour lui un fait crucial dans la vie du contemplatif : en effet, c'est la pureté même des rapports de l'âme avec Dieu qui se trouve en cause.

Comment fallait-il traduire le mot *forma* ? Tel traducteur nous proposait le mot « image » ; mais dans le cas présent, cela prêterait à confusion, car la forme produit dans l'esprit une image, et il y aurait ainsi « image » en deux acceptions différentes. Tel autre traducteur proposait « apparence ». Mais, comme le dit très bien une note de la *TOB* sur *Phil.* 2, 6, à propos de l'expression « se trouvant en forme de Dieu » : « Forme exprime ici et au verset 7 plus qu'une apparence : c'est la figure visible manifestant l'être profond... » (*Nouveau

*Testament,* p. 590, note n). La *Bible de Jérusalem* note aussi fort justement au même endroit que la « forme » est ce qui manifeste au dehors la « nature ». Nous avons donc préféré garder la traduction littérale : « forme », qui est expressive et procure en outre l'avantage de ne pas couper Guigues de ses sources dans le cas présent, comme on va le voir.

Résumons d'abord très brièvement les enseignements épars dans les *Meditationes* à l'égard des formes :

Les formes sont des attaches et elles sont destinées à périr (**33, 266, 305, 327, 336**).

Notre esprit aime jouir des formes extérieures des corps (**226, 256, 260, 290, 314, 335, 428, 442**) ;

et il leur succombe en leur rendant un culte idolâtre (**249, 279, 401**).

Nous vendons notre amour aux formes des corps (**245**).

Les remèdes :

Il faut tâcher de s'élever au-dessus des formes (**273, 470**) ; en dominant les dangers des spectacles extérieurs par la profondeur des spectacles intérieurs valables (**264, 314**) ; le bonheur éternel est la seule « forme » en laquelle l'esprit humain peut trouver le repos (**283** et voir note plus loin, p. 318).

En définitive, il faut contempler la Vérité, c'est-à-dire Dieu (**251**).

Nous avons là tout un enseignement de première valeur pour des contemplatifs dans les épreuves et difficultés de leur vocation d'oraison.

Or derrière toutes ces pensées, il y a des sources visibles, où se trouvent exprimées les mêmes idées, et en des termes souvent identiques, car les contemplatifs doivent affronter partout les mêmes problèmes.

Citons d'abord, comme « lieux parallèles », sinon comme sources, quelques pensées d'Évagre (transmises sous le patronage, plus rassurant, de « saint Nil ») :

« Ne te figure pas la diversité en toi quand tu pries, ni ne laisse ton intelligence subir l'impression d'aucune forme ; mais va immatériel à l'immatériel et tu comprendras » (I. Hausherr : *Le Traité de l'Oraison* d'Évagre le Pontique, Paris, Beauchesne, 1960, *Pensée* n° 66).

« Prends garde aux pièges des adversaires : il arrive, quand tu pries purement et sans trouble, que soudain te survienne une forme inconnue et étrangère... ; or la Divinité est sans quantité ni figure » (*Ibi-*

*dem, Pensée* n° 67. — On peut voir aussi, dans la même ligne, les *Pensées* n^os 68 et 69).

« Tu ne saurais avoir l'oraison pure, si tu es embarrassé de choses matérielles, et agité de soucis continuels ; car l'oraison est suppression de pensées » (*Ibidem, Pensée* n° 70).

« Aspirant à voir la face du Père qui est aux cieux, ne cherche pour rien au monde à percevoir une forme ou une figure au temps de l'oraison » (*Ibidem, Pensée* n° 114).

Chez S. Augustin, on trouve plusieurs textes dont se rapprochent des pensées de Guigues au sujet des « formes », et d'abord cette constatation :

« Je pense que le corps est contenu dans une certaine forme et une figure (*forma et species*) ; s'il n'en était pas ainsi, il ne serait pas un corps » (*Soliloquiorum,* Liber II, cap. 18, *PL* 32, 901). Dans la pensée **33** de Guigues, nous trouvons à propos des corps les mêmes mots, *forma et species,* qu'ici chez S. Augustin.

Dans un autre traité, S. Augustin expose que nous puisons, des corps que nous voyons, les formes, nous les gardons dans la mémoire, et, où que nous allions, les emportons avec nous, et elles affectent nos sens (*Contra Iulianum Pelagianum,* Lib. V, cap. 14, *PL* 44, 812). C'est justement là ce qui occupe la réflexion de Guigues dans maintes pensées (v.g. **226**).

Et voici un beau texte des *Confessions* de S. Augustin :

« Même les choses inférieures s'élevèrent au-dessus de moi, et elles m'opprimaient, et il n'y avait nulle part ni relâche, ni répit. D'elles-mêmes, elles m'assaillaient de toutes parts en pelotons serrés, quand je regardais ; et quand je réfléchissais, les images des corps faisaient obstacle d'elles-mêmes à mon retour, semblant me dire : " Où vas-tu, être indigne et souillé ? " Et tout cela avait germé de ma blessure, parce que tu as humilié l'orgueilleux comme un blessé ; et mon enflure me séparait de toi, et la boursouflure de mon visage me bouchait les yeux » (*Confessions,* Lib. VII, cap. 7, *PL* 32, 740). (A rapprocher de ce texte les pensées **33, 226, 251, 266, 279, 290, 305, 327, 401**.)

S. Augustin nous dit ailleurs à quelle fin Dieu permet ces images dans notre esprit : Dieu nous parle par des images pour que nous revenions à l'intérieur où il a mis des lois de beauté pour juger des perceptions extérieures des sens » (*De libero arbitrio,* Lib. II, cap. 16, 41 ; *PL* 32, 1263). Nous trouvons ici la même ligne de réflexion que chez Guigues parlant des spectacles extérieurs et des spectacles intérieurs (v.g. **264, 273, 314**).

Enfin un texte de S. Léon le Grand est très important pour notre étude, car il était lu, dans l'Office cartusien, à la 5ᵉ Leçon des Matines du jour de la Pentecôte ; nous sommes donc certains que Guigues l'a médité et, bien plus, qu'il l'avait choisi lui-même, puisqu'il fut l'artisan du Lectionnaire cartusien :

« Quand nous dirigeons la pointe de notre esprit vers la confession du Père, du Fils et de l'Esprit-Saint, repoussons loin de notre âme les formes des choses visibles et la caducité des natures soumises au temps, loin aussi les corps liés à des lieux et les lieux nécessaires aux corps. Que s'éloigne du cœur ce qui est mesuré dans un espace, circonscrit dans une limite, et tout ce qui n'est pas tout entier toujours et partout » (*Sermon 3 pour le Jour de la Pentecôte,* cap. 4, *PL* 54, 413).

Guigues se parle souvent à lui-même de manière toute semblable, en particulier dans la pensée **336** :

« Sèvre-toi dès maintenant de ces formes sensibles... Apprends à te passer de tout cela, apprends à vivre et à te réjouir du Seigneur. »

*Sur la pensée 283 :*

Quand Guigues parle des « formes », il s'agit presque toujours des formes corporelles sensibles, qui peuvent nous distraire et troubler notre recueillement. Il en est ainsi dans toutes les pensées qui parlent des formes, sauf une...

Dans la pensée **283**, Guigues élargit son acception habituelle du mot « forme ». Il l'approfondit jusqu'à un sens tout spirituel, où il ne peut plus s'agir d'une forme sensible. Cette « forme » est la seule qui donne le bonheur à l'esprit humain. Elle est l'acquisition du bonheur incréé, éternel. L'homme qui ne se laisse pas informer par cette forme-là et envahir par ce désir, est à la merci des formes inférieures, qui peuvent l'accaparer.

### « Praeesse » ou « prodesse » ?

Guigues, comme prieur, s'interroge souvent sur ses devoirs à l'égard de ceux qui lui sont confiés. En particulier, dans la pensée

**346**, il a cette belle formule : « Ils t'ont été confiés, non pour que tu les commandes, mais pour que tu leur sois utile — *non ut praesis, sed ut prosis eis.* » La formule latine possède un rythme qui saisit l'attention du lecteur et que le français ne permet pas de reproduire.

Guigues aime donc se rappeler à lui-même que sa charge de supérieur est avant tout une vocation de service. Pour lui, *prodesse* passe bien avant *praeesse.*

Or ce rapport entre *praesse* et *prodesse,* dans la charge de supérieur, avait occupé plusieurs grands esprits au cours des siècles, et leurs réflexions furent certainement à la source des méditations de Guigues sur ce thème.

S. Augustin paraît avoir été à l'origine du jeu de mots, lorsqu'il dit à son peuple, au jour de sa consécration épiscopale :

« ut nos vobis non tam praesse quam prodesse delectet » (*Sermo CCCXL*, 1, *PL* 38, 1484).

Il a répété d'autres fois, toujours au sujet des évêques :

« ut intelligat non se esse episcopum, qui praeesse dilexerit, non prodesse » (*De Civitate Dei, Lib.* 19, cap. 19, *PL* 41, 647).

« ... populis praesunt, non ut praesint, sed ut prosint » (*Contra Faustum,* Lib. 22, cap. 56, *PL* 42, 436).

Le Pape S. Léon le Grand rappela en termes voisins qu'il était sur le Siège Apostolique pour servir : « Nous nous réjouissons, non pas tant de présider à ce Siège que d'y être pour servir » (*Sermo* 5, pour le 5e anniversaire de son pontificat, cap. 5, *PL* 54, 156).

La règle de S. Benoît, au sujet de l'abbé, présente l'alternative de la même manière que S. Augustin :

« Sciatque (abbas) sibi oportere prodesse magis quam praesse » (cap. 64).

Cette formule bénédictine est devenue ensuite classique dans la littérature monastique, à de minimes variantes près, selon les auteurs. Citons seulement S. Grégoire :

« Nec praesse se hominibus gaudeant (cuncti qui praesunt), sed prodesse » (*Regulae Pastoralis Liber,* IIa Pars, cap. 6, *PL* 77, 34).

Guigues avait connu tous ces textes et, utilisant la phrase de la règle de S. Benoît, il l'aménage dans ses *Meditationes,* en mettant l'accent uniquement sur « prodesse ». Au lieu de la proportion *magis-quam* de la règle de S. Benoît, l'affirmation nette de S. Grégoire : *non-sed :*

« *magis* prodesse, *quam* praesse », disait S. Benoît,

« *non* ut praesis, *sed* ut prosis », dit Guigues.

Un peu plus tard, quand vint l'heure d'écrire les *Coutumes de Chartreuse,* Guigues, traitant de la charge du prieur, supprimera tout simplement *praeesse* pour ne garder que *prodesse :* le devoir d'être utile par la parole, la vie et l'exemple (*Consuetudines Cartusiae* 15, 2). La réflexion de Guigues s'achevait ainsi en un fruit d'humilité.

## « Prodesse »
## « Rendre service » - « Être utile »

Nous dirons quelques mots de *prodesse,* indépendamment de *praeesse,* tant cette notion de « rendre service », d'« être utile », est importante chez Guigues. On trouve une trentaine de fois le mot *prodesse* dans les pensées. C'est tout à fait caractéristique.

*Prodesse* est vraiment une orientation fondamentale de Guigues, au plan spirituel. Ce solitaire ne se désintéresse pas des hommes. Pour lui, sa vocation implique de « vouloir être utile à tous les hommes » (**106,** 2 fois ; **211, 219**) ; de « vouloir être utile aux autres (**346, 350, 386**). Il peut, comme supérieur être utile aux siens, en particulier par l'exemple et l'exhortation (**297**). Cette orientation a un fondement christologique : elle a pour raison d'être l'obéissance au commandement de l'amour du prochain (**238**). Puisque le Christ est Sauveur, nous ne devons jamais abandonner la volonté de sauver tous les hommes (**236**).

Il ne suffit pas de vouloir être utile aux autres ; il faut aussi vouloir ce qui est utile à soi-même, et cette utilité est un bien spirituel (**337, 338, 428, 456**). On sera par exemple utile à soi-même en louant le bien (**107**), en adhérant à la justice (**170**), en utilisant comme il faut les maux d'autrui (**157**), en disant la vérité pour qu'elle soit utile (**225**), en aimant son supérieur (**24**).

Pourtant, combien peu veulent ce qui leur est utile (**369**).

Dieu, lui, ne fait rien pour sa propre utilité, rien qui lui profite (**325, 418**) et il ne nous demande rien pour sa propre utilité (**359**).

Mais voici le sens le plus profond du mot *prodesse* ; il se trouve dans la dernière méditation du recueil : la vocation à laquelle le

Christ a appelé l'homme, sa plus profonde utilité, c'est de devenir conforme à Dieu en se modelant sur le Christ (**476**).

On pourrait élargir cet exposé de manière très intéressante et profonde en étudiant, à côté du mot *prodesse*, l'emploi du mot *utilis* dans les *Meditationes,* mais il y faudrait bien des pages. Notons seulement que notre seul profit, notre seule utilité est de louer Dieu (**288**), car « Dieu seul est la totale utilité de la nature humaine » (**370**). « Qui aura Dieu ne pourra rien trouver nulle part de plus utile et de plus délectable » (**426**).

Cette vue sur l'« utilité » de Dieu avait jadis fasciné Clément d'Alexandrie, en des termes qui ont pu inspirer Guigues :

« Le bien est utile... Dieu est bon, Dieu est donc utile... Dieu est utile en tout » (*Le Pédagogue,* Lib. I, cap. 8, *SC* 70, p. 225).

### « Nil tibi laboriosius est quam non laborare. »

Formule lapidaire qui éveille l'attention ; jeu de mots parfait en latin, mais qui défie toute traduction satisfaisante en français. Cette phrase qui fait l'objet de la pensée **50** a été reprise par Guigues dans les *Coutumes de Chartreuse* en 14, 5, et là, il a bien voulu faire connaître que sa source se trouvait dans S. Augustin.

On lit en effet dans S. Augustin le texte que voici :

« Amici ergo huius mundi tam timent ab eius amplexu separari ut nihil eis sit laboriosius quam non laborare » (*De vera religione,* cap. 35, nº 65, *PL* 34, 151).

Guigues, selon son habitude, en reprenant la pensée d'un auteur-source, la creuse à nouveau. Il l'a fait dans le cas présent de deux manières, un peu différentes, dans les *Meditationes* et dans les *Coutumes,* ce qui montre la pénétration de son esprit.

Dans la pensée **50**, au lieu des amants de ce monde, il parle pour lui seul — *tibi* — et il note que tout ce qui change est cause de labeurs, c'est-à-dire de souffrances et d'épreuves. Le grand labeur est de laisser de côté ce qui change. Cela est tout à fait dans la ligne de l'effort ascétique qui caractérise les *Meditationes.*

Dans les *Coutumes,* Guigues transposera la formule, des amants de ce monde aux âmes consacrées à Dieu dans la vie contemplative en solitude, et il expliquera que parmi les exercices de la vie réguliè-re, rien ne demande plus de labeur que le silence de la solitude et le repos en Dieu.

Là, le labeur était dans le refus de tout ce qui change ; ici, le labeur est dans l'application positive à la tâche du repos en Dieu dans le silence. Ce n'est pas tout à fait le même labeur. Ce dernier est plus contemplatif que le labeur de l'ascète.

La pensée **62** se situerait entre les deux points de vue que nous venons de noter. Elle laisse entrevoir que, par une sérieuse application, on peut acquérir beaucoup plus que ce pour quoi tous travaillent dans le monde. Notons la condition posée : « si studueris » : le labeur d'une application soutenue.

Le thème du labeur du contemplatif a été cher à bien des hommes d'oraison avant Guigues. On résumerait assez bien ce thème en ses diverses acceptions en disant que les activités ou occupations de la vie active sont moins austères à la nature humaine et demandent moins d'efforts que la pure application au recueillement en Dieu dans le calme intérieur de la vie contemplative, particulièrement dans la solitude.

Voici d'abord un apophtegme d'un Père du désert, S. Agathon :
« Les frères interrogèrent l'abbé Agathon : Père, quelle est la vertu qui exige le plus grand labeur ? Il leur dit : Pardonnez-moi, mais j'estime que nul labeur n'est comparable à celui de prier Dieu. Car chaque fois que l'homme veut prier, ses ennemis, les démons cherchent à l'en détourner : ils savent en effet que seule l'oraison peut les vaincre. Quelle que soit la bonne œuvre que l'homme veuille entreprendre, il parvient à la tranquillité, mais l'oraison exige le combat jusqu'au dernier souffle » (*PG* 65, 111, nos **8** et **9**).

Cassien rapporte l'histoire des moines du Désert de Calame. Sépa-rés des hommes par un désert de sept jours de marche, ils vivaient dans une solitude parfaite où ils s'adonnaient à l'agriculture. Venus visiter les anachorètes de Scété, ils ne pouvaient supporter « le séjour de la cellule et le silence du repos » (voir ce récit de Cassien : *Conférence* 24, 4, *SC* 64, p. 175). Et Cassien de conclure : « Ceux que les rudes travaux des champs trouvaient infatigables sont vain-cus par le loisir ; et la persévérance du repos les lasse. » Nous avons exactement ici le *nihil laboriosius quam non laborare*, tel que Guigues l'a compris au sujet de la vie de cellule.

Voici maintenant, par comparaison, S. Nil :

« Quand tu auras pu persévérer pendant deux mois dans l'oraison et le *quies*, alors tu pourras connaître une toute petite idée, une faible image de la laborieuse patience, de la vie soumise aux efforts dans l'institut de ceux qui toute leur vie sont conduits par la règle monastique au *quies* vide de toute agitation et bruit. » — « Il faut entrer dans la vie monastique avec réflexion et prudence, car notre combat est plus laborieux que les combats du gymnase (le texte présente ici quelque chose du jeu de mots : *gymnico siquidem certamine certamen nostrum laboriosius est* » (*Epistolae,* Lib. I, 281 et Lib. II, 63, *PG* 79, 186 et 227).

Et voici de nouveau S. Augustin :

« Considérez vous-mêmes combien travaillent ceux qui ont un objet à aimer, et ils ne s'aperçoivent pas qu'ils travaillent ; c'est même alors pour eux un plus grand travail de se voir détourner de leur travail » (*Sermo 96, PL* 38, 585, jadis lu au rite cartusien pour la fête de S. Clément).

S. Grégoire le Grand a scruté à plusieurs reprises le thème du *nihil laboriosius*, avec la finesse qui le caractérise, quand il a parlé de la vie contemplative :

« Vaincus par l'amour des choses terrestres, ils s'y fatiguent avec délices... Pour certains esprits aveugles, rien n'est plus laborieux que de se voir interdire de travailler dans les actions de ce monde... Écartés de l'action terrestre, ils supplient qu'on les y renvoie, ils implorent la faveur d'en être accablés ; ils estiment que le *quies* les a fait tomber dans un grand péril » (*Hom. in Ezech., PL* 76, 892). — « Dieu ordonne (au contemplatif) l'abstention des labeurs de ce monde ; il les engage à la douceur du saint repos ; et pourtant l'esprit, par une folie impie, se réjouit plus de s'adonner matériellement à de durs travaux que de saisir spirituellement les douceurs ; il se nourrit plus volontiers de l'affliction de la fatigue que de la douceur du *quies* » (*Moralia,* Lib. XX, cap. 15, *PL* 76, 160). — Ailleurs encore, à propos des supérieurs qui s'occupent trop d'affaires extérieures, S. Grégoire écrit : « Lorsque par hasard, toute occasion d'affaire cessante, ils se trouvent tranquilles, ils sont bien davantage fatigués par leur propre repos » (*Regulae pastoralis Liber,* IIa Pars, cap. 7, *PL* 77, 39).

Ces divers textes relatifs au *nihil laboriosius quam non labora-re* nous permettent de mieux comprendre, à sa vraie place et dans ses justes proportions, l'atmosphère d'intense effort tout orienté vers Dieu, qui anime d'un bout à l'autre le recueil des *Meditationes* de Guigues.

## La leçon spirituelle des petites souffrances
(v.g. : démangeaisons, morsures de puces, etc.)

Nous trouvons chez Guigues une dizaine de « pensées » faisant mention des morsures de puces, de poux ; il y ajoute parfois la gêne des mouches, et même des petites souris. Il réfléchit aussi cinq ou six fois sur le sens des petites souffrances, comme par exemple les démangeaisons.

Le même thème se rencontrait chez Évagre le Pontique, dans des « pensées » toutes proches des formulations qui seront celles de Guigues. Mais comme elles appartiennent à un traité d'Évagre qui n'était pas connu au Moyen Age, nous les citerons non comme sources, mais comme « lieux parallèles » :

« Ne tiens pas compte des exigences du corps, dans l'exercice de l'oraison, pour qu'une morsure de pou, de puce, de moustique ou de mouche ne t'enlève pas le meilleur profit de l'oraison » (*Traité de l'oraison*, édité par I. Hausherr s.j., Paris 1960, *Pensée* n° 105).

« Si c'est à Dieu le Tout-Puissant, Créateur et Provident, que tu es présent dans ta prière, pourquoi apportes-tu à cette présence cette absurdité de passer à côté de sa crainte souveraine, pour aller avoir peur de moustiques et de cafards ? N'as-tu donc pas entendu celui qui dit : tu craindras le Seigneur ton Dieu, et encore : Lui, devant la puissance de qui tout est dans l'effroi et dans le tremblement ? » (*Ibidem, Pensée* n° 100).

Les pensées de Guigues **39, 305** et **41** nous rappellent que nous sommes soumis à de bien petites altérations, comme une morsure de puce.

La pensée **100** souligne que nous avons l'habitude d'accorder trop d'attention à de petits ennuis de ce genre. La pensée **118** nous dit que, si nous voulons échapper aux souffrances et aux démangeaisons pour trouver la paix, nous devons éviter les biens délectables, de crainte que pour le plaisir que nous y éprouverions, nous ne commencions à aimer nos troubles eux-mêmes...

Or il ne faut pas les aimer, fût-ce une mouche en ce monde (**343**) ; il faut les mépriser (**326**).

Dans la pensée **254**, nous apprenons qu'on ressent de la douleur seulement si l'on a congédié Dieu.

La pensée **295** nous dit que la morsure d'une puce blesse l'âme avec le corps et que c'est l'âme qu'il faut guérir dès maintenant. Selon la pensée **301**, la morsure d'une puce nous trouble, alors que Dieu est le seul Bien total dont la possession devrait nous être à cœur et la perte nous troubler. A la pensée **410**, il est encore question des choses de rien qui nous « exterminent », comme une morsure de puce, et par lesquelles nous nous laissons troubler, alors qu'il ne faut désirer que Dieu, « portio mea Domine », et être soumis à lui de tout cœur (**463**). Celui qui souffre doit désirer Dieu seul (**14**). Quand on n'aime que Dieu au lieu des choses périssables, on est inviolable (**298**).

En résumé, ces diverses pensées nous enseignent que, aux yeux de Guigues, pour avoir la paix dans les petites douleurs, les démangeaisons, les souffrances, et pour y échapper, notre âme doit s'accoutumer à ne chercher que Dieu, à ne désirer que Dieu, à ne s'appuyer que sur Dieu et son amour. Voilà la vraie décision à prendre en face de la douleur.

# INDEX I

## RÉFÉRENCES SCRIPTURAIRES

Cet Index renvoie aux numéros des Pensées

# INDEX II

## TABLE DES NOMS PROPRES

En italique : les pages de l'Introduction.
En chiffres droits : les numéros des Pensées.

## INDEX III
### LEXIQUE DES MOTS
### CONTENUS DANS LES MÉDITATIONS

Ce lexique renvoie aux numéros des Méditations. Ont été omis les termes usuels, trop fréquemment employés, qui ne serviraient pas pour des recherches ou des études, à savoir : la plupart des pronoms, prépositions, conjonctions, adverbes. En outre les verbes suivants : *dare, debere, esse, facere* et *fieri, habere, nolle, posse, velle*. Enfin les mots *Deus* et *Dominus* qui sont mieux en situation dans l'Index des thèmes. Tous les autres mots sont présents. Il arrive souvent qu'un même terme se trouve plusieurs fois dans une seule « Meditatio » : un seul numéro le signale alors pour cette « pensée ». — (s) veut dire substantif.

333, 359

admittere 110, 124, 402, 409, 462

admovere 398

adorare 5, 152 ; adorator 152

adquiescere 322, 447

adquirere 62, 65, 67, 85, 269, 283

adulationes 225

adulter 212, 279, 312, 348, 357, 358, 361, 363, 388 ; adulterium 278, 348, 402, 430

advenire 260

adversa (s) 76, 125, 126, 137, 153, 180, 183, 184, 188, 331 ; adversitas 25, 28, 34, 125

adversari 435 ; adversarius 144, 169, 212

advertere 323

aedificare 245

aeger 119, 164, 293, 346, 349, 350, 351, 389, 448, 457 ; aegri 64, 126, 189, 398 ; aegritudo 346, 425 ; aegrotare 352, 389 ; aegrotans 457 ; aegrotabilis 389 ; aegrotus 108, 237, 349, 389, 441, 448

aequalis 320, 339, 362, 430, 466, 469 ; aequalia (s) 467, 471 ; aequaliter 216, 407

aequanimiter 391

aequare 469, 475 ; aequari 468

aeque 376

aequiparari 362

aer 308, 345

aestimare 43, 222 ; aestimatio 302

aestus 126

aeternare 54 ; aeternaliter 14 ; aeternitas 329 ; aeternus 14, 40, 139, 212, 225, 272, 283, 323, 329, 348, 371, 376, 457, 458, 473 ; aeterna (s) 222, 445

affabilis 42

affectare 472

affectus 1, 38, 61, 178, 219, 319, 325, 366, 377, 390, 435, 438

afferre 386

affici 161, 305, 356, 360, 442, 458, 471

affigere 5

affluenter 35

ager 8, 375, 454

agere 2, 7, 35, 66, 105, 106, 136, 142, 148, 150, 157, 177, 198, 199, 206, 219, 229, 270, 271, 291, 297, 330, 346, 359, 360, 366, 369, 391, 418, 453, 475 ; gratias agere 132, 354 ; agitur 340

aggredi 220

agnoscere 16

agnus 55

alacritas 90

albus 147, 155 ; alba (s) 452 ; albedo 345, 379

alibi 319, 407, 426

alioquin 241

aliquando 81, 111, 136, 221, 365, 474

captivare 335
caput 299, 475
carcer 25, 302
carere 35, 52, 186, 222, 235, 252, 264, 301, 363, 371 ; cariturus 336
caritas 58, 83, 89, 90, 94, 150, 164, 209, 210, 211, 231, 247, 276, 351, 364, 370, 381, 382, 395, 398, 433 ; carus 381 ; carissimus 351
carmen 149, 181, 239
caro 10, 37, 63, 203, 306, 310, 311, 409, 422, 451, 458, 460, 472, 473, 474, 475 ; (viande) 104 ; carnes 279 ; carneus 257, 345 ; carnalia 445
castitas 258, 366 ; castus 366
casus 123, 188
catervae 69
causa 102, 109, 113, 141, 164, 169, 207, 236, 237, 269, 271, 301, 357, 361, 366, 371, 390, 393, 402, 424, 454
cautela 454 ; cautus 97
cavere 27, 76, 107, 229, 404, 454
cedere 249, 396
celare 48, 425
celebrare 205
cellarium 116
censere 404
cera 366, 414, 473 ; cereus 366
cernere 437, 464
certus 201, 283, 345 ; certior 220 ; certissimus 394, 424 ; certe 34, 104, 152, 342, 396, 454, 456

cervi 310
cespites 372
cessare 325, 454, 464 ; cessatio 359
christianus 76, 424, 461
cibus 194, 323, 362, 390, 413
circumdare 460
circumspicere 31
cito 45, 187, 451
clamare 160, 242, 325, 410
clare 473
coacervare 411
coaptare 279, 413
coepisse 219
cogere 13, 35, 36, 124, 140, 187, 205, 309, 343 ; coactus 423
cogitare 31, 114, 136, 193, 305, 407, 440 ; cogitatio 208, 322
cognitio 356, 359, 426, 466 ; cognoscere 129, 253, 345, 359, 371, 373, 428, 441, 456, 472
cohabitare 22
colere 116, 319, 369, 461
colligere 257, 467
colloqui 313
color 194, 316 : colores 125, 279, 428
columba 423
comburere 305
comedere 60, 126, 443
comes (Guigo) 455
comitari 402
committere 346, 349, 350, 404
commorari 314
communicare 58, 169, 455
communis 106, 141, 159, 165,

411 ; deteriora (s) 181, 345, 360, 368 ; deterius 72, 295, 345, 451
determinare 100
deterrere 88, 331
detestandus 383 ; detestabilior 383 ; detestabilius 383
detinere 314
detrimentum 339
deturpare 428
deus 319, 362, 369, 428
devenire 286
devitare 412, 454
devolvere 282
devorare 31, 35
devotus 390, 465, 471 ; devotio 390, 475.
diabolus 35, 74, 97, 165, 193, 319, 412, 413 ; diabolicus 20, 203, 453
dicere 16, 35, 72, 107, 108, 112, 114, 155, 164, 211, 212, 213, 225, 237, 243, 263, 282, 294, 302, 323, 330, 337, 343, 345, 354, 359, 360, 366, 368, 369, 371, 377, 380, 386, 389, 396, 410, 427, 436, 446, 451, 456, 460, 472 ; dico 207 ; dic 16, 35, 217, 395 ; dicit 34, 238 ; dicunt 35, 217 ; dicat 114 ; dicant 36 ; dicitur 4, 19, 155, 335 ; dicuntur 184 ; dicta (s) 376
dies 19, 217, 359, 386, 389
difficile 67, 166, 301, 382
diffinitio 467
diffundere 209, 395 ; diffusus 454

digitus 369, 390
dignari 291, 457
dignus 349, 444, 450 ; dignius 285, 364, 368 ; dignissimus 286 ; dignitas 311, 380
dilectio 94, 117, 151, 321, 390, 466, 469 ; dilector 370
diligenter 238, 452
diligere 23, 24, 67, 79, 82, 85, 114, 123, 148, 164, 167, 169, 209, 210, 225, 228, 238, 239, 241, 290, 293, 295, 298, 301, 323, 329, 343, 368, 369, 370, 371, 387, 390, 396, 403, 405, 414, 415, 417, 430, 439, 443, 455, 456, 465, 466, 467, 468, 469, 470, 475 ; dilectus 100
diminuere 339
dimittere 56, 101, 237, 254, 263, 297, 316, 337, 399 ; dimissio peccatorum 77
discere 336, 443
discernere 48, 49, 261, 330, 452
discessus 239
disciplina 386, 390, 392
discordia 421
discretio 330
discrimina 12
discursus 181
disperdere 386
displicere 81, 110, 111, 162, 208, 225, 334, 464 ; displicentia 185
dissimilitudo 421
dissimulare 282
dissipare 451

erectio 339

erga 55, 95, 168, 258, 309, 321, 366, 390, 403, 420, 465, 471

erigere 300

erogare 366

errare 166, 369, 466 ; error 166, 222, 265, 300, 369, 383, 391 ; erratica 406

erubescere 2, 42, 129, 313, 345, 379, 440

eruere 257

escae 69

essentia (Dei) 466

ethiops 147

euge 74

evacuatio 284

evadere 58, 137, 439

evangelium 386

evitare 377

exactor 250

excaecare 154

excellentius 52 ; excellentissimus 286

excelsus 300, 360

excipere 343

excitare 1, 366

exclamare 74

excludere 179, 287

excogitare 386

excommunicare 455

excusare 282 ; excusatio 456

exemplum 238, 297, 365, 390 ; exempla 187, 472, 475

exercere 81, 138, 309, 335, 386, 455

exhibere 42, 43, 51, 89, 100, 134, 159, 286, 319, 359, 420, 473

exhortatio 390

exigere 7, 100, 359

exiguus 301, 400 ; exiguum 191 ; exigue 428

exire 264, 314

existere 168, 362

existimare 454

exonerare 31, 56

exoptare 220, 391, 454

exosus 403

expedire 24, 94, 105, 106, 205, 207, 248, 293, 300, 337, 338, 375, 396, 416, 429

expellere 324

expendere 158

experiri 31, 35, 37, 118, 125, 261, 375, 409, 442 ; experientia 31, 38, 456

expositus 208

expostulare 6

exsequi 220, 352

extendere 196, 372

exterior 226, 264, 314, 353 ; exteriora (s) 183, 474

exterminare 410

extinguere 315 ; extinctio 346

extorquere 7, 286, 319

exul 41, 61

exultare 72, 137, 358

F

fabula 266

facies 113, 116, 282, 373, 464

facilis 49, 56, 119, 208, 211 ; facilior 226, 304 ; facilius 9, 303, 304, 322, 381, 413 ; facile 345, 428, 452

factum 454 ; facta 88, 219,

## M

maerere 301, 383

maestificare 114 ; maestitia 383

magister 195

magnes 335

magnus 17, 20, 35, 43, 106, 129, 149, 170, 173, 301, 336, 400, 404, 440, 454, 458 ; magna (s) 456 ; maior 129, 226, 339, 340, 364, 376, 389, 465 ; maius 274, 442 ; maximus 234, 308, 472 ; maxime 273, 277, 450 ; magnitudo 454 ; magniducere 270, 302 ; magni pendere 270

malitia 282, 366 ; malitiosus 173

malle 35, 323, 380, 425

malus 19, 49, 61, 72, 142, 212, 237, 239, 309, 311, 351, 366, 369, 383, 396, 435, 462 ; mali 20, 22, 72, 142, 179, 184, 386, 430 ; malum 17, 20, 49, 53, 59, 65, 81, 88, 107, 114, 120, 142, 147, 173, 195, 208, 212, 214, 216, 229, 233, 234, 242, 265, 268, 289, 297, 312, 330, 348, 363, 396, 404, 418, 429, 443, 448, 449, 454 ; mala 88, 157, 195, 215, 220, 300, 321, 337, 377, 396, 404, 451, 456 ; male 46, 72, 108, 109, 115, 149, 174, 229, 237, 259, 297, 309, 396, 457 ; maledicere 265 ; malefacta 88

manans 460

mane 6

manere 6, 34, 35, 152, 348, 349, 370, 380, 394

manifestus 51

manus 362, 437 ; ad manum esse 437

mare 327, 439 ; marina 439

martyr 206, 217, 451 ; martyria 376

masculus 249

massa 400

mater 171, 237, 359, 424

materia 142, 430

medela 390 ; mederi 66, 108, 119, 126, 147, 164, 253, 346, 350

medicus 64, 108, 119, 126, 133, 189, 195, 211, 237, 293, 346, 349, 350, 351, 352, 398, 441, 448, 457 ; medicina 69, 136, 164, 296 ; medicinalis 412 ; medicinaliter 59 ; medicamentum 177

meditari 407 ; meditatio 390

medius 468 ; media (s) 462, 469, 471, 475 ; in mediis urbibus 307 ; in medio pendere 67, ponere 3 ; e medio 386

mel 211, 270, 306, 398, 402, 414, 460

melior (cf. bonus) ; meliorare 359 ; meliorari 339, 368, 447 ; melioratio 375

membra (Christi) 236

mendacium 4, 29, 165, 172, 225, 275 ; mendax 16, 323

mens 22, 143, 180, 208, 212,

operam dare 54, 345 ; operari
   88, 312, 366, 386, 453 ;
   operarii 359
opertum 318, 425
opinari 456 ; opinio (estime)
   71, 158, 189, 208, 305, 428 ;
   opiniones 266, 273, 314,
   372, 428, 435, 438, 454
oportere 128, 132, 201, 329,
   331
opponere 69, 366 ; oppositio
   59
opprobrium 402, 404
oppugnare 125
optare 13, 51, 52, 127, 195,
   220, 239, 368, 369, 375,
   436, 445, 454 ; optabilior
   364
optimus (cf. bonus)
opus 6, 220, 237, 351, 381,
   400, 430, 441 ; opus est 69,
   91, 108, 357 ; opera 142,
   156, 219, 234, 390, 395, 418
ora 211
orare 108 ; oratio 238, 390
orbis 310, 454
ordo 149, 181
oriri 50, 113
ornamentum 112
os 178, 237, 323, 408
ostendere 2, 48, 112, 138, 153,
   180, 215, 243, 310, 359,
   366, 425, 444, 467, 475
ostentare 344
ovum 221, 228


P

pacatus 39, 205

paena 17, 139, 213, 289, 331,
   349, 402, 404, 472
paenitere 166, 404 ; paenitentia 311, 363
pagani 371, 428
pallor 373
palmes 286
panis 199, 251, 391, 395
panni 342
par 466
paradisus 290
paralisis 439
parare 22, 302, 315, 407 ;
   paratus 114, 369, 371, 456 ;
   paratior 52, 114
parcere 409, 475
parentes 57, 337
parere 252, 299, 361, 389
parietes 375
pars 104, 286, 345, 468, 470,
   475 ; ex parte 402, 469 ; de
   tua parte 169
parum 19, 277
parvulus 454
parvus 295 ; parva (s) 456 ;
   parvi (adv.) 394, 450
passer 188, 454, 455
passio 61, 118, 226, 378, 391
pater 82, 133, 156, 346
patere 39, 215, 273
pati 4, 13, 14, 27, 66, 126, 160,
   183, 215, 337, 346, 369,
   391, 439, 469, 475
patiens 126 ; patientia 69, 262,
   386
pauper 298, 366, 391, 395 ;
   paupertas 307
pavimentum 322
pax 28, 29, 40, 75, 88, 99, 100,

## Q

quaerere 26, 45, 85, 106, 169, 190, 241, 282, 301, 348, 367, 437 ; quaeso 457, quaestio 187
qualitates 316, 375, 442, 470
quamdiu 323, 343, 386, 399, 419, 439
quantitas 407, 454
querela 396 ; querelae 319 ; queri 300, 396
quiescere 241, 283, 327 ; quietus 68
quippe 19, 20, 34, 114, 212, 220, 228, 291, 294, 301, 331, 370, 389, 395, 426, 466
quire (queant) 462
quotidie 359

## R

racemi 414
radices 158, 299, 372
radius 366
rami 372
rapere 37, 110, 366, 411 ; rapina 238 ; raptor 159
raro 310
ratio 41, 294 ; rationalis 12, 212, 249, 285, 286, 353, 360, 390, 406, 466, 467, 470, 475
ratus 187
reatus 126, 129, 243 ; reus 159, 220 ; rei 126, 138
recedere 34, 46, 66, 229, 393, 456

recipere 155, 164, 182, 212, 216, 245, 320
recitare 125
reclinare 475
recognoscere 129, 212, 354
recolligere 218
reconciliari 343 ; reconciliatio 13
recordari 400
rector 310
rectus 147
recula 367
recuperare 349
redamare 182
redarguere 160, 396
reddere 6, 59, 220, 294, 301, 324, 347
redemptio 77
redigere 339, 471, 473
redire 162, 284, 312, 423, 467 ; reditus (s) 224
referre 26, 35, 43, 132
reficere 323
refrenare 289, 311
regio 61, 257, 303
regnare 226, 319, 353
relinquere 328 ; reliquus 411
remanere 31, 249, 290, 295, 407, 427
remedium 27, 300, 412, 441
rememorare 373
remetiri 309, 416
removere 207 ; remotus 193, 303
remunerare 457
repellere 38, 106, 142
rependere 182
repleri 58
reprehendere 29, 47, 147 ;

## V

vacare 171, 264, 314 ; vacuus
20 ; vacuitas 314

vadere 284, 291

vae 226, 255

valde 49, 81, 211, 220, 367,
437, 456, 461, 473

valere 6, 35, 85, 147, 220, 301,
349, 366, 404, 448 ; valen-
tiae 228 ; validus 143, 412

vanus 19 ; vanitas 298 ; vana
gloria 418

vas 211, 345

vegetare 470, 475 ; vegetabilis
475 ; vegetatio 10

vehementes 1, 299, 412 ; vehementius 360, 454

vehere 342

velare 342

velis nolis 336 ; velit nolit
298 ; volendus 36, 324, 338

vendere 89, 151, 245, 438 ;
venalis 245

vendicare 8, 407

venenum 454 ; venenatior 212

venerari 4, 333, 403 ; veneratio
286

venia 250, 278, 330

venire 75, 118, 138, 178, 394

venter 319, 322, 453

ventus (laus) 71

vepris 372

verberare 82, 140, 393 ; verbera 393

verbum 215, 297, 390 ; verba
208, 282, 396, 472, 475 ;
verbi gratia 388, 464 ;
Verbum (Dei) 473, 474, 475

veritas 3, 4, 78, 84, 95, 98, 99,
120, 125, 128, 141, 144,
162, 163, 164, 165, 172,
173, 175, 204, 211, 212,
213, 216, 221, 225, 251,
323, 356, 412, 472 ; veritas
Christus 5, 311 ; veritas
Deus 14, 168, 225, 323, 356,
360, 434 ; veritas Dei 473 ;
veritas Dominus 11, 16, 29 ;
verus 4, 20, 83, 205, 215,
234, 267, 292, 319, 321,
329, 340, 363, 410, 448,
449, 466 ; verum 155, 166,
323 ; verissimus 19 ; vere
18, 20, 110, 267, 319, 340,
345, 375, 418 ; verissime
294 ; verax 16, 323, 434 ;
veracior 376 ; veraciter 319,
320, 323

vermes 451

vertere 263, 396

vestigia vestigiorum 12

vestire 60 ; vestis 390 ; vestes
69, 131, 194, 342, 344, 359,
362 ; vestimenta 194

vetitus 276

vetus, veterior 422

vexare 345, 384

via 229

vicarii 455 ; vicem, vices 335,
455 ; vice 13

vicinus 130 ; vicinius 437

victoria 26

videlicet 69, 273, 339, 344,
456, 461, 472

videre 2, 49, 106, 131, 188,
192, 193, 221, 235, 246,
282, 286, 288, 290, 314,

## INDEX IV
## PRINCIPAUX THÈMES

# TABLE DES MATIÈRES

# INTRODUCTION

# SOURCES CHRÉTIENNES

## LISTE COMPLÈTE DE TOUS LES VOLUMES PARUS

*N.B.* — L'ordre suivant est celui de la date de parution (n° 1 en 1942), et il n'est pas tenu compte ici du classement en séries : grecque, latine, byzantine, orientale, textes monastiques d'Occident ; et série annexe : textes para-chrétiens.

Sauf indication contraire, chaque volume comporte le texte original, grec ou latin, souvent avec un apparat critique inédit.

La mention *bis* indique une seconde édition, parue ou en préparation. Quand cette seconde édition ne diffère de la première que par de menues corrections et des *Addenda et Corrigenda* ajoutés en appendice, la date est accompagnée de la mention « réimpression avec supplément ».

1. GRÉGOIRE DE NYSSE : **Vie de Moïse.** J. Daniélou (3ᵉ édition) (1968).

2 bis. CLÉMENT D'ALEXANDRIE : **Protreptique.** C. Mondésert, A. Plassart (réimpression de la 2ᵉ éd., 1976).

3 bis. ATHÉNAGORE : **Supplique au sujet des chrétiens.** *En préparation*

4 bis. NICOLAS CABASILAS : **Explication de la divine Liturgie.** S. Salaville, R. Bornert, J. Gouillard, P. Périchon (1967).

5. DIADOQUE DE PHOTICÉ : **Œuvres spirituelles.** É. des Places (réimpr. de la 2ᵉ éd., avec suppl., 1966).

6 bis. GRÉGOIRE DE NYSSE : **La création de l'homme.** *En préparation*

7 bis. ORIGÈNE : **Homélies sur la Genèse.** H. de Lubac, L. Doutreleau (1976).

8. NIGÉTIAS STÉTHATOS : **Le paradis spirituel.** M. Chalendard.
   *Remplacé par le n° 81*

9 bis. MAXIME LE CONFESSEUR : **Centuries sur la charité.** *En préparation*

10. IGNACE D'ANTIOCHE : **Lettres.** — **Lettres** et **Martyre** de POLYCARPE DE SMYRNE. P.-Th. Camelot (4ᵉ édition) (1969).

11 bis. HIPPOLYTE DE ROME : **La Tradition apostolique.** B. Botte (1968).

12 bis. JEAN MOSCHUS : **Le Pré spirituel.** *En préparation*

13. JEAN CHRYSOSTOME : **Lettres à Olympias.** A.-M. Malingrey. Trad. seule (1947).

13 bis. 2ᵉ édition avec le texte grec et la **Vie anonyme d'Olympias** (1968).

14. HIPPOLYTE DE ROME : **Commentaire sur Daniel.** G. Bardy, M. Lefèvre. Trad. seule (1947).
    2ᵉ édition avec le texte grec. *En préparation*

15 bis. ATHANASE D'ALEXANDRIE : **Lettres à Sérapion.** J. Lebon.
*En préparation*

16 bis. ORIGÈNE : **Homélies sur l'Exode.** H. de Lubac, J. Fortier. *En préparation*

17. BASILE DE CÉSARÉE : **Sur le Saint-Esprit.** B. Pruche. Trad. seule (1947).

17 bis. 2ᵉ édition avec le texte grec (1968).

18 bis. ATHANASE D'ALEXANDRIE : **Discours contre les païens.** P. Th. Camelot (1977).

19 bis. HILAIRE DE POITIERS : **Traité des Mystères.** P. Brisson (réimpression avec supplément, 1967).

20. THÉOPHILE D'ANTIOCHE : **Trois livres à Autolycus.** G. Bardy, J. Sender. Trad. seule (1948).
2ᵉ édition avec le texte grec. *En préparation*

21. ÉTHÉRIE : **Journal de voyage.** H. Pétré. *Remplacé par le nᵒ 296*

22 bis. LÉON LE GRAND : **Sermons** (1-19), t. I. J. Leclercq, R. Dolle (1964).

23. CLÉMENT D'ALEXANDRIE : **Extraits de Théodote** (réimpression 1970).

24 bis. PTOLÉMÉE : **Lettre à Flora.** G. Quispel (1966).

25 bis. AMBROISE DE MILAN : **Des sacrements. Des mystères. Explication du Symbole.** B. Botte (réimpr. de la 2ᵉ éd., 1980).

26 bis. BASILE DE CÉSARÉE : **Homélies sur l'Hexaéméron.** S. Giet (réimpression avec supplément, 1968).

27 bis. **Homélies Pascales,** t. I. P. Nautin. *En préparation*

28 bis. JEAN CHRYSOSTOME : **Sur l'incompréhensibilité de Dieu.** J. Daniélou, A.-M. Malingrey, R. Flacelière (1970).

29 bis. ORIGÈNE : **Homélies sur les Nombres.** A. Méhat. *En préparation*

30 bis. CLÉMENT D'ALEXANDRIE : **Stromate I.** *En préparation*

31. EUSÈBE DE CÉSARÉE : **Histoire ecclésiastique,** t. I. G. Bardy (réimpression 1965).

32 bis. GRÉGOIRE LE GRAND: **Morales sur Job.** Tome I. Livres I-II. R. Gillet, A. de Gaudemaris (1975).

33 bis. **A Diognète.** H. I. Marrou (réimpr. avec suppl., 1965).

34. IRÉNÉE DE LYON : **Contre les hérésies,** livre III. F. Sagnard.
*Remplacé par les nᵒˢ 210 et 211*

35 bis. TERTULLIEN : **Traité du baptême.** F. Refoulé. *En préparation*

36 bis. **Homélies Pascales,** t. II. P. Nautin. *En préparation*

37 bis. ORIGÈNE : **Homélies sur le Cantique.** O. Rousseau (1966).

38 bis. CLÉMENT D'ALEXANDRIE : **Stromate II.** *En préparation*

39 bis. LACTANCE : **De la mort des persécuteurs.** 2 vol. *En préparation*

40. THÉODORET DE CYR : **Correspondance,** t. I. Lettres I-LII. Y. Azéma (1955).

41. EUSÈBE DE CÉSARÉE : **Histoire ecclésiastique,** t. II. G. Bardy (réimpression 1965).

42. JEAN CASSIEN : **Conférences,** t. I. E. Pichery (réimpression 1966).

43. S. JÉRÔME : **Sur Jonas.** P. Antin (1956).

44. PHILOXÈNE DE MABBOUG : **Homélies.** E. Lemoine. Trad. seule (1956).

45 bis. AMBROISE DE MILAN : **Sur S. Luc,** t. I. Introd. et livres I-VI. G. Tissot (réimpr. avec suppl., 1971).

108. CLÉMENT D'ALEXANDRIE : **Le Pédagogue,** t. II. C. Mondésert, H. I. Marrou (1965).

109. JEAN CASSIEN : **Institutions cénobitiques.** J.-C. Guy (1965).

110. ROMANOS LE MÉLODE : **Hymnes.** J. Grosdidier de Matons. Tome II. Hymnes IX-XX (1965).

111. THÉODORET DE CYR : **Correspondance,** t. III. Lettres 96-147. Y. Azéma (1965).

112. CONSTANCE DE LYON : **Vie de S. Germain d'Auxerre.** R. Borius (1965).

113. SYMÉON LE NOUVEAU THÉOLOGIEN : **Catéchèses.** B. Krivochéine, J. Paramelle. Tome III. Cat. 23-34, Actions de grâces 1-2 (1965).

114. ROMANOS LE MÉLODE : **Hymnes.** J. Grosdidier de Matons. Tome III. Hymnes XXI-XXXI (1965).

115. MANUEL II PALÉOLOGUE : **Entretien avec un musulman.** A. Th. Khoury (1966).

116. AUGUSTIN D'HIPPONE : **Sermons pour la Pâque.** S. Poque (1966).

117. JEAN CHRYSOSTOME : **A Théodore.** J. Dumortier (1966).

118. ANSELME DE HAVELBERG : **Dialogues,** livre I. G. Salet (1966).

119. GRÉGOIRE DE NYSSE : **Traité de la Virginité.** M. Aubineau (1966).

120. ORIGÈNE : **Commentaire sur S. Jean.** C. Blanc. Tome I. Livres I-V (1966).

121. ÉPHREM DE NISIBE : **Commentaire de l'Évangile concordant ou Diatessaron.** L. Leloir. Trad. seule (1966).

122. SYMÉON LE NOUVEAU THÉOLOGIEN : **Traités théologiques et éthiques.** J. Darrouzès. Tome I. Théol. 1-3, Éth. 1-3 (1966).

123. MÉLITON DE SARDES : **Sur la Pâque (et fragments).** O. Perler (1966).

124. **Exposito totius mundi et gentium.** J. Rougé (1966).

125. JEAN CHRYSOSTOME : **La Virginité.** H. Musurillo, B. Grillet (1966).

126. CYRILLE DE JÉRUSALEM : **Catéchèse mystagogiques.** A. Piédagnel, P. Paris (1966).

127. GERTRUDE D'HELFTA : **Œuvres spirituelles.** Tome I. **Les Exercices.** J. Hourlier, A. Schmitt (1967).

128. ROMANOS LE MÉLODE : **Hymnes.** J. Grosdidier de Matons. Tome IV. Hymnes XXXII-XLV (1967).

129. SYMÉON LE NOUVEAU THÉOLOGIEN : **Traités théologiques et éthiques.** J. Darrouzès. Tome II. Éth. 4-15 (1967).

130. ISAAC DE L'ÉTOILE : **Sermons.** A. Hoste, G. Salet. Tome I. Introd. et Sermons 1-17 (1967).

131. RUPERT DE DEUTZ : **Les œuvres du Saint-Esprit.** J. Gribomont, É. de Solms. Tome I. Livres I et II (1967).

132. ORIGÈNE : **Contre Celse.** M. Borret. Tome I. Livres I et II (1967).

133. SULPICE SÉVÈRE : **Vie de S. Martin.** J. Fontaine. Tome I. Introd., texte et traduction (1967).

134. **Id.** — Tome II. Commentaire (1968).

135. **Id.** — Tome III. Commentaire (suite) (1969).

136. ORIGÈNE : **Contre Celse.** M. Borret. Tome II. Livres III et IV (1968).

137. ÉPHREM DE NISIBE : **Hymnes sur le Paradis.** F. Graffin, R. Lavenant (trad. seule) (1968).

138. JEAN CHRYSOSTOME : **A une jeune veuve. Sur le mariage unique.** B. Grillet, G. H. Ettlinger (1968).

139. GERTRUDE D'HELFTA : **Œuvres spirituelles.** Tome II. **Le Héraut.** Livres I et II. P. Doyère (1968).

140. RUFIN D'AQUILÉE : **Les bénédictions des Patriarches.** M. Simonetti, H. Rochais, P. Antin (1968).

141. COSMAS INDICOPLEUSTÈS : **Topographie chrétienne.** Tome I. Introduction et livres I-IV. W. Wolska-Conus (1968).

142. **Vie des Pères du Jura.** F. Martine (1968).

143. GERTRUDE D'HELTA : **Œuvres spirituelles.** Tome III. **Le Héraut.** Livre III. P. Doyère (1968).

144. **Apocalypse syriaque de Baruch.** Tome I. Introduction et traduction. P. Bogaert (1969).

145. **Id.** — Tome II. Commentaire et tables (1969).

146. **Deux homélies anoméennes pour l'octave de Pâques.** J. Liebaert (1969).

147. ORIGÈNE : **Contre Celse.** M. Borret. Tome III. Livres V et VI (1969).

148. GRÉGOIRE LE THAUMATURGE : **Remerciement à Origène. — La lettre d'Origène à Grégoire.** H. Crouzel (1969).

149. GRÉGOIRE DE NAZIANZE : **La passion du Christ.** A. Tuilier (1969).

150. ORIGÈNE : **Contre Celse.** M. Borret. Tome IV. Livres VII et VIII (1969).

151. JEAN SCOT : **Homélie sur le Prologue de Jean.** É. Jeauneau (1969).

152. IRÉNÉE DE LYON : **Contre les hérésies,** livre V. A. Rousseau, L. Doutreleau, C. Mercier. Tome I. Introduction, notes justificatives et tables (1969).

153. **Id.** — Tome II. Texte et traduction (1969).

154. CHROMACE D'AQUILÉE : **Sermons.** J. Lemarié. Tome I. Sermons 1-17 A (1969).

155. HUGUES DE SAINT-VICTOR : **Six opuscules spirituels.** R. Baron (1969).

156. SYMÉON LE NOUVEAU THÉOLOGIEN : **Hymnes.** J. Koder, J. Paramelle. Tome I. Hymnes I-XV (1969).

157. ORIGÈNE : **Commentaire sur S. Jean.** C. Blanc. Tome II. Livres VI et X (1970).

158. CLÉMENT D'ALEXANDRIE : **Le Pédagogue.** Livre III. C. Mondésert, H. I. Marrou et Ch. Matray (1970).

159. COSMAS INDICOPLEUSTÈS : **Topographie chrétienne.** Tome II. Livre V. W. Wolska-Conus (1970).

160. BASILE DE CÉSARÉE : **Sur l'origine de l'homme.** A. Smets et M. van Esbroeck (1970).

161. **Quatorze homélies du IX<sup>e</sup> siècle d'un auteur inconnu de l'Italie du Nord.** P. Mercier (1970).

162. ORIGÈNE : **Commentaire sur l'évangile selon Matthieu.** Tome I. Livres X et XI. R. Girod (1970).

163. GUIGUES II LE CHARTREUX : **Lettre sur la vie contemplative (ou Échelle des moines). Douze méditations.** E. Colledge, J. Walsh (1970).

164. CHROMACE D'AQUILÉE : **Sermons.** Tome II. Sermons 18-41. J. Lemarié (1971).

165. RUPPERT DE DEUTZ : **Les œuvres du Saint-Esprit.** Tome II. Livres III et IV. J. Gribomont, É. de Solms (1970).

166. GUERRIC D'IGNY : **Sermons.** Tome I. J. Morson, H. Costello, P. Deseille (1970).

167. CLÉMENT DE ROME : **Épître aux Corinthiens.** A. Jaubert (1971).

168. RICHARD ROLLE : **Le chant d'amour (Melos amoris).** F. Vandenbroucke et les Moniales de Wisques. Tome I (1971).

169. **Id.** — Tome II (1971).

170. ÉVAGRE LE PONTIQUE : **Traité pratique.** A. et C. Guillaumont. Tome I. Introduction (1971).

171. **Id.** — Tome II. Texte, traduction, commentaire et tables (1971).

172. **Épître de Barnabé.** R. A. Kraft, P. Prigent (1971).

173. TERTULLIEN : **La toilette des femmes.** M. Turcan (1971).

174. SYMÉON LE NOUVEAU THÉOLOGIEN : **Hymnes.** J. Koder, L. Neyrand. Tome II. Hymnes XVI-XL (1971).

175. CÉSAIRE D'ARLES : **Sermons au peuple.** Tome I. Sermons 1-20 M.-J. Delage (1971).

176. SALVIEN DE MARSEILLE : **Œuvres.** Tome I. G. Lagarrigue (1971).

177. CALLINICOS : **Vie d'Hypatios.** G. J. M. Bartelink (1971).

178. GRÉGOIRE DE NYSSE : **Vie de sainte Macrine.** P. Maraval (1971).

179. AMBROISE DE MILAN : **La Pénitence.** R. Gryson (1971).

180. JEAN SCOT : **Commentaire sur l'évangile de Jean.** É. Jeauneau (1972).

181. **La Règle de S. Benoît.** Tome I. Introduction et Chapitres I-VII. A. de Vogüé et J. Neufville (1972).

182. **Id.** — Tome II. Chapitres VIII-LXXIII. Tables et concordance. A. de Vogüé et J. Neufville (1972).

183. **Id.** — Tome III. Étude de la tradition manuscrite. J. Neufville (1972).

184. **Id.** — Tome IV. Commentaire (Parties I-III). A. de Vogüé (1971).

185. **Id.** — Tome V. Commentaire (Parties IV-VI). A. de Vogüé (1971).

186. **Id.** — Tome VI. Commentaire (Parties VII-IX). Index. A. de Vogüé (1971).

187. HÉSYCHIUS DE JÉRUSALEM, BASILE DE SÉLEUCIE, JEAN DE BÉRITE, PSEUDO-CHRYSOSTOME, LÉONCE DE CONSTANTINOPLE : **Homélies pascales.** M. Aubineau (1972).

188. JEAN CHRYSOSTOME : **Sur la vaine gloire et l'éducation des enfants.** A.-M. Malingrey (1972).

189. **La chaîne palestinienne sur le psaume 118.** Tome I. Introduction, texte critique et traduction. M. Harl (1972).

190. **Id.** — Tome II. Catalogue des fragments. Notes et Index. M. Harl (1972).

191. PIERRE DAMIEN : **Lettre sur la toute-puissance divine.** A. Cantin (1972).

192. JULIEN DE VÉZELAY : **Sermons.** Tome I. Introduction et Sermons 1-16. D. Vorreux (1972).

193. **Id.** — Tome II. Sermons 17-27. Index. D. Vorreux (1972).

194. **Actes de la Conférence de Carthage en 411.** Tome I. Introduction. S. Lancel (1972).

195. Id. — Tome II. Texte et traduction de la Capitulation et des Actes de la première séance. S. Lancel (1972).

196. SYMÉON LE NOUVEAU THÉOLOGIEN : **Hymnes.** J. Koder. J. Paramelle, L. Neyrand. Tome III. Hymnes XLI-LVIII. Index (1973).

197. COSMAS INDICOPLEUSTÈS : **Topographie chrétienne.** Tome III. Livres VI-XII. Index. W. Wolska-Conus (1973).

198. **Livre (cathare) des deux principes.** Ch. Thouzellier (1973).

199. ATHANASE D'ALEXANDRIE : **Sur l'incarnation du Verbe.** C. Kannengiesser (1973).

200. LÉON LE GRAND : **Sermons.** Tome IV. Sermons 65-98, Éloge de S. Léon. Index. R. Dolle (1973).

201. **Évangile de Pierre.** M.-G. Mara (1973).

202. GUERRIC D'IGNY : **Sermons.** Tome II. J. Morson, H. Costello, P. Deseille (1973).

203. NERSÈS SNORHALI : **Jésus, Fils unique du Père.** I. Kéchichian. Trad. seule (1973).

204. LACTANCE : **Institutions divines,** livre V. Tome I. Introd., texte et trad. P. Monat (1973).

205. Id. — Tome II. Commentaire et index. P. Monat (1973).

206. EUSÈBE DE CÉSARÉE : **Préparation évangélique,** livre I. J. Sirinelli, É. des Places (1974).

207. ISAAC DE L'ÉTOILE : **Sermons.** A. Hoste, G. Salet, G. Raciti. Tome II. Sermons 18-39 (1974).

208. GRÉGOIRE DE NAZIANZE : **Lettres théologiques.** P. Gallay (1974).

209. PAULIN DE PELLA : **Poèmes d'actions de grâces et Prière.** C. Moussy (1974).

210. IRÉNÉE DE LYON : **Contre les hérésies,** livre III. A. Rousseau, L. Doutreleau. Tome I. Introduction, notes justificatives et tables (1974).

211. Id. — Tome II. Texte et traduction (1974).

212. GRÉGOIRE LE GRAND : **Morales sur Job.** Livres XI-XIV. A. Bocognano (1974).

213. LACTANCE : **L'ouvrage du Dieu créateur.** Tome I. Introd., texte et trad. M. Perrin (1974).

214. Id. — Tome II. Commentaire et index. M. Perrin (1974).

215. EUSÈBE DE CÉSARÉE : **Préparation évangélique,** livre VII. G. Schrœder, É. des Places (1975).

216. TERTULLIEN : **La chair du Christ.** Tome I. Introduction, texte critique, traduction. J.-P. Mahé (1975).

217. Id. — Tome II. Commentaire et Index. J.-P. Mahé (1975).

218. HYDACE : **Chronique.** Tome I. Introduction, texte critique, traduction. A. Tranoy (1975).

219. Id. — Tome II. Commentaire et Index. A. Tranoy (1975).

220. SALVIEN DE MARSEILLE : **Œuvres.** Tome II. G. Lagarrigue (1975).

221. GRÉGOIRE LE GRAND : **Morales sur Job.** Livres XV-XVI. A. Bocognano (1975).

222. ORIGÈNE : **Commentaire sur S. Jean.** Tome III. Livre XIII. C. Blanc (1975).

223. GUILLAUME DE SAINT-THIERRY : **Lettre aux Frères du Mont-Dieu (Lettre d'or).** J. Déchanet (1975).

224. **Actes de la Conférence de Carthage en 411.** Tome III. S. Lancel (1975).

225. DHUODA : **Manuel pour mon fils.** P. Riché, B. de Vregille et C. Mondésert (1975).

226. ORIGÈNE : **Philocalie 21-27 (Sur le libre arbitre).** É. Junod (1976).

227. ORIGÈNE : **Contre Celse.** Tome V. Introduction et Index. M. Borret (1976).

228. EUSÈBE DE CÉSARÉE : **Préparation évangélique,** livres II-III. É. des Places (1976).

229. PSEUDO-PHILON : **Les Antiquités Bibliques.** D. J. Harrington, C. Perrot, P. Bogaert, J. Cazeaux. Tome I. Introduction critique, texte et traduction (1976).

230. **Id.** — Tome II. Introduction littéraire, commentaire et index (1976).

231. CYRILLE D'ALEXANDRIE : **Dialogues sur la Trinité.** Tome I. Dial. I et II. G. M. de Durand (1976).

232. ORIGÈNE : **Homélies sur Jérémie.** P. Nautin et P. Husson. Tome I. Introduction et homélies I-XI (1976).

233. DIDYME L'AVEUGLE : **Sur la Genèse.** Tome I (Sur Genèse I-IV). P. Nautin et L. Doutreleau (1976).

234. THÉODORET DE CYR : **Histoire des moines de Syrie.** Tome I. Introduction et **Histoire Philothée** I-XIII. P. Canivet et A. Leroy-Molinghen (1977).

235. HILAIRE D'ARLES : **Vie de S. Honorat.** M. D. Valentin (1977).

236. **Rituel cathare.** Ch. Thouzellier (1977).

237. CYRILLE D'ALEXANDRIE : **Dialogues sur la Trinité.** Tome II. Dial. III-V. G. M. de Durand (1977).

238. ORIGÈNE : **Homélies sur Jérémie.** Tome II. Homélies XII-XX et homélies latines, index. P. Nautin et P. Husson (1977).

239. AMBROISE DE MILAN : **Apologie de David.** P. Hadot et M. Cordier (1977).

240. PIERRE DE CELLE : **L'école du cloître.** G. de Martel (1977).

241. **Conciles gaulois du IVᵉ siècle.** J. Gaudemet (1977).

242. S. JÉRÔME : **Commentaire sur S. Matthieu.** Tome I. Livres I et II. É. Bonnard (1978).

243. CÉSAIRE D'ARLES : **Sermons au peuple.** Tome II. Sermons 21-55. M.-J. Delage (1978).

244. DIDYME L'AVEUGLE : **Sur la Genèse.** Tome II (Sur Genèse V-XVII). Index. P. Nautin et L. Doutreleau (1978).

245. **Targum du Pentateuque.** Tome I : **Genèse.** R. Le Déaut et J. Robert. Trad. seule (1978).

246. CYRILLE D'ALEXANDRIE : **Dialogues sur la Trinité.** Tome III. Livres VI et VII, index. G. M. de Durand (1978).

247. GRÉGOIRE DE NAZIANZE : **Discours 1-3.** J. Bernardi (1978).

248. **La Doctrine des douze apôtres.** W. Rordorf et A. Tuiller (1978).

249. S. PATRICK : **Confession et Lettre à Coroticus.** R.P.C. Hanson et C. Blanc (1978).

250. GRÉGOIRE DE NAZIANZE : **Discours 27-31** (Discours théologiques). P. Gallay (1978).

251. GRÉGOIRE LE GRAND : **Dialogues.** Tome I. A. de Vogüé (1978).

252. ORIGÈNE : **Traité des principes.** Livres I et II. Tome I. Introduction, texte critique et traduction. H. Crouzel et M. Simonetti (1978).

253. **Id.** — Tome II. Commentaire et fragments. H. Crouzel et M. Simonetti (1978).

254. HILAIRE DE POITIERS : **Sur Matthieu.** Tome I. Introduction et chap. 1-13. J. Doignon (1978).

255. GERTRUDE D'HELFTA : **Œuvres spirituelles.** Tome IV. **Le Héraut.** Livre IV. J.-M. Clément, B. de Vregille et les Moniales de Wisques (1978).

256. **Targum du Pentateuque.** Tome II : **Exode et Lévitique.** R. Le Déaut et J. Robert. Trad. seule (1979).

257. THÉODORET DE CYR : **Histoire des moines de Syrie.** Tome II. **Histoire Philothée (XIV-XXX), Traité sur la Charité (XXXI)** et Index. P. Canivet et A. Leroy-Molinghen (1979).

258. HILAIRE DE POITIERS : **Sur Matthieu.** Tome II. Chap. 14-33, appendice et index. J. Doignon (1979).

259. S. JÉRÔME : **Commentaire sur S. Matthieu.** Tome II. Livres III et IV, index. É. Bonnard (1979).

260. GRÉGOIRE LE GRAND : **Dialogues.** Tome II. Livres I-III. A. de Vogüé et P. Antin (1979).

261. **Targum du Pentateuque.** Tome III : **Nombres.** R. Le Déaut et J. Robert. Trad. seule (1979).

262. EUSÈBE DE CÉSARÉE : **Préparation évangélique,** livres IV-V, 1-17. O. Zink et É. des Places (1979).

263. IRÉNÉE DE LYON : **Contre les hérésies,** livre I. A. Rousseau, L. Doutreleau. Tome I. Introduction, notes justificatives et tables (1979).

264. **Id.** — Tome II. Texte et traduction (1979).

265. GRÉGOIRE LE GRAND : **Dialogues.** Tome III. Livre IV, tables et index. A. de Vogüé et P. Antin (1980).

266. EUSÈBE DE CÉSARÉE : **Préparation évangélique,** livres V, 18-36 et VI. É. des Places (1980).

267. **Scolies ariennes sur le concile d'Aquilée.** R. Gryson (1980).

268. ORIGÈNE : **Traité des principes.** Tome III. Livres III et IV : Texte critique et traduction. H. Crouzel et M. Simonetti (1980).

269. **Id.** — Tome IV. Livres III et IV : commentaire et fragments. H. Crouzel et M. Simonetti (1980).

270. GRÉGOIRE DE NAZIANZE : **Discours 20-23.** J. Mossay (1980).

271. **Targum du Pentateuque.** Tome IV. **Deutéronome,** bibliographie, glossaire et index des tomes I-IV. R. Le Déaut (1980).

272. JEAN CHRYSOSTOME : **Sur le sacerdoce (dialogue et homélie)** A.-M. Malingrey (1980).

273. TERTULLIEN : **A son épouse.** C. Munier (1980).

274. **Lettres des premiers Chartreux,** tome II : les moines de Portes. Par un Chartreux (1980).

275. PSEUDO-MACAIRE : **Œuvres spirituelles,** t. I. V. Desprez (1980).

276. THÉODORET DE CYR : **Commentaire sur Isaïe.** T. I : introduction et sections 1-3. J.-N. Guinot (1980).

277. JEAN CHRYSOSTOME : **Homélies sur Ozias.** J. Dumortier (1980).

278. CLÉMENT D'ALEXANDRIE : **Stromate V.** T. I : Introduction, texte critique et index par A. Le Boulluec, traduction par P. Voulet (1981).

279. **Id.** — T. II : Commentaire, bibliographie et index par A. Le Boulluec (1981).

280. TERTULLIEN : **Contre les Valentiniens.** Tome I : Introduction, texte et traduction. J.-C. Fredouille (1980).

281. **Id.** — Tome II : Commentaire et index. J.-C. Fredouille (1981).

282. **Targum du Pentateuque.** Tome V. Index analytique. R. Le Déaut (1981).

283. ROMANOS LE MÉLODE : **Hymnes.** J. Grosdidier de Matons. Tome V. Hymnes XLVI-LVI (1981).

284. GRÉGOIRE DE NAZIANZE : **Discours 24-26.** J. Mossay (1981).

285. FRANÇOIS D'ASSISE : **Écrits.** Th. Desbonnets, Th. Matura, J.-F. Godet, D. Vorreux, o.f.m. (1981).

286. ORIGÈNE : **Homélies sur le Lévitique.** M. Borret. Tome I : Introduction et Hom. I-VII (1981).

287. **Id.** — Tome II : Hom. VIII-XVI, Index (1981).

288. GUILLAUME DE BOURGES : **Livre des guerres du Seigneur.** G. Dahan (1981).

289. LACTANCE : **La colère de Dieu.** C. Ingremeau (1982).

290. ORIGÈNE : **Commentaire sur S. Jean.** Tome IV. L. XIX-XX. C. Blanc (1982).

291. CYPRIEN DE CARTHAGE : **A Donat** et **La vertu de patience.** J. Molager. (1982).

292. EUSÈBE DE CÉSARÉE : **Préparation évangélique,** livre XI. G. Favrelle et É. des Places (1982).

293. IRÉNÉE DE LYON : **Contre les hérésies,** livre II. A. Rousseau, L. Doutreleau. Tome I. Introduction, notes justificatives et tables (1982).

294. **Id.** — Tome II. Texte et traduction (1982).

295. THÉODORET DE CYR : **Commentaire sur Isaïe.** Tome II. Sections 4-13. J.-N. Guinot (1982).

296. ÉGÉRIE : **Journal de voyage.** P. Maraval. — **Lettre de Valérius.** M. C. Diaz y Diaz (1982).

297. **Les Règles des saints Pères.** A. de Vogüé. Tome I : **Trois règles de Lérins au Vᵉ siècle** (1982).

298. **Id.** — Tome II : **Trois règles du VIᵉ siècle** (1982).

299. BASILE DE CÉSARÉE : **Contre Eunome,** suivi de EUNOME : **Apologie.** B. Sesboüé, G. M. de Durand, L. Doutreleau. Tome I (1982).

300. JEAN CHRYSOSTOME : **Panégyriques de S. Paul.** A. Piédagnel (1982).

301. GUILLAUME DE SAINT-THIERRY : **Le miroir de la foi.** J.-M. Déchanet (1982).

302. ORIGÈNE : **Philocalie 1-20** et **Lettre à Africanus.** M. Harl, N. de Lange (1983).

303. S. JÉRÔME : **Apologie contre Rufin.** P. Lardet (1983).

304. JEAN CHRYSOSTOME : **Commentaire sur Isaïe.** J. Dumortier (1983).

305. BASILE DE CÉSARÉE : **Contre Eunome,** suivi de EUNOME : **Apologie.** B. Sesboüé, G. M. de Durand, L. Doutreleau. Tome II (1983).

306. SOZOMÈNE : **Histoire ecclésiastique,** livres I-II. A.-J. Festugière, B. Grillet, G. Sabbah (1983).

307. EUSÈBE DE CÉSARÉE : **Préparation évangélique,** livres XII-XIII. É. des Places (1983).

*Hors série :*

**Directives pour la préparation des manuscrits** (de « Sources Chrétiennes »). A demander au Secrétariat de « Sources Chrétiennes », 29, rue du Plat, 69002 Lyon.

**La Règle de S. Benoît.** VII. Commentaire doctrinal et spirituel. A. de Vogüé (1977).

## SOUS PRESSE

GRÉGOIRE DE NAZIANZE : **Discours 4-5.** J. Bernardi.

TERTULLIEN : **De la patience.** J.-C. Fredouille.

**Historia acephala Athanasii :** M. Albert, A. Martin.

PALLADIOS : **Dialogue sur la vie de Jean Chrysostome.** A.-M. Malingrey.

ORIGÈNE : **Traité des principes.** Tome V. H. Crouzel.

JEAN D'APAMÉE : **Dialogues et traités.** R. Lavenant.

THÉODORET DE CYR : **Commentaire sur Isaïe.** Tome III. J.-N. Guinot.

## PROCHAINES PUBLICATIONS

TERTULLIEN : **La pénitence.** Ch. Munier.

JÉRÔME : **Sur Jonas.** Y.-M. Duval.

GUIGUES I$^{er}$ : **Les coutumes de Chartreuse.** Par un Chartreux.

CYRILLE D'ALEXANDRIE : **Contre Julien.** P. Burguière, P. Evieux.

TERTULLIEN : **Exhortation à la chasteté.** C. Moreschini et J.-C. Fredouille.

**Conciles mérovingiens.** J. Gaudement et B. Basdevant.

# SOURCES CHRÉTIENNES
## (1-307)

*Également aux Éditions du Cerf :*

**LES ŒUVRES DE PHILON D'ALEXANDRIE**

publiées sous la direction de

R. ARNALDEZ, C. MONDÉSERT, J. POUILLOUX.

Texte grec et traduction française.

**ACHEVÉ D'IMPRIMER PAR
L'IMPRIMERIE CH. CORLET
14110 CONDÉ-SUR-NOIREAU**

N° d'Imprimeur : 3044
Dépôt légal : novembre 1983

*Imprimé en France*